LA TÊTE SUR LE BILLOT

Jay Bonansinga

LA TÊTE SUR LE BILLOT

Traduction de Jean Charles Provost

Roman

PRESSES
DE LA CITÉ

Titre original : *Head Case*

© Jay Bonansinga, 1998
© Presses de la Cité, 1999, pour la traduction française
ISBN 2-258-04622-X

Remerciements

Deux personnes m'ont fourni une aide indispensable durant mon travail sur ce roman : Norm Kelly, détective privé *par excellence*, qui m'a fait profiter de sa connaissance du métier et de ses nombreuses années d'expérience. Et Bob Mecoy, grâce à son apport magnifique durant la période de préparation — sans parler du délicat travail d'édition.

J'adresse des remerciements tout particuliers à Jeanne Bonansinga pour son amour, sa patience et son intuition incroyables. À Peter Miller, pour avoir géré ma vie. À Jennifer Robinson, pour ses conseils et son amitié inépuisables. À Elizabeth Hayes et Louise Braverman, pour leur soutien extraordinaire, toujours au-delà de mon attente. À Don VanderSluis, pour m'avoir initié aux armes. À Jodee Blanco, pour son enthousiasme infini. À Bill et Mary Bonansinga, pour leur amour et leur hospitalité. Et à Andy Cohen, qui est un vrai *mensch*, et le type le plus malin de Hollywood.

Des *gracias* supplémentaires iront à Yvonne Navarro, Chris Vogler, Pete Fornatale, Tom Cassidy, Shasti

O'Leary, l'équipe de PMA Literary and Film Management, Bruce Clorfene et l'équipe de Something Wicked, Dennis Armstrong, Ben Adams, David A. Johnson, Aaron Vanek, Tina Jens et Twilight Tales, David Quinn, Norm Pokorny, Richard Chizmar, le docteur Harry Jaffe, John Buckely, Di & Sully, Alice Bentley et The Stars Our Destination.

À la mémoire de Jim Andrews (1923-1997)

Tout va bien, Jimmy, puisque nous sommes encore tous assis autour de cette table de cuisine recouverte d'une toile cirée, riant comme des fous sous cette ampoule qui pend du plafond.

PREMIÈRE PARTIE

Le purgatoire de John Doe

Il me semble que l'incapacité de l'esprit humain à mettre en relation toutes ses composantes est la chose la plus miséricordieuse du monde.

Howard Phillips Lovecraft

1

Le bruit blanc

Avant la douleur, avant la terreur aveugle, avant même que l'homme sur le lit réalise que quelque chose n'allait pas, il y eut ces bips qui semblaient provenir de partout et nulle part à la fois.

L'homme sur le lit essaya d'ouvrir les yeux. Il essaya de bouger. Mais son corps pesait aussi lourd qu'un bloc de granit. Respirer était un supplice. Même ses paupières lui paraissaient abominablement lourdes.

Les bips continuaient à retentir à ses oreilles, véritable leitmotiv dans le noir, s'amplifiant chaque seconde un peu plus. Bip-BIP! — bip-BIP! — bip-BIP! Était-ce réel? Ou était-ce le vestige d'un rêve?

L'homme sur le lit essaya à nouveau de bouger. Il essaya de faire le point sur un objet, dans la pièce, qui lui fût familier. C'est alors qu'il prit conscience de la douleur.

Elle prit naissance dans sa poitrine — une lame acérée sous le cœur, qui se fraya un chemin dans sa cage thoracique. L'homme inspira profondément. Cette inhalation soudaine produisit un sifflement entre ses dents serrées. D'un seul coup, la douleur fut omniprésente. Une douleur quasiment tangible. Une corde de piano enserrant

13

ses articulations. Du verre pilé dans la moelle de ses os. Un nouvel élancement dans sa poitrine le fit tressaillir.

Il parvint à émettre un gémissement.

Les bips persistaient, imperturbablement. Bip-BIP ! — bip-BIP ! — bip-BIP !...

Ses yeux s'habituaient à l'obscurité. Il commença à discerner certaines formes. Des panneaux rectangulaires au-dessus de sa tête, de petits carreaux granuleux au plafond, le reflet du métal, une sorte de structure monolithique se dessinant à gauche de son lit (des lumières, des chiffres clignotants ?) et des mains courantes métalliques tout autour de lui. Il se passa la langue sur les lèvres, et s'efforça d'assimiler tous ces éléments inconnus. *Mais... un moment ! Ce n'est pas ma chambre... Ce n'est même pas chez moi !*

Bip-BIP ! — bip-BIP ! — bip-BIP !...

L'homme sur le lit prit peur.

À l'autre bout de la pièce, la porte s'ouvrit brusquement.

— Appelez le docteur Cousins...

Une grande silhouette vêtue de blanc pénétra dans la chambre, bientôt suivie d'autres silhouettes, elles aussi vêtues de blanc. On eût dit qu'une grande vague déferlante de blanc se déversait dans la pièce. L'homme sur le lit essaya de comprendre ce qui se passait, mais il avait toujours les yeux collés par le mucus et le corps secoué de spasmes douloureux. Le mieux qu'il put faire fut de gémir à nouveau — il avait la bouche si sèche qu'il pouvait à peine émettre un son —, tout en s'efforçant de concentrer son attention sur toute cette masse d'une blancheur stupéfiante qui se pressait autour de lui. Il sentit une piqûre de guêpe au-dessus de son poignet et, presque instantanément, un liquide glacé lui envahit le corps.

Une autre silhouette entra dans la chambre. Une femme en tenue de médecin.

— Eh bien, les enfants, où en sommes-nous ?

Elle avait une voix agréable, presque maternelle. Elle s'approcha du lit.

— Tension, quinze-sept...

— OK, est-ce qu'on peut jeter un coup d'œil sur ces scans TDM, s'il vous plaît...

L'homme sur le lit prit soudain conscience de sa situation, et cela galvanisa sa terreur. Il se trouvait dans une chambre d'hôpital, relié à des tubes intraveineux et aux câbles d'un électroencéphalogramme ; trois infirmières et une doctoresse l'observaient d'un air inquiet. Le médecin braqua sur lui le rayon brûlant d'un ophtalmoscope. Il eut l'impression que son corps tanguait d'avant en arrière, comme s'il se trouvait sur un gyroscope mal réglé. La douleur diminua légèrement, sans doute sous l'effet des calmants qu'on lui injectait dans les veines. Mais il était tellement desséché qu'il avait un goût d'amande amère dans la bouche, et ses yeux étaient toujours larmoyants, ce qui troublait sa vision. Il essaya néanmoins de fixer son regard sur cette femme qui dominait le groupe de sa voix claire et agréable.

— Les scans semblent parfaits, Sandy. C'est très bien, merci.

Elle se pencha au-dessus du lit. Son visage se fondit presque avec celui de l'homme, s'arrêtant à quelques centimètres seulement du sien.

— On dirait qu'il revient avec nous, dit-elle cordialement, en lui faisant un clin d'œil.

Elle avait la cinquantaine, et des cheveux blond pâle serrés dans un chignon. Il la regarda d'un air idiot et voulut dire quelque chose. Mais ses lèvres ne lui obéissaient pas.

— Allez-y doucement, *amigo*.

Elle lui toucha la joue. La sensation de ses doigts sur sa peau lui fit l'effet d'un baiser glacé.

— Inutile de parler, pour le moment.

Mais il avait un tel besoin de parler qu'il sentit les larmes couler sur ses tempes et perçut le bruit délicat

15

qu'elles faisaient en tombant sur le matelas. De petites gouttes de pluie étouffées. Il distinguait mieux la chambre, à présent. C'était comme une salle d'opération aménagée — parois plaquées d'une sorte de liège noir *high-tech*, hautes fenêtres, stores verticaux, carreaux isolants au plafond et casiers de rangement sur le mur de gauche. On entendait, en provenance du couloir, une musique d'ambiance sirupeuse à la Mantovani, décalée par rapport au rythme des bips du moniteur cardiaque tout proche.

Le médecin devait avoir remarqué son désir pressant de communiquer, car elle se pencha de nouveau vers lui avec un signe de tête.

— Tout va bien se passer. Vous êtes sorti d'affaire, maintenant. Est-ce que vous me comprenez ? Vous allez tâcher de me le faire savoir en clignant des yeux... une fois pour oui, deux fois pour non... d'accord ?

Il parvint à cligner des yeux, une seule fois.

— Parfait. Cela prouve que vous comprenez ce que je vous dis. (Elle échangea un regard avec les autres, puis se tourna de nouveau vers son patient.) Vous savez que vous nous avez donné des frayeurs !

Il essayait désespérément de parler, mais il avait l'impression d'avoir la bouche pleine de colle.

— Vous vous rappelez ce qui vous est arrivé ?

Deux clignements.

— Je m'appelle Marie Cousins. Je suis neurologue. Vous vous trouvez au Centre de réadaptation Reinhardt, à Joliet, dans l'Illinois. Vous comprenez ?

Il cligna une fois des yeux.

— Il semble que vous ayez eu un méchant accrochage avec un semi-remorque, hier, sur l'Interstate 80, poursuivit-elle de sa voix à la douceur irréelle. Ça vous a déchiré un gros morceau de cartilage aux jambes, et joliment amoché la tête. On vous a transféré ici la nuit dernière. Les types des urgences pensaient que vous étiez bon pour

16

un coma prolongé. Finalement, on dirait que nous avons de la chance, hein ?

Elle aurait pu aussi bien parler swahili. Il cligna deux fois des yeux, puis deux fois encore, puis recommença, encore et encore, comme s'il envoyait un appel au secours en morse. La douleur laissait la place à un vertige tourbillonnant, une sensation de déséquilibre qui le faisait rouler et tanguer, comme s'il venait de débarquer après avoir essuyé une grosse tempête en mer. Il n'avait pas le moindre souvenir d'un accident avec un semi-remorque, ni d'être venu à Joliet, ni même d'avoir été sur la route.

— Du calme, du calme, dit-elle en donnant une petite tape sur son épaule bandée.

Elle se retourna et chuchota quelques mots à une infirmière. Celle-ci fouilla dans la poche de sa blouse bleu clair, d'où elle sortit un petit bloc de papier.

Le docteur disposa le bloc sous la main droite de l'homme, qui reposait à son côté, flasque et lourde. Il voyait à peine au-delà des plis de sa chemise d'hôpital, au-dessus des tubes entortillés le long de son bras. Elle lui glissa un stylo à bille dans la main. Il tenta de s'en saisir. Autant demander à un poisson mort de frétiller. Il parvint enfin à replier son index autour de la pointe.

— Commençons par quelques questions simples, lui dit le docteur. Puisque nous n'avons trouvé aucun papier d'identité sur vous, pourquoi ne pas commencer par nous donner le nom des parents que vous voulez prévenir ?

Il ne trouva rien à répondre à cela, même par écrit.

— Pas de problème. Prenez votre temps.

Il prit son temps. Il se creusa la cervelle. Il avait beau réfléchir, il ne voyait pas quel parent contacter. Avait-il seulement une famille ? Cette constatation désolante le fit frissonner. Ce n'était pas bon signe. C'était peut-être même un peu terrifiant. Il fit un effort démesuré pour se souvenir, mais obtint aussi peu de résultats que s'il avait essayé de régler un poste à ondes courtes un jour d'orage.

Rien que des parasites. De la neige. Comme à la fin des programmes télé.

Bruit blanc.

— Bon, ne vous inquiétez pas, lui dit le docteur.

Elle faisait preuve d'une patience angélique. Enjouée, calme, maternelle... Une vraie mère poule. Il aurait tellement voulu communiquer avec elle, lui faire plaisir, lui transmettre des informations qui aient quelque intérêt...

— Si nous commencions par les choses les plus simples, reprit-elle. Votre nom, par exemple.

Il ferma les yeux, et se mit à pleurer. Finalement, il parvint à tracer quelque chose sur le bloc de papier.

Un point d'interrogation.

2

Le linge sale de quelqu'un d'autre

— On a lui donné des tas de noms très recherchés, mais la plupart des spécialistes parlent d'amnésie temporaire.

Le docteur Cousins était debout à côté de son lit, un classeur de vinyle serré contre sa poitrine. Une mèche de cheveux blonds cendrés pendait sur son front. Avec sa veste blanche et ses verres en demi-lune posés sur le nez, elle avait l'air d'une monitrice des Pionniers s'apprêtant à décerner le cordon-bleu de la meilleure tarte au citron.

— Mais le principal, croyez-moi, c'est que le phénomène n'est pas rare du tout. Nous l'observons chez des personnes victimes d'un choc, d'une overdose, ou...

— De traumatisme crânien ? la coupa-t-il, mal à l'aise.

Il y avait à peine quarante-huit heures qu'il avait repris conscience — et il n'avait recouvré l'usage de la parole que depuis vingt-quatre heures, mais il se posait déjà bon nombre de questions.

— Oui, exactement, John ! s'écria-t-elle avec un mouvement de tête enthousiaste.

John, comme « John Doe ». Cela sonnait mieux que « patient n° 436 ». C'était évidemment le docteur Marie Cousins qui avait tenu à lui donner un nom plutôt qu'un numéro. Cela devait l'aider à retrouver la mémoire.

En théorie, du moins.

— Mais ce que je v... veux savoir, c'est comment... vous savez bien... comment j'en suis arrivé là.

John Doe s'exprimait par balbutiements. Cette nervosité grotesque le rendait fou. Avait-il toujours parlé de cette façon ? Ou était-ce une conséquence de ses blessures ?

À cet instant précis, en fait, il ne savait pas grand-chose, si ce n'est qu'il se trouvait dans une petite clinique au sud de Chicago. Il était étendu sur un lit motorisé dans une chambre particulière, il parlait avec une spécialiste en neurologie qui se conduisait avec lui comme si elle jouait dans *Classe maternelle*, et il était mort de peur. Plus tôt dans la matinée, on l'avait transféré dans cette cellule de vingt mètres carrés — carrelage stérile, cloisons tapissées de liège et mobilier impersonnel. Bien qu'encore pas mal abruti par les calmants — sans parler du fait qu'il avait l'impression d'être ligoté par toute une batterie d'attelles, appareils médicaux et bandages —, il était en mesure de se livrer à quelques observations sur sa propre personne.

Primo, il se rendait parfaitement compte qu'il était très nerveux, avec un tas de tics et de petites manies. Il restait assis là, le dos appuyé à la tête du lit, le torse emmailloté dans de la gaze, les bras immobilisés par les tubes des goutte-à-goutte, et sa maigre carcasse avait l'air d'un ressort beaucoup trop tendu. Il n'était pas très costaud, ni particulièrement grand. Plutôt mince. Environ un mètre soixante-dix-sept pour soixante-dix kilos, des membres courts, des pieds assez petits, des doigts fins et désarticulés. Ses ongles étaient rongés jusqu'au sang, et il avait le bout des doigts jauni par la nicotine. À cet instant précis, d'ailleurs, il ressentait le besoin naissant, inattendu, d'une cigarette. Et le plus bizarre, c'est qu'il savait quelle marque il fumait : des Marlboro mentholées.

Secondo, il avait une envie folle de boire un verre. Pas plus compliqué. Il voulait un Tanqueray-tonic avec un zeste de citron. Ou bien deux ou trois Pilsner Urquell glacées. Etrange. Comment pouvait-il se rappeler sa marque de bière préférée, alors qu'il avait oublié jusqu'à son propre nom ? En fait, toutes sortes de petits détails affleuraient à sa conscience, mais dès qu'il essayait de se rappeler qui il était, c'était comme s'il balayait le cadran d'une radio hors d'usage. Il ne recevait que des grésillements.

Mais le pire, c'était la « question du visage ». Les occasions n'avaient pas manqué, durant les dernières vingt-quatre heures, de se regarder dans une glace. Mais il avait tout fait pour l'éviter. Il était terrifié à l'idée de se regarder. Pourquoi ? Pourquoi refusait-il de voir son propre visage ? N'était-ce pas le moyen le plus rapide de stimuler sa mémoire ?

Qu'est-ce qui pouvait bien clocher à ce point ?

— Si l'on commençait par l'accident sur l'autoroute ? demanda le docteur.

— Oui... Oui, c'est une bonne idée.

— Voici ce que nous savons, dit-elle en approchant une chaise du lit. Selon des témoins oculaires, vous avez surgi de nulle part... Vous avez brusquement fait irruption des bois qui longent la 80. (Elle marqua une pause et le regarda.) Est-ce que ça vous rappelle quelque chose ?

Il étudia la question, tourna le bouton dans sa tête. Rien que des parasites.

— Non, en fait, cela ne... c'est-à-dire... ça ne m'évoque rien.

— Est-ce que vous vous souvenez d'être allé sur cette autoroute ?

De nouveau, il réfléchit un moment.

— J'ai entendu parler de l'Interstate 80... je veux dire, je sais où elle se trouve... mais à part ça, pas grand-chose... le trou noir.

— Eh bien, il s'avère que vous vous êtes jeté sous un camion.

— Nom de Dieu !

21

Le docteur consulta son carnet et poursuivit :

— Un semi-remorque frigorifique Kenworth. Et si je comprends bien, un des témoins affirme avoir vu des taches sombres sur le devant de votre chemise avant le choc.

John déglutit.

— *Avant le choc ?*

— Oui, John. Cela signifie peut-être que vous étiez déjà blessé avant de vous élancer sur l'autoroute. Est-ce que vous vous en souvenez ?

John secoua la tête.

Elle regarda de nouveau ses notes.

— Par chance, le camion ralentissait. Lorsqu'il vous a percuté, il s'apprêtait à prendre une bretelle de sortie. Je lis que vous avez été projeté à près de vingt mètres, et que vous avez atterri dans les ronces, sur le bas-côté...

— Bon Dieu !

— Mais il y a une bonne nouvelle, John. Même si vous avez été frappé plutôt durement, il semblerait que vous allez vous en sortir sans trop de mal. Une légère blessure au front, une toute petite fracture au fémur droit — même pas de quoi justifier un plâtre — et des déchirures transversales du cartilage aux deux genoux...

— Formidable.

— Oh et puis, bien sûr, trois côtes fracturées et quelques disques écrasés.

John secoua la tête et inspira à fond. Une légère douleur irradia de nouveau son côté gauche. Elle était très discrète, mais continue. Elle se mouvait, tel un requin, sous la surface du Dilaudid. Sa colonne vertébrale était comme une fusée qui le brûlait, jetant des étincelles. Ses genoux l'élançaient. Il était incapable de décider s'il valait mieux, à ce stade, connaître la terminologie clinique de son mal, ou demeurer dans l'ignorance.

— Et l'amnésie ? demanda-t-il enfin. Vous m'avez dit qu'on appelait cela... comment... une amnésie temporaire ?

— C'est exactement cela, John. On la dénommait parfois amnésie primaire, parce que Freud le premier l'avait cataloguée et étudiée. Vous entendrez aussi parler d'amnésie organique antérograde, ou d'amnésie globale passagère... Mais quel que soit le nom qu'on lui donne, un chat reste un chat, n'est-ce pas ?

Quand elle souriait, ses fossettes se creusaient. John esquissa à son tour un sourire, puis il se tordit les mains et s'agita dans son lit. Il essayait de régler une station émettrice dans sa tête — n'importe quelle station ferait l'affaire —, mais les parasites grésillaient toujours.

— Vous comprenez, John, le patient atteint d'amnésie organique antérograde perd tous ses souvenirs épisodiques. En d'autres termes, il perd la trace des événements de la vie réelle, des gens réels, et des circonstances qui l'ont amené là où il est... Mais il garde en mémoire la plupart de ses connaissances et la plupart de ses facultés.

— Le problème, c'est que... comment dire ?... je me souviens de tout un tas de détails me concernant...

— C'est parfaitement normal, John.

— ... mais je suis incapable de me rappeler les choses les plus importantes... Qui je suis, par exemple.

— Je vous le répète, c'est précisément comme ça que ça marche. Les patients n'ont rien oublié de leurs connaissances générales, de ce qu'ils aiment et détestent, jusqu'à leur parfum préféré pour les crèmes glacées. Est-ce que par hasard vous vous souvenez quel est votre parfum préféré ?

Le docteur sourit une fois de plus, et John eut l'impression qu'il allait lui vomir au visage. Il se contenta de murmurer :

— En fait... euh... je n'ai jamais été... fou de glaces.

— Très bien, très bien ! s'exclama-t-elle avec enthousiasme. Vous voyez ce que je veux dire ? Le fait que vous vous souveniez de ça est une pièce du puzzle.

— Mais comment diable... Comment est-ce possible ?

Elle haussa les épaules.

23

— Nous en apprenons chaque jour un peu plus sur le cerveau humain. Grâce aux nouvelles techniques, nous sommes capables de dresser une carte du cerveau et de l'analyser, mais il nous reste beaucoup de chemin à parcourir. La dernière théorie en date veut que le cerveau soit découpé en compartiments. Le choc que vous avez subi aura sans doute bousculé le compartiment qui s'occupe de l'aspect *chronologique* de la mémoire.

John se concentra là-dessus un moment.

— Et les vêtements que je portais ce jour-là ?

Le docteur hocha la tête.

— Bonne question. Je me suis demandé, en effet, si vos effets personnels pouvaient ou non stimuler votre mémoire. Attendez une minute.

Elle sortit dans le couloir, puis revint avec une pile de linge plié, un grand sac à fermeture Éclair posé sur le dessus. Elle lui tendit le tout.

Il avait l'impression de tenir le linge sale de quelqu'un d'autre.

— Examinez tout cela, lui dit-elle avec insistance, et voyons si cela déclenche des associations d'idées.

John déplia les vêtements sur ses genoux. Ses mains tremblaient, maintenant, et il avait de nouveau envie d'avaler un grand verre de gin. Il y avait une chemise de batiste d'un bleu décoloré, une grande tache noire informe sur le devant, et des trous çà et là qui résultaient sans doute de son accrochage avec la calandre du Kenworth. Un pantalon kaki déchiré, une paire de baskets hors d'usage. John sentit les faibles remugles de fumée refroidie et de déodorant (était-ce bien ces parfums-là ?), et son estomac se souleva. Mais la nausée n'était pas présentement ce qui le préoccupait. L'objet qui avait attiré son regard se trouvait dans le sac à fermeture Éclair. On lui avait bien dit que son portefeuille avait disparu — pour autant qu'il en ait eu un —, mais on avait omis de mentionner l'objet qu'il avait sous les yeux.

— Qu'est-ce que c'est que ça ?

24

Il ouvrit le sac, intrigué, et en tira le trousseau de clés — un minuscule piano en plastique auquel étaient fixées une demi-douzaine de clés de tailles diverses. Il le garda un moment au creux de sa main. Son poids, le contour du petit piano, la manière dont il *s'adaptait* à sa paume, tout cela le submergea d'un seul coup. Un crépitement retentit au fond de son crâne. Électricité statique, grésillements parasites. Quelque chose remonta à la surface de sa mémoire, sous la forme d'images imprécises, d'éclairs qui dansaient dans sa tête. Il commençait à entrevoir quelque chose.

Et franchement, cela ne lui plaisait pas beaucoup.

3

L'homme à la viande

Il y avait des rangées de côtes imprécises, des taches de rouge, une flèche noire, et un visage blanc comme la mort dont les muscles tendus formaient un rictus... Tout cela était gravé dans des dessins sombres tracés fiévreusement sur le papier coquille d'œuf qu'il avait chapardé dans la salle de « thérapie par l'expression artistique », au bout du couloir. Durant les douze dernières heures, il avait dessiné à tout va sur le plateau installé en travers de son lit, esquissant des images dans des cases minuscules, comme celles d'une obsédante petite bande dessinée. De temps en temps, une nouvelle image tremblante émergeait de l'obscurité de son esprit, traversant les parasites et le bruit blanc comme une lointaine transmission satellite. La plupart des émotions, des schémas et des sensations tournaient autour de deux choses : un homme et un quartier de viande.

Il n'avait pas la moindre idée de ce que cela signifiait.

John cessa de dessiner un instant, et s'appuya contre la tête de lit. Tout en se rongeant un ongle, il réfléchit aux images qui lui venaient à l'esprit. Il regarda la pendule. Il était presque trois heures du matin, et il était encore parfaitement réveillé. Cette damnée insomnie le

26

rendait fou. Pour un homme qui ne se souvenait de rien, il avait une sacrée activité cérébrale. Il respira profondément et essaya de faire le vide dans sa tête. Son pied battait sans interruption contre le bord du lit, et le mouvement faisait cliqueter et grincer l'attache métallique sur son genou. Ce bruit le rendait cinglé.

Il avait méchamment besoin de changer de décor. Il se trouvait au Centre Reinhardt depuis trois jours. Il mourait d'envie d'aller au-delà du couloir, au-delà de ces trente mètres de carrelage vert qui limitaient son univers.

Et il n'avait toujours pas regardé dans un miroir.

Son paquet de Marlboro était posé à côté d'une cruche en plastique. Il en prit une, qu'il alluma avec un briquet Bic. Puis il tendit le bras vers le magnétophone portatif posé sur le rebord de fenêtre près du lit, retourna la cassette et appuya sur PLAY.

Dizzy Gillespie se mit à gémir dans le haut-parleur de dix centimètres de diamètre. « Cool Blues ». Ray Brown à la basse, John Lewis aux claviers, Kenny Clarke à la batterie et le grand Charlie Parker à l'alto. La pulsation obsédante de la musique, les battements syncopés, le jeu plaintif d'appels et de réponses firent que John se sentit légèrement moins seul, moins enclin à la panique.

Les cassettes, les cigarettes et la « thérapie par l'expression artistique », c'était l'idée du docteur Cousins. Selon sa théorie, tout ce qui revenait à la mémoire de John, même le détail le plus banal, pouvait provoquer l'émergence d'autres souvenirs plus significatifs. Le docteur l'avait persuadé de coucher sur le papier une liste de ses préférences — ses morceaux de musique favoris, ses films préférés, les marques de cigarettes, de café et de friandises, et tout ce qui pouvait lui passer par la tête. On lui avait donné tout ce qu'il avait demandé, à l'exception du demi-gallon de gin Tanqueray ; le docteur Cousins avait mis son veto, expliquant que non seulement ça pouvait entrer en réaction avec les calmants, mais que ça retarderait ses progrès. Pour le moment, il avait du mal à penser à autre chose qu'à cette bouteille de Tanqueray.

Il ferma les yeux et essaya de se concentrer sur la musique, marquant la cadence du pied de manière compulsive.

Il ne savait trop comment, il s'était rappelé qu'il adorait le jazz. Le fait s'était trouvé là, simplement, à fleur de peau, comme l'odeur caractéristique d'une maison dont les occupants ont rarement conscience. Il aimait surtout le blues de Kansas City et le hard-hop des années cinquante et soixante. Count Basie, Dizzy, Bird, Monk, Jay McShann.

Comment diable John Doe pouvait-il savoir ces choses sur lui-même ? Comment pouvait-il avoir accès à ces données, alors qu'il ne connaissait même pas son propre nom ? Bon Dieu, il fallait qu'il boive un verre.

Lorsqu'il fermait les yeux, c'était encore pire. Le bruit blanc prenait une forme visible — c'était comme un film passant beaucoup trop vite dans le projecteur, les images défilant à travers les parasites et le bruit. Il voyait des flashs de talons aiguilles, de quartiers de bœuf, de filets tendus sur des chairs pâles, de dents, un lourd velours pourpre ondulant sous l'effet d'une brise venue d'ailleurs...

— Nom de Dieu ! jura-t-il.

Il repoussa le plateau et descendit du lit, non sans mal.

Il empoigna les béquilles posées contre la table de chevet puis traversa la chambre avec difficulté, en tirant sur sa cigarette, et en essayant de s'éclaircir les idées. Il avait toujours le corps très fragile, une douleur aiguë lui traversait les côtes au moindre mouvement, et chacun de ses pas traînants mettait ses genoux au supplice. Mais à en croire le docteur Cousins, plus il se déplacerait, plus vite il guérirait.

Appuyé à la fenêtre, il regarda au-dehors les espaces sombres et déserts, le parking vide baignant dans la lumière vaporeuse et, au loin, l'étang artificiel dont l'eau noire scintillait sous le clair de lune. Le bâtiment lui-même était la désolation personnifiée. Une horreur architecturale, avec ses ailes en saillie et son monolithe de verre et d'acier. À l'intérieur, les couloirs stériles aux sols recouverts de moquette et les chambres propres jusqu'à la maniaquerie étaient aussi silencieux et gris que les vallées désolées de la Lune. John se sentait comme un rat de laboratoire dans cette atmosphère si particulière.

Le pire, c'étaient les images qui se dessinaient dans sa tête. Inutile d'être le marquis de Sade pour savoir qu'une bonne partie de ce qui remontait à sa mémoire — même si c'était très fugitif — relevait du fétichisme. La viande, les talons aiguilles, les dents et les taches rouges.

— Excusez-moi, monsieur ?

La voix venait de la porte, à l'autre bout de la chambre, et le fit tressaillir.

Il pivota en direction du bruit. Une silhouette se dessinait entre le montant et la porte entrouverte, éclairée à contre-jour par les lampes fluorescentes du couloir. Tout d'abord, John eut du mal à discerner son visage, mais il vit bien qu'il avait affaire à un homme taillé en armoire à glace. Il portait la salopette de l'équipe d'entretien, et tenait en main un balai-brosse. Il avait sous le bras un journal roulé.

— Monsieur Doe, n'est-ce pas ?

— Bonj... Oui, c'est... c'est moi, dit John en hochant la tête.

Il essayait de contrôler sa peur, ses nerfs.

— J'ai vu de la lumière, dit l'homme. Je vous ai entendu remuer.

— Oui... Désolé... j'ai du mal à dormir... une insomnie.

— Quelle plaie !

Il y eut un silence embarrassé. John parvint à esquisser un pâle sourire.

— Y a-t-il quelque chose... Enfin... Que puis-je faire pour vous ?

— Je me disais que vous aimeriez peut-être jeter un coup d'œil là-dessus. (Il déplia le journal, puis fit deux pas vers John.) C'est un des types de l'entretien qui me l'a montré.

— Qu'est-ce que c'est ?

John essayait de dissimuler l'inquiétude perceptible dans sa voix.

— Là, regardez ça, lui dit l'autre.

Il tourna prestement les pages du journal — probablement un quotidien régional — et poursuivit :

— Un des garçons de salle a dû prendre la photo pendant votre rééducation. Hier. J'imagine qu'il en a tiré un bon paquet.

John saisit le journal d'une main tremblante et découvrit avec horreur le titre en caractères gras qui s'étalait en bas de page : Un homme sans nom hospitalisé dans une clinique de la ville. L'article courait sur trois colonnes. Une photo, nichée au centre du texte, montrait en gros plan un homme maigre, au teint pâle, qui marchait dans le couloir en s'aidant d'un déambulateur.

Le visage du patient était parfaitement reconnaissable.

— Vous êtes une vraie célébrité, monsieur Doe, commenta avec fierté l'homme préposé à l'entretien. Qu'est-ce que vous dites de ça ?

4

La quête de Billy Marsten

Il traversait le hall du Durkin's Pancake House de la 159e Rue, quand il remarqua les journaux, au bas du présentoir de bois placé près de la porte. Il faisait rarement attention à ces torchons sans intérêt, mais, cette fois, quelque chose sur la première page accrocha son regard. Peut-être était-ce le sous-titre, dans le coin inférieur droit, qui disait : VICTIME DE L'AMNÉSIE EN VOIE DE GUÉRISON. VOIR EN SECTION DEUX.

Billy Marsten s'agenouilla, son manteau noir s'épanouissant sur le carrelage comme une grande jupe ronde. Il s'empara du dernier exemplaire du *Times-Weekly*, qui était pris en sandwich entre deux *Chicago Reader* et une pile d'*Illinois Entertainer*, puis se redressa de toute sa hauteur — un mètre quatre-vingt-seize intimidant — et s'appuya au présentoir. Le cadre de bois grinça sous son poids tandis qu'il feuilletait la première section.

Affirmer que Billy Marsten était un jeune homme plutôt costaud serait qualifier le désastre du *Hindenburg* d'incident mineur. Il pesait près de cent trente kilos en sous-vêtements, et était bâti en forme de poire géante, avec une tête délicate bien trop petite pour le reste de son corps. Il avait une barbiche fine comme un trait de crayon

31

et deux yeux noirs perçants qui semblaient absorber la lumière comme des obsidiennes. Selon son habitude, il était vêtu de noir — T-shirt Uomo noir, pantalon de cuir noir, bottes de moto noires. Il portait au cou un petit tatouage représentant une main noire, un symbole dont la signification était hors de portée de ses ploucs de condisciples à la Lewis University.

Il continua à parcourir le journal jusqu'à ce qu'il tombe sur l'article, inséré en Section Deux.

Le regard de Billy se posa d'abord sur le titre. Un homme sans nom hospitalisé dans une clinique de la ville. Puis il vit la photo, au bas de la page. Il la contempla longuement, jusqu'au moment où il comprit de quoi parlait l'article. Soudain, toute sa posture se modifia. Il se redressa légèrement, et inspira à fond en bombant le torse — ce qui ne manquait pas d'être spectaculaire.

Il paraissait impossible de tomber sur cet homme totalement par hasard. Se pouvait-il qu'il s'agisse d'une erreur ? Une cruelle plaisanterie du destin ? Billy avait des fourmis dans les doigts. Il ferma le journal et regarda autour de lui. Deux autres clients venaient de passer la porte — un couple âgé, dans leurs habits du dimanche élimés, courbés comme des suppliants vêtus de polyester, qui chuchotaient des banalités. Ils ne comprendraient jamais la quête de Billy. Il fallait être quelqu'un de très spécial pour admettre la quête de Billy.

Comme le type de la photo.

Billy glissa le *Times-Weekly* sous son bras et se précipita vers la sortie, le cœur battant un peu plus vite.

5

La chambre des tortures

Au bout du couloir principal, il y avait une grande salle très claire : le centre de rééducation. Avec ses cent quatre-vingts mètres carrés de parquet auxquels les années avaient donné une patine feutrée, ses murs de vieux plâtre blanc et ses plafonds aux ornementations victoriennes effritées, c'était un pur anachronisme dans l'austérité Bauhaus du Centre Reinhardt. La lumière du soleil entrait en ruisselant par les hautes fenêtres cintrées du mur ouest, enflammant les grains de poussière et réchauffant l'air moisi. La pièce, qui ressemblait à la salle de répétitions d'une école de danse, était encombrée de machines à poids compliquées. Chacune d'elles reposait sur un tapis de caoutchouc spongieux. Le long des fenêtres courait une ligne de barres parallèles dont se servaient, pour faire leurs premiers pas, les patients en rééducation.

Aux yeux de John, la salle était devenue une chambre des tortures, le fléau de son existence.

Ce matin-là, on le fit commencer par l'assouplisseur. C'était épouvantable. Chaque mouvement lui donnait l'impression qu'on lui enfonçait de gros clous rouillés dans les genoux, et provoquait dans ses côtes une douleur

33

atroce. Mais John s'accrochait. Soixante mouvements sur l'assouplisseur (pour les jambes), soixante mouvements sur le fléchisseur (pour les hanches), trente minutes aux barres murales. Exténuant. Mais John avait des millions de raisons de continuer, dont la moindre n'était pas cette pile électrique nommée Jenny Withers.

Jenny Withers était la physiothérapeute à qui le docteur Cousins l'avait confié. C'était une Noire dont les dreadlocks évoquaient la chevelure de la Méduse. Elle avait des muscles luisants et nerveux, et dégageait ce genre d'énergie qui semble commune à tous les entraîneurs. Elle était toujours vêtue de tissu éponge, elle tapait constamment dans ses mains dures comme de l'acier, et criait des formules d'encouragement toutes faites, du style : « Vous y êtes ! », « Oui, c'est cela ! » et autres « Chauffez-moi ça ! ». C'était un derviche tourneur générant de l'adrénaline, une véritable machine à produire de la motivation psychologique.

Dès le premier regard, John avait éprouvé de la sympathie pour elle.

— Je suppose que vous avez entendu parler de moi, lui avait-il dit quelques instants plus tard.

— L'homme sans nom, avait-elle répondu en souriant.

— Ouais, c'est moi... l'homme mystérieux, qui savoure ses quinze minutes de célébrité.

— Profitez-en tant que ça dure, dit-elle en lui désignant un tapis de sol. Et si vous vous allongiez là-dessus ? Tout en bavardant, nous pourrions commencer par quelques exercices d'élongation.

John obtempéra.

— J'essaye de me retrouver, grogna-t-il en se laissant aller doucement en arrière. (Jenny lui souleva les genoux, les abaissa.) Je veux dire... me redécouvrir, ou quelque chose comme ça.

— Ça doit être terrible.

— Oh, je ne sais pas... Au moins, je ne m'inquiète pas de ma déclaration d'impôts.

— Vous ne vous souvenez vraiment de rien ?

— Non. Pas même de mon visage.

— Vous ne vous rappelez pas votre propre visage ?

John secoua la tête.

— Quand je regarde dans un miroir, je vois un type dans la quarantaine avec un visage banal, le crâne un peu dégarni. Voilà tout. Un type que je ne connais pas. C'est dingue, non ?

Il y eut un silence embarrassé, puis John lui parla de ces choses insignifiantes qu'il ne pouvait se sortir de la tête — Miles Davis, les huîtres sur leur demi-coquille, les grands solos de saxophone. Bien sûr, il omit volontairement de lui parler des pièces de viande, du visage blanc comme la mort, des talons aiguilles et du rictus découvrant les dents.

— Ce n'est pas si insignifiant, dit Jenny.

— Que voulez-vous dire ?

Elle haussa les épaules.

— Qu'y a-t-il de plus important, dans la vie, que la musique et la nourriture ?

John sourit.

— Ouais, je suppose que vous avez raison.

— Tournez-vous sur le côté, et pliez le genou droit le plus possible, mais sans que cela vous fasse trop mal. Puis dépliez-le.

John obéit. Il sentit les mains puissantes de Jenny effleurer son mollet et la base de son jarret tandis qu'il pliait son genou blessé du mieux qu'il pouvait tout en évitant que la douleur lui arrache la peau du crâne.

— Ça fait mal... *Aïe !* Ça brûle un peu !

Il grimaça.

— OK, très bien, dit-elle en l'aidant à se détendre. Nous n'allons pas trop insister aujourd'hui. Vous avez une déchirure partielle d'un des quatre ligaments du genou, aggravée par la fêlure de votre fémur. Imaginez une échelle de un à dix... et essayez de me dire quand la douleur dépassera, disons, le sept ou le huit...

— D'accord. Pas de problème.

Un instant plus tard, elle reprit :

— Je parie que la musique et la nourriture ne sont pas les seules choses qui vous sont revenues.

— Comment cela ?

— Vous aimez la boisson, n'est-ce pas ?

— Quoi ?

— Vous savez très bien ce que je veux dire. L'alcool. La bière, le vin, les apéros...

John lui jeta un regard ébahi.

— Comment avez-vous... C'est vrai... Mais comment le savez-vous ?

— L'intuition féminine. Maintenant, tournez-vous doucement. Nous allons faire la même chose avec l'autre genou.

John obéit sans mot dire. Il se demandait si cette femme était une sorte de chaman, une magicienne capable de découvrir les maux d'un patient rien qu'en posant ses mains sur son corps. Il regarda ses doigts, ses adorables doigts d'ébène guidant son genou, et quelque chose crépita, très brièvement, dans son esprit toujours désespérément brouillé. Une voix de femme, suppliant de façon inarticulée, miaulant comme un chat... Puis il n'y eut plus rien. Il sentit un léger frisson le long de son épine dorsale, et ferma les yeux.

— Ça fait un peu mal, murmura-t-il. Un sept, disons.

— Excusez-moi.

— Comment avez-vous su... pour l'alcool ?

Jenny haussa les épaules.

— Pas besoin d'être toubib pour reconnaître les symptômes, les tremblements, la transpiration...

— C'est vraiment... *Aïe !* Ça, c'était un huit ! C'est donc si évident que cela ?

Après un long silence, Jenny ajouta :

— C'est sans doute plus facile pour qui a été mariée à un alcoolique.

Il y eut à nouveau un long silence angoissé, puis le travail reprit.

John essaya de meubler la fin de la séance avec des propos banals.

Il passa le reste de la journée dans une sorte de refus acharné de son état. Il errait seul dans les couloirs, en claudiquant, avec ses béquilles. Il avait la tête pleine de grands solos de saxophone d'autrefois, et constata qu'il se les rappelait à la note près. Il y avait le vrombissement feutré de Sonny Rollins dans « Dancing in the Dark », puis les croches sautillantes de Coleman Hawkins dans « Beyond the Blue Horizon ». Mais le plus grand, c'était le riff endiablé de Charlie Parker dans « Lester Leaps in ». Comment John connaissait-il tous ces morceaux ? La musique remontait simplement de son subconscient en bouillonnant comme un torrent. Plus tard, lors d'une séance d'assouplissement dans la piscine du centre, il se surprit à fredonner inlassablement la rythmique d'« Opus One », comme un mantra capable de maintenir à distance les images les plus sombres.

En fin d'après-midi, le docteur Cousins lui fit subir une série de tests psychologiques, tels que le « test d'aperception thématique » basé sur l'analyse de réactions verbales spontanées à des dessins. Malheureusement, contempler pendant deux heures des cartons montrant des scènes domestiques, des enfants perdus, des papas en colère et des postiers lascifs ne suffit pas à stimuler quoi que ce soit dans le mécanisme mental déréglé de John Doe.

Ce soir-là, pour la première fois depuis son arrivée à la clinique, John dîna à la cafétéria. Il s'installa seul près de la fenêtre, et mangea son poulet et son riz en essayant de ne pas regarder les autres patients. Mais bon nombre d'entre eux restaient à l'écart, comme s'ils sentaient la tension qui régnait dans la pièce.

John avait l'impression que tout le monde savait quelque chose qu'il ignorait. Il n'était pas très loin de la vérité.

À neuf heures du soir, la bibliothèque publique d'Orland Park fermait pour la nuit. On avait fait plusieurs annonces par haut-parleur, à intervalles de dix minutes, et la plupart des visiteurs avaient gentiment descendu l'escalier qui menait au guichet des prêts. Sylvia Sunnheimer se trouvait derrière son bureau encombré, juste sous l'écriteau « Références ». Elle attendait le moment où elle pourrait éteindre son ordinateur, pointer et rentrer chez elle. Mais Sylvia Sunnheimer ne pouvait pas encore partir — oh non, Sylvia ne pouvait pas bouger. Il y avait encore un traînard qui s'attardait à l'autre bout de la salle, près du rayon des périodiques.

Il y en avait toujours un, chaque soir que Dieu faisait, pour compliquer l'existence du personnel de service.

Sylvia était employée aux références à la bibliothèque depuis presque dix ans, depuis la mort de son mari, Bernie. Elle avait vu passer tous les genres de zozos possibles et imaginables : épaves à la recherche d'un coin où crécher, prostituées, toxicomanes, collégiens shootés cherchant la bagarre. Mais pour une raison ou une autre, les traînards étaient les pires. Perdus dans leurs petits mondes personnels, feuilletant de vieux numéros du *New York Times*, dévidant d'interminables bobines de microfiches. Sylvia savait qu'il y avait parmi eux des avocats, des journalistes ou des enquêteurs de compagnies d'assurances. Il pouvait s'agir aussi de détectives privés venus de la province, ou simplement de mères de famille qui s'ennuyaient et cherchaient une nouvelle recette de soupe de palourdes. Mais les uns comme les autres ne faisaient aucun cas d'autrui, et c'est précisément cela qui mettait Sylvia en rogne.

Elle se leva et contourna son bureau en lissant les plis de sa jupe Ann Taylor neuve. Elle n'avait pas loin de soixante ans. C'était un petit bout de femme au visage fin et parcheminé, à la tenue impeccable et au maintien digne d'un sergent instructeur du corps des Marines. Elle ne supportait pas les imbéciles, et elle avait passé l'âge de

38

laisser un traînard lui faire rater l'émission de Barbara Walters. C'est pourquoi elle avait décidé d'aller lui dire deux mots.

Il était assis à une table ronde près de la fenêtre, et tournait le dos à Sylvia. Il avait sur sa droite un écran de lecture de microfiches allumé, et plusieurs journaux locaux récents à portée de main. De derrière, bien entendu, elle ne pouvait voir son visage. Mais il était évident qu'il entrait dans la catégorie des *professionnels*. Maître d'école, flic, professeur. De taille moyenne, large d'épaules, il portait une veste sport ocre avec des empiècements aux coudes. Une bonne quarantaine d'années. Sylvia pouvait voir ses mains feuilletant le papier journal. Des mains fortes, habiles, puissantes. Il s'arrêta sur un numéro du *Joliet Times-Weekly*, et observa une photo au bas d'une page. Les veines de ses tempes battaient furieusement.

Sylvia s'apprêta à lui taper sur l'épaule et à l'interpeller rudement pour le prier d'en finir. Mais pour une raison quelconque, elle s'immobilisa. Elle se tint près d'un présentoir, à trois mètres de lui, les néons bourdonnant au-dessus de sa tête dans le silence austère de la bibliothèque déserte. Elle était incapable de le quitter des yeux. Cela tenait à quelque chose dans son port de tête, dans sa coiffure soignée, dans la manière dont sa mâchoire s'inscrivait dans ce tableau, dont ses épaules robustes tendaient les coutures de sa veste sport. Soudain, Sylvia perdit toute son assurance.

Cet homme-là ne plaisantait pas.

Sylvia resta là sans bouger, trop secouée pour regagner son bureau, trop troublée pour dire quoi que ce soit. Un moment s'écoula. Puis l'homme assis à la table fit quelque chose que Sylvia n'avait jamais vu faire à aucun visiteur, et Dieu sait pourtant qu'elle en avait vu. Cela ne dura qu'une fraction de seconde. L'homme assis à la table tendit le bras et déchira l'article du *Times-Weekly*, avec un tel naturel que Sylvia eut l'impression étrange d'être violentée.

Puis l'homme se leva, plia l'article et le glissa dans sa poche comme si rien ne s'y opposait. L'instant d'après, il se dirigeait vers l'escalier. Son visage apparut en pleine lumière lorsqu'il passa devant Sylvia — des traits sévères, des joues creuses, un nez aquilin parfaitement crochu. Ses cheveux avaient la couleur d'un champ de blé inondé par la lumière de l'aube, et ses yeux semblaient refléter une grande expérience du monde. En vérité, il avait l'air d'une vedette de cinéma. Mais ce qui frappa surtout Sylvia, ce fut le regard qu'il lui jeta — *un regard hanté*, dirait-elle — et qu'il garda braqué sur elle tandis qu'il traversait la salle, marquait un arrêt en haut de l'escalier et lui faisait un dernier signe de tête en guise d'adieu, avant de descendre les marches et de disparaître.

Sylvia avait complètement oublié Barbara Walters.

6

Une bonne nouvelle

Parmi les pensionnaires du Centre de réadaptation Reinhardt, qui accueillait une trentaine d'hommes, de femmes et d'adolescents, il y avait de nombreuses victimes d'accidents de la route. Un des cas les plus sérieux était celui de David Eisenberg. Ce jeune homme au visage poupin avait perdu le contrôle de sa Nissan Sentra en rentrant chez lui après avoir fêté son passage en troisième année d'université, dix mois plus tôt. Il souffrait de lésions graves aux scissures inférieure et centrale du lobe frontal. Il était incapable de se déplacer et de parler, et commençait tout juste à réapprendre à communiquer à l'aide d'un clavier électronique. John ressentait une sympathie particulière pour David Eisenberg. Il lui exprimait son affection en lui adressant de brefs signes de la main et des regards obliques quand ils se croisaient dans le couloir, John avec ses béquilles, le jeune homme dans son fauteuil roulant. Quelque chose, dans la minuscule lueur d'espoir qui brillait dans les yeux du garçon, brisait le cœur de John.

C'est peut-être pourquoi il aborda le sujet avec Jenny, le lendemain en fin d'après-midi, dans la salle de rééducation.

41

— Est-ce que vous avez déjà travaillé avec le jeune Eisenberg ? lui demanda-t-il dans un grognement, tout en poussant avec la plante des pieds le support de l'assouplisseur.

Le rythme de boogie-woogie de « C-jam Blues » joué par Jay McShann battait au fond de son crâne, et ça l'encourageait. C'était son sixième jour au purgatoire, et il se sentait assez sûr de lui pour marcher sans béquilles. En dépit de son amnésie, il commençait à envisager de quitter l'établissement, et de se lancer dans le monde pour se mettre en quête de son identité perdue. C'était une perspective terrifiante, mais il savait que, tôt ou tard, il devrait y faire face.

— Un gentil garçon, dit Jenny. J'ai fait quelques exercices de base avec lui... Allez, John, encore cinq, il faut que ça vous chauffe ! Un peu de coordination regard-mains, rien de bien fatigant...

— Est-ce qu'il finira par... Est-ce qu'il se rétablira ?

Jenny haussa les épaules.

— C'est à quoi nous nous employons, dans cette maison.

— On dirait... Je ne sais pas, on dirait que ça bouillonne, dans sa tête.

— Oui, je vois ce que vous voulez dire.

— Mais vous ne savez pas s'il retrouvera l'usage de la parole ?

— Non, il est impossible de le savoir.

John allait dire autre chose, mais il ravala ses mots quand il comprit que le même pronostic s'appliquait sans doute à son cas. En fait, personne ne pouvait dire s'il retrouverait jamais la mémoire. Les probabilités étaient sans doute d'une chance sur deux. Et c'était sans doute pour cette raison qu'il se sentait une telle affinité avec le jeune Eisenberg.

— Ce ne sont pas mes oignons, vous savez, et je ne suis pas toubib, marmonna-t-il en fournissant un ultime et douloureux effort. Je pense simplement que l'esprit de ce garçon est impec. Comme s'il était prisonnier de son...

— *John !*

La voix fendit l'air confiné de la pièce.

John leva les yeux. Le docteur Cousins entra dans la salle de rééducation et se dirigea vers lui. Les yeux brillants d'excitation, elle serrait un clipboard contre sa poitrine vêtue de blanc. Ses talons claquaient sur le plancher.

— Vous n'allez pas me croire ! (Elle s'approcha de l'assouplisseur, et se pencha au-dessus de John.) Vous n'allez pas me croire, je vous le dis !

Il laissa aller ses jambes et se cala dans le siège rembourré.

— Très franchement, docteur Cousins, au point où j'en suis, je suis prêt à croire presque n'importe quoi...

— Vous avez un visiteur, lui dit-elle en souriant.

— Un quoi ?

Il n'était pas sûr d'avoir bien entendu. Il lui semblait qu'elle avait dit *visiteur*. Mais cela pouvait être aussi bien *viseur*, ou *pisteur*. Il déglutit avec peine. Ses doigts se crispèrent sur les côtés de la machine.

— Un visiteur, John. Un vrai visiteur, en chair et en os !

Il eut soudain l'impression que la salle changeait. L'écoulement du temps s'interrompit brutalement, comme si le monde entier était une grande cassette vidéo et que quelqu'un avait appuyé sur la touche PAUSE. Ses oreilles le brûlaient, et son cuir chevelu semblait trop étroit pour son crâne.

— Un visiteur ?

Il était encore à demi étourdi par la nouvelle, comme s'il ne l'avait pas vraiment assimilée.

— C'est une excellente nouvelle, non ? Il est là, il vous attend au parloir !

— C'est super, dit Jenny en reculant d'un pas, les mains sur ses hanches osseuses.

— Oh, mon Dieu ! lâcha-t-il enfin.

Il avait l'impression que son cœur s'était bloqué. Des frissons glacés remontèrent de ses reins jusqu'au sommet de sa colonne vertébrale, faisant se dresser les poils de son cou. Son estomac se noua. C'était trop brutal. Il ne s'attendait pas à ce que la clé du mystère vienne de l'extérieur. Il s'attendait à ce qu'elle vienne du dedans, qu'elle découle de quelque paisible révélation intime. Il croyait être installé dans un fauteuil confortable, et se rendait brutalement compte qu'il se trouvait sur des montagnes russes, que son siège montait une pente abrupte au-delà de laquelle il plongerait dans l'oubli. Il leva les yeux vers la neurologue.

— Qui... qui est-ce ?

— C'est votre frère, John... Robert.

John continua de la fixer des yeux, incapable de dire un mot de plus.

7

L'homme du parloir

John décida de passer d'abord par sa chambre. Il voulait être présentable. L'équipe de ménage était passée le matin, et avait fait son lit. Draps blancs amidonnés, oreiller retapé, couverture retournée avec une précision militaire. Un petit vase était posé sur la table de nuit. Quelqu'un avait remplacé le bouquet fané par une fleur fraîche. Une marguerite jaune. Le petit tableau d'affichage suspendu au-dessus de la tête de lit était désormais agrémenté de deux articles de journaux consacrés à « l'homme sans nom ». Sur le rebord de la fenêtre, il y avait une pile de cassettes, son magnétophone, une boîte de pastels et de crayons, des rames de papier et une cartouche de Marlboro. Il passa la chambre en revue, pensif, fasciné par le fait que ces quelques objets constituaient la totalité de son identité.

Mais tout cela allait changer.

Il se dirigea vers son placard. Non sans une certaine nervosité, il enfila un T-shirt propre, un jean et des mocassins. Le personnel du centre avait eu la gentillesse de lui acheter quelques vêtements neufs pour l'extérieur. Le petit trousseau de clés se trouvait sur l'étagère supérieure du placard. John s'en empara. Il le contempla un moment. Une curieuse habitude qu'il avait prise ces derniers jours, pensant que s'il examinait avec attention la forme des différentes clés, cela débloquerait peut-être quelque chose dans sa mémoire. Il les glissa dans sa poche. Elles étaient devenues son talisman, le seul lien tangible avec sa vie antérieure.

Enfin, il traversa la chambre et se planta devant le miroir en pied fixé au dos de la porte, et il se regarda une dernière fois. Son cœur battait violemment, et il avait la bouche sèche et pâteuse. Il avait une envie folle de boire un gin-tonic ; le besoin d'alcool se faisait durement ressentir et lui donnait des crampes d'estomac. Pourquoi lui était-il aussi difficile de regarder son propre visage ? Il ne lui semblait pourtant pas particulièrement bizarre. En vérité, il était très ordinaire. Un peu congestionné, certes, un peu irrégulier, mais sûrement pas de quoi effrayer des enfants. Aucun signe particulier, sinon la trace presque effacée de l'ecchymose sur sa tempe, et le mille-pattes des points de suture à l'endroit où sa tête avait heurté le camion. Ses cheveux se raréfiaient déjà. Son crâne semblait se dégarnir naturellement, comme s'il avait pris l'habitude d'y passer la main machinalement, pendant des heures et des heures, en réfléchissant, en ruminant ses pensées.

Il devait avoir été un grand penseur.

Et un gros buveur.

John McNally.

Il connaissait son nom, maintenant. Comble d'ironie, il s'appelait *vraiment* John. John Winston McNally. Le docteur Cousins avait été folle de joie en découvrant cette coïncidence. L'homme qui attendait au parloir s'appelait Robert McNally. C'était le seul frère de John. Il était tombé par hasard sur la photo de ce dernier dans le *Times-Weekly.* Puis il avait retrouvé la clinique, et — oh, mon Dieu ! — comme il était excité à la perspective de voir John ! Le docteur Cousins était elle-même excitée, et à juste titre : c'était le coup de théâtre qu'elle espérait.

Elle avait déjà glané auprès de l'homme du parloir plusieurs informations dignes d'intérêt, comme le fait que John était divorcé, et que ses parents étaient morts tous les deux. Mais elle ne voulait pas en savoir trop, ni trop vite. Elle sentait qu'il valait mieux que John s'imprègne de son passé petit à petit, dans une conversation en tête-à-tête.

Une conversation entre frères, en l'occurrence.

John se brossa les cheveux avec la brosse à poil dur qui se trouvait sur l'étagère du placard. Cela lui faisait un drôle d'effet de posséder un vrai nom, John W. McNally. Un nom qui évoquait un type « normal ». Comme un bon voisin, peut-être un agent d'assurance vie, ou l'entraîneur de l'équipe de football d'un collège. D'origine irlandaise, catholique, peut-être ? Mais comment diable expliquer ces visions fugitives de cuir noir et de scalpels ?

Le nom sonnait bizarrement à son esprit, comme un câble à haute tension vibrant à des fréquences dissonantes. Il suscitait des échos dans son cerveau. Un nom chuchoté dans un rêve, et qui se répercutait faiblement dans la lumière du jour. Une émission lointaine, vacillante, tour à tour accessible et hors d'atteinte.

Le moment était enfin venu de se mettre à l'écoute d'une station.

Il tourna le dos à son reflet et passa la porte en boitant.

Le parloir se trouvait à mi-chemin d'un corridor adjacent, au-delà d'une rangée de fenêtres grillagées laissant filtrer une lumière voilée. Il fallut à John plusieurs minutes pour s'y rendre. Il ne marchait pas très vite, et l'effet de son dernier Percodan commençait à s'estomper. Il ne pourrait pas en prendre un autre avant au moins une heure. Il lui faudrait donc tenir bon. À vrai dire, to͏͏ son temps de veille était devenu un jeu qui consis͏ conjurer la douleur et à satisfaire son besoin d'a͏l prenant des analgésiques. Le Percodan faisai͏ assez longtemps pour lui permettre de se d͏ faire ses exercices, mais la dernière heure du cycle était une véritable torture.

Il fit une pause devant la porte du parloir. Il réalisa à quel point il voulait que tout se passe bien. Il avait envie de faire irruption dans la pièce, de se précipiter sur cet homme — quel qu'il soit — et de le serrer très fort dans ses bras. Il voulait redevenir John McNally. Qui que ce fût.

Il ouvrit la porte.

Il vit une grande pièce, spacieuse... et vide.

John resta immobile un moment. Il scruta les lieux. Est-ce qu'il s'était trompé de parloir ? Il n'y avait là aucun frère perdu de vue depuis longtemps, aucun autre patient. Personne. Rien que de gigantesques sofas disposés au bord des carpettes mojaves aux couleurs vives. Il y avait dans un coin un grand téléviseur, et les fenêtres offraient une large vue sur le domaine et la forêt qui s'étendait au-delà. La pièce sentait le pop-corn de la veille et la cire au citron. Sur le mur, à gauche de John, on avait accroché la reproduction d'un portrait de conquistador espagnol par Rembrandt.

John s'avança dans le parloir. La porte claqua derrière lui.

Il y eut un bruit, dans son dos.

John voulut se tourner, mais quelque chose s'enroula autour de son cou, l'immobilisant et lui coupant la respiration. Il leva les mains machinalement et empoigna ce qu'il identifia tout de suite comme un bras d'homme fort et musclé. On était en train de l'étrangler. Il voulut parler, mais les mots ne sortaient pas. Le choc — à moins que ce ne fût simplement la pression sur sa pomme d'Adam — étouffait sa voix. Il sentit qu'on lui enfonçait un objet dur au creux des reins.

— Ne bouge pas, dit une voix dans son oreille.

Les poils de sa nuque se hérissèrent.

— Laissez-moi partir, siffla-t-il.

— *Tu iras là où je voudrai.*

— Je v... je vous en prie, balbutia John.

Il essaya de se dégager, mais le bras qui le retenait était aussi solide qu'un roc.

— Tu reconnais ma voix ?

— Non, non... Je ne...

— *Menteur !* gronda la voix.

John sentit un souffle chaud sur le lobe de son oreille, et perçut un subtil mélange d'odeurs — eau de Cologne, épices, fumée de cigarette.

Soudain, le bras retomba aussi brusquement qu'il était apparu. John tituba un peu, complètement sonné. Un rire éclata alors dans la pièce. Un gros rire gras qui retentit aux oreilles de John. Il parvint à se retourner, et aperçut son agresseur pour la première fois.

— Désolé, Johnny, mais je n'ai pas pu m'en empêcher ! gloussa celui-ci.

Il riait si fort, maintenant, que ses yeux s'embuaient. Un bel homme, mâchoire carrée, dans la quarantaine. Il pointait un doigt vers John, comme un pistolet — vraisemblablement celui-là même qu'il lui avait enfoncé dans le dos —, et se tenait les côtes, hilare devant l'absurdité manifeste de la situation.

John se frotta le cou.

— C'est quoi, le plan ?

— Désolé, Johnny, je suis encore en train de faire le con.

— Qui... qui êtes vous ?

John essayait de rassembler ses esprits.

Le rire s'effaça graduellement, puis s'évanouit tout à fait. L'homme eut l'air triste, son front se plissa.

— Pauvre Johnny, dit-il. Tu as vraiment la tête sens dessus dessous...

— Ouais, c'est sans doute une façon de décrire les choses.

— Je suis désolé, Johnny.

— On m'a dit... Si j'ai bien compris, vous êtes mon frère ? Robert ?

L'homme eut un sourire.

— Ton grand frère, Johnny, et ne t'avise pas de l'oublier.

Il y eut un silence embarrassé. Bouche bée, John détailla Robert McNally. Il portait une veste sport ocre avec des pièces rapportées aux manches, une chemise noire Ban-Lon, un pantalon kaki et des mocassins de qualité. Il émanait de lui une autorité extraordinaire. Il avait les traits finement ciselés et les cheveux méticuleusement coiffés. On eût dit une vedette de série télévisée. Pourtant, on pouvait voir dans son regard la trace d'une tension nerveuse, une subtile contraction, comme si son esprit était préoccupé par des affaires plus inquiétantes. Et plus John observait son visage, plus il entendait ce crépitement, ce bruit parasite au fond de son propre cerveau. Malheureusement, c'était la mesure de la réaction que cette visite inattendue provoquait en lui.

— Excusez-moi, mais... voyez-vous, c'est que... C'est très difficile, parvint-il à bégayer.

— Tu ne te souviens de foutre rien, hein ? demanda l'homme.

John secoua la tête.

— OK, pas de problème, on va y aller tout doucement. (Il se dirigea vers le sofa le plus proche, s'y installa et tapota la place à côté de lui.) Allez, Johnny, libère-toi d'un poids, et parlons un peu.

Un autre silence tendu. John était resté debout.

— Vous êtes mon seul frère ?

— En fait, nous avons deux sœurs jumelles, des siamoises. Chang et Eng. Elles élèvent des vers à soie dans la région de Kankakee.

John lui jeta un regard oblique.

— Je suis sérieux, Johnny. (Le visage de Robert se fit sévère.) Papa et Maman voyageaient avec des forains, dans le secteur des Smokey Mountains. (Il eut un sourire malicieux, ses yeux larmoyèrent.) Ils s'inscrivaient sous le nom « Les Maraudeurs McNally ».

Robert se mit à glousser, les yeux à nouveau pleins de larmes. Il se marrait vraiment.

— Ouais, en effet, c'est très drôle, dit John en ravalant sa bile.

Ses jambes lui faisaient un mal de chien, et son cou le brûlait depuis que Robert avait fait mine de l'étrangler.

— Excuse-moi, Johnny, mais c'est comique...

— Quoi donc ?

Robert s'essuya les yeux.

— De parler à quelqu'un qui est comme une page blanche. C'est trop marrant !

John renifla de colère.

— Ouais, c'est hilarant.

— Désolé, désolé. (L'homme se redressa soudain, comme un enfant qu'on vient de réprimander.) Allez, Johnny, vas-y. Pose-moi n'importe quelle question.

— OK. Commençons par ma vie privée... Je suis célibataire ?

L'homme fit une grimace.

— Désolé de devoir te l'apprendre, Johnny, mais tu es mormon, et je crois... Je pense que tu as au moins dix-sept...

Il éclata de rire une fois de plus, en frappant de la main la toile tissée bon marché du sofa. Il riait, riait comme si c'était la meilleure histoire qu'il ait jamais entendue.

— Taisez-vous ! *Ça suffit !*

Le cri angoissé de John eut un effet immédiat, comme s'il avait frappé Robert au visage. Le rire de Robert s'évanouit, puis quelque chose changea dans son regard. Une légère lueur de douleur, comme une braise couvant faiblement. Son expression se durcit. Il parcourut la pièce du regard en hochant vaguement la tête, comme s'il renonçait à être étonné par ce qu'il découvrait.

— Tu as raison, murmura-t-il, plus pour lui-même que pour John. C'est une affaire sérieuse, très sérieuse. On ne peut pas prendre ça à la légère.

— Écoutez, Robert, le problème, c'est que... J'ai simplement besoin d'un peu de temps, vous comprenez... le temps de me retrouver.

— Non, non, tu as raison, dit-il avec un geste d'excuse.

— Je ne voulais pas...

— Tu as raison, frérot. Et quand tu as raison, tu as raison.

— Écoutez, Robert...

— Non ! (Robert se leva et claqua des mains.) Je me suis conduit comme un salaud. Je vais te dire ce que nous allons faire. Nous allons aborder le problème pas à pas, exactement comme le veut cette bonne doctoresse. On va s'offrir une petite promenade.

— Une promenade ?

Robert tourna la tête en direction de la fenêtre et du paysage verdoyant, dehors.

— Il nous reste au moins une heure de jour. Qu'est-ce que tu en dis ? Tu seras de retour dans les temps.

John se sentait nauséeux.

— Je ne sais pas...

— Allons, Johnny. Une petite promenade avec ton grand frère, et je vais t'aider à refaire connaissance avec toi-même. Ça ne peut pas te faire de mal.

John regarda l'homme, réfléchit longuement. Il était peu enclin à traduire en mots le mal (sous des milliers de formes différentes) que ça pouvait lui faire.

8

Un monstre

— Il y a un banc là-bas, un peu plus loin, derrière ces arbres.

L'homme qui se faisait appeler Robert fit un geste de son doigt manucuré, entraînant John vers un groupe de peupliers.

Ils marchaient sans se presser le long du réservoir artificiel qui serpentait à travers le domaine de la clinique. C'était presque le crépuscule, et l'air était froid, même pour le nord de l'Illinois à la mi-avril. Les terrasses massives de la clinique s'élevaient autour d'eux ; elles évoquaient un ancien village maya, la terre cuite prenant une teinte vert-de-gris dans la lumière déclinante. Quelques patients flânaient dans la cour, derrière eux. Un vol de moineaux passa au-dessus de leurs têtes.

Les oiseaux avaient l'air de points de suture dans le ciel.

— Pardonnez-moi si j'ai l'air... vous savez bien... un peu anxieux, dit John avec ferveur, en essayant d'adapter son pas aux longues et solides enjambées de son compagnon.

Cela faisait à peine plus de vingt-quatre heures qu'il se passait de béquilles, et il était encore un peu rouillé. Son cœur cognait dans sa poitrine. Ce n'était pas seulement dû au rythme de la marche, mais aussi à l'émotion de se retrouver dehors pour la première fois depuis son réveil à la clinique, six jours plus tôt. Il ne reconnaissait rien. Le vent sur son visage, les odeurs, toutes les sensations étaient écrasantes. Pour une raison inconnue, *Bird with Strings*, un de ses disques préférés, bourdonnait sans fin dans sa tête. La musique faisait apparaître de vagues images — une lumière dorée sur ses pieds nus, alors que, petit garçon, il courait sur la boue séchée de la rive d'un fleuve. Il se sentait curieusement honteux et confus de s'être emporté au parloir. Après tout, son frère était sans doute aussi troublé que lui par les événements.

— J'essaie de comprendre ce qui se passe, ajouta-t-il. Tout simplement, je suis assoiffé d'informations.

— Tu n'as rien à te reprocher, Johnny.

— Vous disiez que j'étais divorcé ?

— Une femme abominable, murmura Robert.

Il regarda par-dessus son épaule les autres malades qui marchaient en silence d'un pas traînant, à quelque distance de là. Le soleil faisait scintiller le cadre métallique de leurs déambulateurs. Robert McNally semblait fort nerveux, inquiet d'être vu, et il avait l'air impatient de se trouver derrière les arbres. Est-ce que la situation le mettait mal à l'aise ? Était-ce trop douloureux à vivre en présence de tiers ?

— Comment m'avez-vous dit qu'elle s'appelait ? demanda John.

— Euh... Myra.

— Myra ?

— Une vraie salope, dit-il en roulant des yeux.

Il entraîna John de l'autre côté de la haie délimitant le domaine de la clinique, au-delà d'un rugueux tapis de gazon sauvage. Ils se trouvaient maintenant assez loin des autres patients (ils auraient pu tomber le pantalon sans que personne n'en sache rien), mais Robert fonçait toujours comme un possédé vers les ombres de plus en plus longues des peupliers. John commençait à se demander quelle sorte de frère ce type avait été. Et, par conséquent, quel genre de frère lui-même avait-il été ? Malgré toute son angoisse, l'amnésie lui procurait une étrange liberté. Ses épaules étaient déchargées de tout son fardeau personnel, tous les problèmes de famille étaient positivement volatilisés. John n'avait aucune raison d'aimer ou de haïr cet homme. Robert n'était rien d'autre qu'un parent désigné comme tel : Ton Frère Aîné.

John le regarda.

— Pas d'enfants ?

— Quoi ? (Robert avait eu un instant de distraction.) Oh, euh... exact... Tu n'as pas d'enfants.

— Et nos parents ? Vous disiez qu'ils sont morts tous les deux ?

— Ouais, c'est vrai.

— De quoi sont-ils...

— Cancer, tous les deux. (Robert haussa les épaules, sans ralentir sa marche.) Un truc horrible, vraiment. Tu l'as très mal vécu. Papa est tombé malade le premier. Ça a commencé dans la moelle épinière, puis ça s'est propagé... Quand on a eu le diagnostic, il était trop tard, ça lui bouffait déjà le cerveau. Les dernières semaines ont été épouvantables. Il avait l'âge mental d'un gosse d'un an, il portait des couches, il chiait sur lui et jouait avec sa merde. Maman n'a pas pu le supporter. Elle s'est découvert une grosseur à la poitrine un mois jour pour jour après qu'on a mis Papa en terre.

Il y eut un silence. John remarqua que son frère aîné restait étrangement indifférent à l'évocation de souvenirs aussi terribles.

— Quand tout cela est-il... ?

— Viens, dit soudain Robert, en l'invitant à gagner la pénombre. Je crois qu'il vaudrait mieux commencer par le commencement. Il doit y avoir un banc, quelque part par là. Allons-y.

John le suivit. Ils traversèrent un bout de terrain planté

de mauvaises herbes et pénétrèrent dans un bosquet de feuillus où régnait une demi-obscurité. Cela sentait la mousse pourrie, mais il y avait autre chose — une odeur plus riche, alcaline, comme la trace d'un opossum ou d'un putois. John eut la chair de poule, tout à coup, sans trop savoir pourquoi. Il jeta un coup d'œil vers Robert. Celui-ci se trouvait dans l'ombre, à quelques pas de lui. Il scrutait à travers le feuillage les alentours de la clinique, comme s'il voulait s'assurer que personne ne pouvait les voir.

John haussa les épaules. Il ne tenait plus en place.

— Écoutez, Robert... Si toute cette histoire vous met mal à l'...

Robert pivota brusquement et saisit John par son T-shirt.

— Regarde-moi !

— Quoi ?

— Regarde-moi, je te dis !

— Qu'est-ce qui vous prend ?

John était stupéfait. L'autre lui écrasait le dos contre le tronc d'un orme.

— Tu prétends toujours que tu ne sais pas qui je suis ?

Les mains de Robert se resserraient sur le T-shirt.

— Que voulez-vous dire ? Vous êtes mon frère.

— Ouais, sûr, je suis ton frère.

— Ce n'est pas vrai ?

— Regarde-moi, espèce de crétin ! (Robert hurlait, maintenant. Ses yeux lançaient des flammes. Son haleine puait la nicotine, que dissimulait vaguement une odeur de menthe éventée. Une minuscule goutte de salive collait à son menton.) Tu ne sais toujours pas qui je suis, c'est ça ? Réponds !

— Non... Merde ! Je ne sais pas ! Je ne... Je ne peux...

— Ferme-la !

Robert le repoussa brutalement dans la clairière.

John trébucha sur une racine. Son épaule heurta violemment le sol. La douleur lui transperça les côtes, les genoux, l'aine, et il en perdit le souffle. Il resta couché sur le flanc, haletant, tremblant comme un poisson sur le pont d'un bateau. Il essaya de se mettre à genoux, mais une ombre se dessina au-dessus de lui.

— Regarde-moi, espèce de monstre, espèce de malade !

Les doigts d'acier se refermèrent de nouveau sur la chemise de John. Il parvint à lever les yeux et à lâcher :

— Je vous en prie...

— Non ! Tu n'as vraiment aucune idée de ce que tu as fait, hein ? s'écria l'homme, presque d'un ton enjoué, comme s'il s'adressait à un chien de chasse récalcitrant.

— Sincèrement... J'ignore de quoi vous parlez...

— Ta gueule !

John déglutit péniblement et se mit enfin à genoux, en s'appuyant sur le moins endolori des deux. Son cerveau bourdonnait comme un essaim de guêpes, et son cœur cognait dans sa poitrine. Il essaya de déglutir à nouveau, mais il avait la gorge pleine de sciure de bois.

Robert le saisit par sa chemise, d'une seule de ses mains puissantes.

— Ils m'ont dit de ne pas m'en occuper, grogna-t-il. Ils m'ont dit de rester à l'écart.

— Je ne sais vraiment pas...

— Je t'ai dit de la fermer !

Il y eut un moment de silence tendu. On avait l'impression que l'homme qui se faisait appeler Robert retournait quelque chose dans son esprit, qu'une idée, une pensée activait la rage qui étincelait dans ses yeux. Alors, durant une fraction de seconde, les coins de sa bouche se contractèrent, un sourire narquois se dessina sur ses lèvres. Était-il possible qu'il jouisse de la situation ? Ou bien était-il grisé par la colère au point d'être littéralement ivre ?

— Tu vois ça ? dit-il brusquement, en fourrageant dans sa poche pectorale pour en extraire un petit portefeuille de cuir, qu'il ouvrit d'un mouvement du poignet.

John découvrit alors une étoile d'argent terni estampée sur un insigne de métal. Au-dessus, on pouvait lire : COMTÉ D'INGHAM. BUREAU DU SHÉRIF. Au-dessous, il n'y avait que deux mots : DIVISION SPÉCIALE.

John hurla mentalement. *Un flic !* Le choc en retour le balaya, assourdissant. Il reçut l'information de plein fouet : l'homme qui se faisait appeler Robert était un policier.

— Tu vois cet insigne ? demanda Robert d'une voix égale.

John acquiesça, non sans mal.

— Il ne signifie plus rien pour moi, maintenant, dit Robert en jetant l'insigne dans l'herbe.

John sentit la poigne de fer agripper à nouveau son poignet gauche et tirer d'un coup sec pour l'obliger à se relever.

— Tourne-toi, espèce de monstre !

Il fit tourner John sur lui-même et le colla brutalement contre le tronc d'un orme. Il entendit ses dents craquer quand son visage s'écrasa contre l'écorce. Sa vision s'obscurcit. La tête lui tournait. Il sentit la moisissure. Son estomac se souleva, il crut qu'il allait vomir. Un cliquetis familier se fit entendre derrière lui, produit par un lourd objet métallique.

Les menottes se refermèrent sur ses poignets. Il sentit sur sa peau le froid de l'acier.

— Allez, dit sèchement Robert en le tirant violemment dans l'autre sens, de sorte qu'il se retrouva face à l'ouest. Tu veux voir ce que tu as fait ? Hein ? Tu veux faire un petit voyage, remonter le courant de la mémoire ?

— Attendez, je vous en pr...

— Eh bien, on y va.

— Mais...

— Avance !

Le flic saisit John par le coude et le poussa vers l'extrémité de la ligne des arbres. John ne trouva rien à dire ou à faire. Il se contenta d'obéir.

9

Un coup de chance

Ils émergèrent de l'autre côté du bosquet, en enjambant d'énormes racines centenaires. Un peu plus loin, il y avait un parking, plein de voitures mal rangées. De la fenêtre de sa chambre, John ne pouvait voir au-delà des arbres. L'endroit lui avait semblé paisible. Mais maintenant, alors que le soir tombait sur le domaine, il se sentait oppressé. Tout compte fait, l'endroit était loin d'être accueillant. Il devenait même franchement menaçant.

— La dernière voiture à droite, marmonna le flic.

Il entraîna John le long d'une pente douce, puis ils traversèrent le parking grand comme un terrain de football. Le crissement des graviers sous leurs pas était le seul bruit que John pouvait entendre par-dessus le martèlement de son propre cœur. Il avait la bouche sèche, et des picotements dans les doigts à cause des menottes qui lui coupaient la circulation. Ils s'approchèrent d'une voiture couleur chocolat au lait.

— Ne bouge pas, lui dit sèchement le flic.

Il ouvrit la portière de droite d'une main, tout en tenant John de l'autre.

John monta dans la voiture.

C'était une Toyota, qui n'était plus de la première jeunesse. L'intérieur sentait le tabac froid et le désodorisant à l'essence de pin. John regarda le flic contourner l'avant à grands pas, ouvrir la portière côté conducteur, puis s'installer au volant. Les ressorts du siège gémirent sous son poids. Il démarra, enclencha la vitesse et sortit du parking.

Quelques instants plus tard, ils descendaient l'allée sinueuse qui menait à la route principale.

— Pouvez-vous au moins me dire ce que j'ai fait ? demanda John.

— Tiens-toi tranquille, murmura le flic.

John resta silencieux. La tension lui donnait la chair de poule, et les menottes lui entaillaient les poignets. La voiture prenait de la vitesse. John en vint à dresser un tableau aussi pénible qu'évident de la situation : *Primo, cet homme n'est pas mon frère. Secundo, ou bien ce type va me tuer, ou bien il va m'arrêter, et il semble bien que le salopard ne s'inquiète pas beaucoup de m'informer de mes droits.* John comprit qu'il avait intérêt à agir au plus vite.

Malheureusement, les menottes ne lui laissaient pas beaucoup de solutions. Dehors, la nuit tombait, et avec elle venait l'air glacé des soirées de printemps. La lumière des réverbères jouait sur le capot comme des gouttes de mercure liquide. John jeta un coup d'œil dans le rétroviseur latéral et vit la lueur bleuâtre de la clinique s'estomper derrière eux, puis finalement disparaître dans les ténèbres. Lorsqu'un peu plus tard ils rejoignirent la nationale qui devait les mener à l'autoroute, les feux arrière luisaient dans le noir comme des yeux méchants.

— Ils m'ont dit de rester à l'écart ! lâcha soudain le flic.

— Je vous demande pardon ?

Ses épaules s'ankylosaient, et les menottes s'enfonçaient dans ses poignets.

— Ils m'ont dit de laisser tomber, parce qu'il n'y avait pas assez de preuves.

— Des preuves de quoi ? Bon Dieu... Je pense que j'ai le droit de savoir de quoi on m'accuse...

— Ferme-la, espèce de monstre ! Dans cette voiture, tu n'as aucun droit !

— Tout ce que je demande, c'est que vous...

John se tut brusquement. Les mots se bloquèrent dans sa gorge quand le flic sortit de sous sa veste sa main armée d'un revolver. Le métal noir scintillait dans la pénombre. Le flic tourna la tête vers John dans un mouvement étrangement lent, comme dans un rêve.

— Je t'ai dit de la fermer, dit-il doucement, en braquant son arme sur lui.

John obtempéra, serrant et desserrant les poings pour empêcher ses doigts de s'engourdir.

— Je vais te montrer ce que tu as fait, ajouta le flic, qui regardait à nouveau la route.

Son bras reposait en travers de son dossier. Il tapota la tête de John de son pistolet, presque distraitement, comme un homme qui calme un animal nerveux. Il était difficile de dire, dans la semi-obscurité, si son sourire était un sourire amusé ou un rictus de rage.

— Je vais te frotter le nez dedans, Johnny Boy. Qu'est-ce que tu en dis ?

John ne répondit pas.

Ils atteignirent l'entrée d'une bretelle d'accès. La voiture accéléra dans la descente et s'engagea à plein régime sur la Highway 53, en direction du nord. Sur leur droite défilaient de hautes tours de bureaux, grises et monolithiques, tandis que de l'autre côté s'étendaient les berges boisées d'un fleuve. Les deux voies étaient sombres et silencieuses. Les phares de l'auto balayaient l'accotement recouvert de gravier. John contemplait, comme hypnotisé, le paysage désolé. Il avait dans la bouche ce goût de cuivre qu'on associe à la panique. Il ferma les yeux et s'efforça de respirer à fond.

Quelque chose traversa son esprit en un éclair.

... un fragment de verre brisé fiché dans un quartier de viande crue...

Il ouvrit grand les yeux.

C'était comme si quelque chose était soudain remonté des tréfonds de son amnésie, sans crier gare, pendant une fraction de seconde. Un flash sous ses paupières. La vision d'une sorte de morceau pointu de verre coloré enfoncé dans une pièce de bœuf avarié — encore cette saloperie d'image de viande —, assortie d'un bruit. L'écho d'une voix, peut-être même d'un cri. C'était comme si cela avait subitement pris corps dans son esprit, comme un fragment de la bande sonore d'un film défilant à l'envers dans un projecteur crachotant.

Et puis plus rien.

Il s'entendit prononcer quelques mots :

— Écoutez... Tout ce que je demande, c'est que vous me disiez ce que j'ai fait.

— Je vais faire mieux que ça, murmura le flic, plus pour lui-même que pour John. Je vais te foutre le nez dedans.

— Me foutre le nez dans quoi ? De quoi diable parlez-vous ?

John élevait la voix, maintenant.

Robert remit le chien du Glock en position de tir.

— D'accord, d'accord, excusez-moi, bégaya John.

Il était pétrifié. Il ne pensait plus qu'à une chose : sortir de cette voiture, fausser compagnie à ce justicier enragé, cet ange vengeur. S'il parvenait à gagner du temps, il trouverait peut-être un moyen d'ouvrir la portière et de se sortir d'affaire sans recevoir une balle, ni se tuer en tombant sur la chaussée. Peut-être que le flic ralentirait pour prendre un virage.

— Je dis simplement ceci, reprit-il. Si j'ai fait quelque chose de mal, avant mon accident, je serais heureux d'en assumer la responsabilité, mais vous ne pouvez pas commencer par me condamner, et, et, et... sans même me dire pourquoi. Pour le moment, je suis complètement dans le brouillard.

Il y eut un silence. Le flic hocha lentement la tête, comme si tout cela l'amusait beaucoup.

John décida de se concentrer sur trois choses. Un : les mouvements de la main qui tenait le pistolet. Deux : le regard du flic, qui se fixait alternativement sur John et sur la route. Trois : le pied droit du flic sur la pédale d'accélérateur. S'il pouvait profiter d'une conjonction idéale de ces trois paramètres, il aurait peut-être une chance de s'en sortir. Il eut presque envie de rire. Comment diable pouvait-il espérer s'enfuir, avec un revolver braqué sur la tempe et les mains menottées derrière le dos ?

Un instant plus tard, l'homme qui se faisait appeler Robert rendit ces spéculations parfaitement vaines.

— Je devrais te tuer tout de suite, dit-il en effleurant l'oreille de John du canon de son arme.

Ce qui arriva ensuite se déroula comme en accéléré — avec cette rapidité qui est exclusivement réservée à des choses comme les accidents de voiture, les agressions et les actes de violence gratuite. Sans même avoir conscience de précipiter les événements, John vit son pied gauche décrire un arc de cercle par-dessus le levier de la boîte de vitesses pour venir écraser férocement le mocassin droit du flic. John ignorait aussi que son geste était parfaitement synchronisé avec un coup du sort — un véritable don du ciel, en fait — matérialisé sous la forme d'un camion de six tonnes qui fonçait sur eux en sens inverse. Il s'ensuivit une série de réactions antinomiques et simultanées :

Le moteur de la Toyota gronda, la voiture fit une embardée, le bras du flic fut projeté en arrière et le coup partit. Une détonation assourdissante éclata dans les oreilles de John, accompagnée d'un éclair aveuglant, tandis que la vitre latérale volait en éclats. La voiture glissa vers la supernova des phares du camion. Un klaxon hurla. Robert s'employa désespérément à redresser le volant des deux mains — le pistolet perdu et oublié —, mais il braqua trop fort. L'automobile vira à angle droit et dérapa vers le bas-côté en grinçant comme un wagon de marchandises, les pneus projetant des étincelles, tout le châssis agité de violentes secousses.

Maintenant, nous allons mourir tous les deux, se dit John terrifié.

Ce fut la dernière chose dont il eut conscience. Un instant plus tard, la voiture fracassait la barrière de sécurité et passait par-dessus le talus.

10

Le crocodile dans l'égout

Un chêne gigantesque jaillit soudain de l'obscurité.

L'impact fut d'une violence inouïe. La Toyota percuta l'arbre de plein fouet, et ses deux passagers furent projetés contre le tableau de bord. Côté conducteur, l'airbag s'ouvrit et engloutit le flic. L'arête en caoutchouc de la boîte à gants frappa John au visage, lui ébranla les dents, alluma une volée d'étoiles dans son champ de vision et le rejeta en arrière sur son siège. Et puis ce fut le silence — *le silence* —, qui tomba aussi brusquement que la voiture avait quitté la route. John parvint à regarder son adversaire. Le flic était à demi conscient, coincé entre l'airbag et la portière. De minces traînées de sang maculaient son visage, le siège et la vitre avant gauche craquelée qui, dans l'obscurité, ressemblait à une toile d'araignée. Le crâne du flic l'avait violemment heurtée.

— Bon Dieu, fit John, sidéré.

Il essaya de remuer, mais ses côtes protestèrent ; ses genoux étaient comme de la porcelaine brisée, ses mains glacées, et les menottes pénétraient dans sa chair.

Le flic gémissait, le visage déformé par le choc, les yeux révulsés. Poussé par l'instinct de survie, John se força à bouger. Il se tortilla jusqu'à ce que ses mains touchent le torse du flic. Une douleur aiguë lui tirailla le flanc, mais il poursuivit son effort, respirant difficilement, la tête sur le point d'exploser. Il sentit les plis de la veste du flic, sa ceinture de cuir, la couture au-dessus de sa poche de pantalon droite. John ravala sa douleur et plongea ses mains menottées dans la poche. Il fourragea à la recherche de clés, de n'importe quelles clés, de tout ce qu'il pourrait trouver. Peine perdue. Le flic gémit à nouveau. John eut un frémissement d'angoisse. Il continua à chercher à tâtons, avec le sentiment que c'était inutile, qu'il était coincé. Puis il sentit quelque chose de froid et dur sur le siège.

De la petite monnaie, et un porte-clés.

Une véritable frénésie s'empara de John. Les clés devaient avoir glissé lors de l'accident. Il en découvrit deux grandes, capuchonnées de caoutchouc et fixées à une étiquette de plastique. (Sans doute celles de la voiture, qui devait appartenir à une firme de location ou à un garage de la police.) Ainsi qu'une plus petite, avec une tête tubulaire. Les battements de son cœur s'accélérèrent au rythme de la batterie de Gene Krupa dans « Cherokee ». Cette minuscule clé tubulaire était celle de sa liberté. Le flic marmonna quelques mots incompréhensibles, la gorge obstruée par le sang et le flegme, mais John essayait déjà la petite clé sur le premier bracelet. Il la manœuvra d'avant en arrière, jusqu'à ce qu'il entende enfin le déclic tant espéré.

Il lui fallut peu de temps pour se libérer. Il ouvrit le second bracelet, puis laissa tomber les menottes et la clé sur le sol.

John se rapprocha de la portière, cherchant désespérément cette damnée poignée qui lui permettrait de sortir. Derrière lui, le flic gémit un peu plus fort, et le cuir du siège craqua. John essaya de fixer son cerveau groggy sur la tâche la plus urgente : foutre le camp. Mais l'atmosphère était comme sirupeuse, les sons étouffés, et sa vision de plus en plus floue, tandis que la douleur s'emparait de son corps. Il finit par trouver la poignée, encastrée dans la portière, mais il eut du mal à l'actionner à cause de ses doigts poisseux. Du sang ? Le sien ? Ou celui du flic ? Un instant plus tard, la portière s'entrouvrait. Mais elle était bloquée par un poids mort, et il n'avait pas la force de la pousser.

C'est alors qu'il sentit des doigts agripper le dos de son T-shirt.

Non ! Il tenta de s'arracher à la prise du flic et de se glisser au-dehors par l'ouverture étroite. Quelque chose luisait faiblement par terre, à sa gauche. Il baissa les yeux. *Le pistolet.* Il était tombé sur le tapis de sol, du côté du passager, et le flic tendait le bras pour s'en emparer. John agit d'instinct. Il lui écrasa la main d'un violent coup de pied, assez fort pour que le cartilage se brise avec un bruit sec.

Le flic poussa un hurlement. John eut juste le temps de s'engouffrer dans la brèche et de s'affaler sur la terre ferme.

Dès qu'il heurta le sol, il sentit le froid et l'humidité pénétrer ses mains et ses genoux. Les événements se précipitaient autour de lui, et tout ce qu'il put faire fut de ramper péniblement vers le couvert des bois. Un véhicule venait dans leur direction. Une camionnette, dont les phares balayèrent le bas-côté et le talus. Il y eut un bruit strident, comme si le flic essayait sans succès de démarrer le moteur de sa voiture. Puis il hurla des mots que John ne comprit pas (mais ça ne pouvait être que des menaces) et, enfin, il y eut le déclic du revolver que l'on arme.

Le premier coup de feu claqua à l'instant précis où John atteignait l'orée du bois.

Au-dessus de sa tête, des feuilles grésillèrent. Il plongea à couvert derrière une grosse souche. Une explosion de douleur secoua ses épaules. Il se mordit la lèvre inférieure pour ne pas hurler. Les bois plus épais étaient à moins de dix mètres de là. Il eut l'intuition que s'il était capable de rejoindre le ventre protecteur des ténèbres, il aurait une chance de s'échapper.

Le flic venait vers lui. John l'entendait jurer et haleter, foulant de ses pas les feuilles mortes.

John s'accroupit. Le temps d'un battement de cœur, et son cerveau lui dicta sa décision : *Vas-y.*

Il pénétra dans la forêt en titubant, zigzagua à travers un dédale de bouleaux dont l'écorce ressemblait dans le noir à une pâle mousseline. Puis il dévala en trébuchant une pente douce semée de racines et de pierres, pour atteindre les bois plus sombres.

Ce ne fut pas chose facile. Tant pis pour la douleur insoutenable, ses poumons qui le brûlaient, ses genoux esquintés et sa colonne vertébrale qui l'élançait méchamment à chaque mouvement. Tant pis pour les éclairs de lumière aveuglante au fond de ses yeux. Tant pis s'il n'avait pas la moindre idée de sa destination, alors que les bois se refermaient autour de lui et que les branchages qui lui giflaient le visage ralentissaient sa progression sur le petit sentier. Le pire, c'était la présence de ce dingue à ses trousses, le bruit de ses pas sur les brindilles, et le risque qu'une balle puisse à tout moment lui fracasser la nuque. La seule chose qui jouait en sa faveur, c'était l'obscurité.

Un instant plus tard, une autre détonation déchira les ténèbres.

Cette fois, la balle arracha un morceau d'écorce à dix mètres sur sa gauche. Il en conclut que le flic était désespéré au point de tirer sur des ombres, et qu'il était en train de perdre sa trace. Si ses genoux et ses poumons tenaient le coup, que la chance lui souriait, il pourrait peut-être s'en sortir.

Il courut.

Soudain, un ruisseau étroit apparut devant lui. Le filet d'eau miroitait sous le clair de lune. John avait la tête qui tournait, les battements de son cœur résonnaient dans son crâne, et ses jambes lui faisaient mal. Il décida de suivre le ruisseau. Cette stratégie ne lui semblait pas plus mauvaise qu'une autre. Il sauta sur la rive de boue durcie qu'il longea sans bruit, toujours très attentif aux pas feutrés du flic, de plus en plus lointains derrière lui. Le ruisseau s'élargissait. Ses rives étaient bétonnées, maintenant, tandis qu'il serpentait dans les bois. Il ressembla bientôt à un fossé d'évacuation, ou à une sorte de caniveau. John comprit qu'il avait emprunté sans le savoir un chemin qui le ramènerait directement vers la civilisation.

Mais il ne voyait pas comment, dans l'immédiat, cela pourrait faciliter sa fuite.

Quand il émergea enfin des bois, il eut la réponse.

La station d'épuration était gigantesque, sombre et menaçante sous le ciel nocturne éclairé par la lune. Elle se découpait sur l'horizon, de l'autre côté d'un vaste terrain vague, ses bâtiments de pierre grise surplombant les arbres environnants. John pensa tout d'abord qu'il pouvait s'agir d'un collège ou d'une université abandonnée. Mais il vit les fenêtres crasseuses, les tours hydroélectriques au fond, la surface lisse et noire du réservoir à l'est, et le vent lui apportait les odeurs alcalines du métal rongé par l'oxydation. C'est alors qu'il commença à paniquer. La brise agitait les arbres derrière lui, et il entendit un bruit, comme une branche qui casse. Le flic était donc toujours à ses trousses. John avait intérêt à agir vite, ou bien il allait constituer une cible parfaite, à découvert.

De l'autre côté d'une voie d'accès, à droite, quelques remorques en forme de parallélépipèdes étaient alignées face à une petite impasse. Leurs portes étaient ouvertes pour permettre le chargement. John s'avança à mi-chemin, plié en deux, terrifié par les ombres qui dansaient derrière lui. En approchant des wagons déserts, il vit les grandes pancartes précisant l'usage de chacun d'eux et la nature de chaque type de détritus à recycler. Le premier était réservé aux bouteilles de verre, le suivant aux matières plastiques, le troisième aux journaux et magazines.

John grimpa dans la remorque portant l'inscription « Matières plastiques », et se mit en quête d'une cachette.

C'était une véritable caverne d'Ali Baba pleine d'objets de plastique sales. Bouteilles, pots et récipients de milliers de tailles différentes s'empilaient à l'arrière de ce container en tôle ondulée de dix mètres de long. L'air y était lourd, fétide. John dut se boucher le nez et respirer par la bouche, tout en se frayant un chemin parmi les détritus pour trouver un endroit où s'asseoir. Le sol était poisseux. Il repéra un emplacement à l'arrière (qui était en fait *l'avant* de la remorque), où une palette vide était posée près d'une porte latérale munie d'un loquet. John contourna une pile de cartons de lait écrasés et s'effondra sur la palette.

Sa cachette lui semblait assez sûre. Grâce aux montagnes de plastique, il y faisait sombre. Et il avait accès, si nécessaire, à une issue de secours. John inspira profondément. Il essaya de réfléchir. Plusieurs minutes s'écoulèrent avant que son cœur reprenne un rythme normal et que ses oreilles cessent de tinter. Les coups de feu résonnaient encore dans sa tête, la douleur lui vrillait les côtes et la colonne vertébrale. Il resta assis là, dans cette sombre et âcre puanteur, s'efforçant de respirer à fond.

Le bruit de pas, à l'extérieur de la remorque, fut comme une main glacée se posant sur sa nuque. Il en eut la chair de poule.

Il se tourna vers le hayon latéral pour s'assurer qu'il pouvait se faufiler dehors sans être vu. Il saisit la poignée et poussa doucement. La porte refusa de bouger. Cadenassée de l'extérieur, probablement. Les pas approchaient. Il entendait crisser le gravier de l'impasse. Le cœur battant, il se recroquevilla derrière les piles de déchets. Il n'avait d'autre alternative que de rester immobile et silencieux, et de prier.

Les pas s'arrêtèrent devant l'entrée de la remorque destinée aux matières plastiques. John les entendit traîner sur le gravier, puis ce fut le silence. Que diable faisait ce type ? Est-ce qu'il allait l'attendre dehors ? John eut soudain une révélation, aussi brutale qu'un coup de tonnerre. *Le flic, dehors, écoutait. Il tendait l'oreille, il guettait le moindre signe révélateur d'une présence dans la remorque.* John transpirait abondamment. Sa chemise lui collait à la peau du dos, et la sueur lui coulait sur le front. Il ferma les yeux et retint son souffle — comme si une partie primitive, enfantine, de son cerveau lui disait qu'il serait plus difficile à repérer s'il fermait les yeux. Le silence se prolongea pendant ce qui lui sembla une éternité. John prit conscience d'un changement subtil dans la puanteur qui régnait autour de lui. Au milieu des remugles aigres-doux de soda moisi et de vieilles poudres à lessiver, une odeur plus grasse se répandait autour de lui. Une odeur musquée, rappelant celle du bœuf pourri.

Quelque chose bougea à côté de lui.

À la limite de son champ de vision, il aperçut une chose grise et visqueuse qui se faufilait entre une grande bouteille de Diet Pepsi et un carton de 2 Percent. Un mille-pattes rayé de la taille d'un gros câble se contractant dans l'obscurité. Le cerveau de John se mit à hurler : Une queue ! C'était une queue de rat, et la bête devait être énorme... Comme ces mythes populaires contemporains — les crocodiles dans les égouts, le dingue en liberté avec un crochet en guise de main —, mais cette fois c'était vrai, et ça ondulait dans le noir à quelques centimètres de John.

Dehors, il y eut encore un bruit de pas traînants, puis le silence revint.

John essaya de se déplacer sans faire de bruit, car ses vertèbres le relançaient cruellement et ses genoux s'ankylosaient. Il bougea très légèrement vers la gauche. Cet infime changement de position dut surprendre la vermine à côté de lui et l'effrayer assez pour l'entraîner dans un combat à mort, car, tout à coup, une boule de fourrure grise bondit sur la cheville droite de John.

L'opossum lui lança un regard cruel de ses yeux

71

minuscules couleur de cendre, en soufflant comme un chat.

Des dents affûtées comme des lames de rasoir se refermèrent sur la chair de John, juste au-dessus de sa cheville.

Son corps se tordit tout entier en un spasme involontaire quand la douleur déferla des tendons de sa jambe droite, et il porta rapidement sa main à sa bouche pour étouffer son hurlement. Pendant un instant, il ne vit rien d'autre qu'une explosion d'éclairs rouge fuchsia, la douleur le frappant comme une secousse électrique. Mais par miracle, il parvint à n'émettre aucun son. À travers ses larmes, il regarda le monstre accroché à sa jambe. Il était *énorme*, de la taille d'un teckel, avec un dos rond et une longue queue râpeuse. Son groin minuscule était vissé à la cheville de John, et ses petits yeux fragiles se révulsaient, devenant blancs comme des vers. Le sang qui coulait des coins de sa mâchoire en de minces filaments, au rythme saccadé de sa respiration, commençait à tremper les chaussettes de John.

À l'extérieur de la remorque, il y eut le même bruit de pas traînants. Puis plus rien.

On entendit un bruit sec, un léger craquement, comme lorsqu'on frotte une allumette.

Une panique glacée monta du ventre de John, plus forte que la douleur, plus forte que le choc. Presque sans le vouloir, il eut un violent mouvement de recul puis, d'un coup de pied, arracha l'opossum de sa jambe. La créature retomba contre un monceau d'emballages de plastique gras. Elle laboura le sol de ses griffes en gémissant comme un bébé mutant. Elle soufflait, crachait, s'apprêtait à rejoindre son terrier sous la montagne de détritus, lorsque l'air claqua soudain comme un bouchon de champagne, et une flamme jaune jaillit devant les yeux de John.

La balle frappa l'opossum au milieu du dos et le projeta un mètre plus loin, à l'autre bout de l'étroit passage.

La bête s'écrasa contre un carton moisi, secouée de

72

convulsions, laissant un filet de tripes brillant sur le sol derrière elle. D'autres détonations retentirent dans l'obscurité — trois *pops* rapides, comme un marteau frappant une enclume. Trois petites touffes de poil se détachèrent à la suite du dos de la créature, lorsque les balles fracassèrent sa colonne vertébrale. Mouvements saccadés des pattes postérieures, yeux noyés dans le sang, bientôt l'animal ne fut plus que nerfs et réflexes, tressaillant à quelques centimètres de John.

Puis le silence retomba.

John ferma les yeux, retint son souffle et attendit que la prochaine salve le transforme à son tour en pâté d'opossum. Son cœur battait si fort, maintenant, qu'il aurait juré qu'on l'entendait à l'autre bout de la remorque, comme un minuscule tambour dont le son se répercutait le long des parois. Ses oreilles résonnaient encore des coups de feu. Incapable de se sortir du crâne le *bap-bap-BAP, bap-bap-BAP!* de Gene Krupa, il dut mobiliser toute sa volonté pour ne pas se mettre à hurler. Mais il entendit enfin le bruit qu'il voulait tant entendre : celui des pas faisant demi-tour sur le gravier et s'éloignant. Le flic laissait tomber, finalement. Ses pas s'évanouirent dans la symphonie du vent et des grillons.

Il laissait John seul avec les tripes d'opossum et le silence, et l'atroce tintement dans ses oreilles.

John déchira le pan de sa chemise et se banda la cheville avec le morceau de tissu. En dépit de la douleur, du choc et de la lutte, la plaie n'était pas très profonde. Un simple ovale de minuscules perforations pleines de sang noir comme du goudron. Le bandage semblait contenir l'hémorragie. John s'inquiétait maintenant du risque d'infection. Quelque part au fond de sa mémoire, il savait que les opossums pouvaient transmettre la rage. Mais il fallait voir les choses du bon côté : un accès de rage valait tout de même mieux qu'une balle dans la peau. Et le flic psychopathe était parti. A présent, John avait le temps de réfléchir.

Avec beaucoup d'efforts, il parvint à se mettre debout et se dirigea en boitant vers l'entrée de la remorque.

Respirant à fond, frissonnant sous le vent froid, il observa sur la cime des arbres le faible rougeoiement de l'autoroute lointaine, et les ombres dentelées du sentier forestier que le flic avait dû emprunter pour repartir. Le bord de la station d'épuration, à l'est, se découpait sur la lueur grisâtre d'une petite ville à l'horizon. John se demanda s'il devait regagner la clinique. Mais le flic devait supposer qu'il y retournerait, et il était probablement déjà en chemin. Le vent força tout à coup, et se mit à agiter les arbres. Au loin, John vit se balancer les branches d'un saule. L'espace d'un instant, au milieu de cette tension, de cette agitation, il pensa au vieux standard d'Art Tatum, « Willow, Weep for Me [1] », une ballade incroyablement belle et mélancolique, dont le son — fragile cascade d'accords semblable au soupir d'un ange — tourbillonna dans son cerveau, traversa ses peurs et s'insinua dans son âme, pour y trouver la douleur.

La douleur et le chagrin.

Pourquoi ?

Enfin, John leva les yeux. Il vit le vaste déploiement des étoiles dans le vide du ciel nocturne, et se sentit aussi seul qu'il est permis de l'être.

---

1. « Saule, pleure pour moi. »

11

Trop tard

Des lumières bleues et rouges tournoyaient devant l'entrée principale de la clinique. Elles donnaient aux allées, au gravier et aux arbustes des couleurs criardes, et rendaient encore plus intense l'ombre au-delà des bois et des dépendances. Trois voitures de police stationnaient, selon des angles inhabituels, près de l'allée centrale. Depuis un moment, des hommes fourmillaient autour des portes vitrées, des agents affairés entraient et sortaient, les voix crépitaient dans les postes de radio, et les visages de patients bayant aux corneilles s'agglutinaient derrière les fenêtres du hall d'entrée. Puis l'agitation sembla se tasser. Deux des voitures de police s'en allèrent, et leurs phares disparurent de l'autre côté de la colline.

L'énorme silhouette émergea enfin de l'ombre et se dirigea vers l'entrée.

L'homme pénétra prudemment dans la clinique, le cœur battant. Il inspecta le hall de ses yeux noirs, comme un enfant perdu. Austère, froid, haut de plafond, l'endroit était étrangement silencieux — comme la salle d'attente d'une morgue. L'air était imprégné d'une odeur de désinfectant. Sur la droite, deux ficus flanquaient un triste petit canapé. Sur la gauche, près d'une rangée d'ascenseurs, se trouvait la réception. Un policier en uniforme était assis sur le bord du bureau. Un carnet à spirale à la main, il griffonnait tranquillement des notes. Une infirmière d'âge mûr se tenait derrière le bureau. Elle parlait très doucement au téléphone.

Billy Marsten attendit un moment, sa serviette à la main. L'indécision ankylosait ses membres massifs. Son torse de géant était consumé de terreur. Il avait des fourmis dans les doigts. À le voir là, avec ses bottes de cheval noires et sa mise gothique, paralysé par l'angoisse, on eût dit une sorte de trophée diabolique, un mutant d'ours polaire exposé dans la salle des horreurs du musée de cire de Madame Tussaud.

Il parcourut du regard le hall, en essayant de reprendre son souffle et de réfléchir.

Toute cette activité policière ne pouvait signifier qu'une chose : Billy arrivait trop tard. Son héros avait déjà été découvert, reconnu, arrêté, emmené en prison — que Dieu me pardonne —, peut-être même tué. S'il était venu directement du Durkin's Pancake House à la clinique, il serait peut-être arrivé à temps. Mais *non*, pas Billy, pas Billy qui-a-de-la-merde-en-guise-de-cervelle. Il avait fallu qu'il passe d'abord chez lui, qu'il se lave et qu'il prenne ses affaires, son appareil photo et son magnétophone, son album de photos et tous ses souvenirs à la con. Tout cela parce qu'il avait eu la naïveté de croire que lui seul était capable de reconnaître l'homme dont le journal avait publié la photo. Comme si Billy était le seul à s'intéresser à ce type.

— Monsieur ?

Billy tressauta au son de la voix de l'infirmière. Il lâcha sa serviette, et entendit un craquement : une cassette s'était peut-être brisée, à l'intérieur, ou une des boîtes de film s'était ouverte. Il se baissa pour la ramasser et se tourna vers la réceptionniste.

— Euh... Bonjour... Comment ça va ?

— Puis-je vous être utile ? demanda l'infirmière.

76

Billy se pencha au-dessus du bureau, prenant un air aussi détaché que possible. Son cerveau fonctionnait à cent à l'heure, il cherchait désespérément une approche crédible. Que diable était-il supposé leur dire ? La vérité ? Il adressa au flic un signe de tête cordial, puis se tourna vers l'infirmière.

— Je travaille pour le *Joliet Times-Weekly*. Je me demandais si je pourrais obtenir un entretien avec le... euh... le type amnésique.

L'infirmière regarda le flic, le flic regarda l'infirmière, et tous deux regardèrent Billy.

— Semble bien que vous avez déjà passé quelque chose là-dessus, dit le flic d'un ton glacé.

C'était un jeune homme rubicond aux yeux bleus durs comme l'acier, et sa manière d'avancer le menton donnait envie à Billy de lui arracher la langue.

— Ouais, c'est vrai, dit Billy. Ce qu'il y a maintenant, c'est que nous voulons faire un suivi.

— Un suivi ?

— Oui, raconter comment il évolue, par exemple, ou bien...

Le flic jeta un coup d'œil à l'infirmière, puis posa sur Billy son regard bleu banquise.

— Comment il évolue, dit-il doucement, ça ne regarde pas le public.

Ils l'ont eu, pensa Billy. *Ces foutus salopards l'ont eu.*

Il ravala sa colère, prit son air le plus innocent.

— Il y a un problème ?

— C'est *moi* que vous interviewez, maintenant ? fit sèchement le flic.

— Non, monsieur, non. Je me demande seulement s'il va bien.

— Il va bien, dit le flic en jetant un autre coup d'œil vers l'infirmière.

Elle gardait les yeux baissés sur son sous-main. Elle feignait de mettre sa paperasserie en ordre, et se donnait beaucoup de mal pour ne pas avoir l'air concernée. Billy

77

comprit tout de suite que cette infirmière était tout simplement terrifiée. En fait, le flic lui-même semblait avoir un peu la frousse. Et plus Billy y réfléchissait, plus ça lui plaisait.

Un voile mortuaire planait au-dessus de cet endroit, aussi palpable qu'une odeur de pourriture. Le doux bouquet de secrets enterrés, exhumés et exposés dans l'air nocturne. Une surprise-partie. L'homme sans nom les avait tous pris par surprise — le personnel de la clinique, les flics, les toubibs —, tous... Pas difficile de deviner ce qui s'était passé.

L'homme sans nom s'était échappé.

— Désolé de vous avoir dérangés, disait Billy en reculant vers la porte.

— Hé, attendez une minute ! Arrêtez ! s'écria le flic en courant derrière lui.

Trop tard.

Billy s'était déjà éclipsé, se fondant dans l'obscurité de cette nuit magnifique.

12

L'étage de la mort

... l'homme à la viande...

... un visage se levant comme une planète de pierre glacée, des orbites noires et profondes, des lèvres retroussées sur des dents mortes...

... puis il se passe quelque chose de terrible, et John est désarmé, impuissant, à la dérive dans le courant irrésistible des événements, car le visage se déforme, la bouche est béante, immense, les yeux affreusement grands ouverts, et la grosse pièce de bœuf penche vers John, et John se retrouve en train de fuir à reculons, il essaie frénétiquement de s'échapper de l'autre côté d'une sorte de plate-forme, dans une sorte d'entre-pôt ou d'abattoir (l'étage de la mort ?), de se sauver de la viande qui tombe, comme un enfant terrorisé.

Puis le bœuf atterrit brutalement en travers de ses jambes, un gros poids charnu contre ses cuisses, et John baisse les yeux et voit la texture pâle, pâteuse, de la viande sur ses genoux, il voit quelque chose qui hurle comme une banshee[1] dans son cerveau, il en prend conscience au moment où il se concentre

---

1. Fée de la tradition irlandaise, dont les cris présagent la venue de la mort dans une maison.

sur l'extrémité émoussée du bœuf, le gros morceau cramponné à ses genoux.

Il est doté de doigts humains.

L'image apparaît dans un kaléidoscope de verre brisé, de fragments déchiquetés multicolores virevoltant, tourbillonnant, qui forment la mosaïque d'une seule scène affreuse : John tenant dans ses bras un homme inconscient. La tête de l'homme entre les mains de John. L'homme inconscient est plutôt petit, sec, il porte un bouc et une délicate petite moustache. Il a de longs cheveux gris argenté, en bataille. Il est en train d'arriver quelque chose à cet homme, quelque chose de fascinant, d'horrible.

La lumière quitte ses yeux comme la flamme d'une bougie qui oscille avant de s'éteindre, deux minuscules étincelles au centre des iris de l'homme, qui s'affaiblissent, se contractent, diminuent jusqu'à ce qu'il n'y ait plus rien, sauf un ultime aiguillon de vie. Puis le feu s'en va enfin, et c'est incroyable. Émouvant. John baisse les yeux vers les mains de l'homme, et elles se ferment, se replient vers l'intérieur comme les pétales d'une jolie fleur au crépuscule.

Puis la transformation finale, un ballet en accéléré de couleurs changeantes, tandis que la chair de l'homme passe du rose au blanc, puis à un terne gris terreux.

C'est tellement sublime, d'assister à cette atrophie tranquille.

John s'assit brusquement, le cerveau brûlant sous l'effet de la chaleur et de l'étourdissement.

Il scruta l'obscurité, le cœur battant, la bouche sèche et pâteuse. Où était-il ? Que diable lui était-il arrivé ? Il sentait sous son dos une surface dure, humide, et reconnut l'odeur suffocante de l'encre et du carton moisi. Il avait la fièvre. Des frissons remontaient le long de ses bras et de ses jambes. Lorsque ses yeux s'habituèrent à la pénombre, il vit un journal du matin collé au sol. Il comprit tout à coup où il se trouvait.

Il regarda autour de lui et constata qu'il avait dormi

dans la remorque des « Journaux et magazines », sur un lit de papiers détrempés.

C'était le matin.

Cette remorque-là s'était révélée un peu plus sèche et plus propre que celle des matières plastiques. Il avait eu l'intention de s'y asseoir quelques minutes — le temps de reprendre les choses en main —, mais il avait été emporté par une nouvelle crise.

Elle avait commencé comme les autres : une vague d'étourdissements, la nausée, puis des images défilant à la vitesse de l'éclair. Mais elle avait sans doute été pire. John se rappelait vaguement s'être écroulé sur le plancher humide, puis avoir perdu connaissance dans un tourbillon d'odeurs, de sons et de formes brillantes. Il ignorait s'il avait plongé dans une sorte d'état latent de fuite, ou s'il s'était simplement enfoncé dans le sommeil à cause de son épuisement. Mais il ne pouvait s'empêcher de penser au rêve qui l'avait poursuivi tout au long de la nuit. Et aux images qui l'accompagnaient.

John se demandait si ce rêve épouvantable ne constituait pas finalement un progrès. Un progrès terrifiant. Ce serait son premier souvenir épisodique pleinement formé depuis qu'il s'était fait réduire en charpie sur l'autoroute, une semaine plus tôt. La précision des images. Les détails du visage de l'homme agonisant. Les textures, les sensations tactiles. Il sentait que ce rêve ne pouvait qu'avoir été modelé par l'expérience. Ce qui, bien entendu, n'était pas l'aspect le moins terrifiant de l'affaire. Était-ce *cela*, l'atrocité dont le flic l'avait accusé ? Qui diable pouvait bien être ce petit homme barbu ? Et quel était son rapport avec John ?

Un bruit métallique retentit soudain à l'extérieur de la remorque.

Cela venait de l'avant. Un grondement sourd secoua la structure tout entière. John dut se retenir à une rampe de bois pour garder son équilibre, car il était encore hébété et la remorque tanguait légèrement. Il comprit

81

soudain ce qui se passait. *Nous nous déplaçons.* Pour l'amour du ciel, la remorque se déplaçait. Par l'ouverture arrière, il vit d'abord l'impasse, puis tout le paysage défiler lentement, tandis que les rayons du soleil balayaient le sol de la remorque qui s'en allait.

Une série d'hypothèses lui traversa l'esprit. Il se dit que cet exode devait faire partie de la routine des services de voirie, qu'ils se dirigeaient sans doute vers une quelconque usine de recyclage ou une station de passage. Il se dit aussi qu'il ne devait pas s'abandonner à la panique, que c'était peut-être sa chance. Il pouvait profiter de la remorque pour quitter en toute sécurité la zone dangereuse, fuir discrètement le secteur où le flic et Dieu sait qui d'autre encore étaient certainement en train de le rechercher.

Pendant ce temps, la remorque traçait sa route, bringuebalant et vibrant de toutes ses tôles.

John s'efforçait de se tenir debout, mais ses blessures, les anciennes et les nouvelles, se rappelèrent à son bon souvenir. Il fut prit d'un étourdissement, la douleur s'empara de ses genoux, de sa colonne vertébrale et de sa cheville bandée, et son estomac vide protesta. Il réalisa qu'il avait besoin de soins urgents. Mais plutôt mourir que de retourner à la clinique Reinhardt... Le mieux serait de trouver un hôpital quelconque, n'importe où, et de se faire administrer un sérum antitétanique. Mais pour cela il lui fallait de l'argent, ou tout au moins des papiers d'identité. Pour le moment, il possédait en tout et pour tout une carte plastifiée délivrée par la clinique, dont il se servait pour régler ses repas et ses faux frais ; un petit peigne en plastique auquel il manquait quelques dents ; un paquet de chewing-gums à la menthe Wrigley, à moitié vide ; et le porte-clés en forme de piano.

Le semi-remorque s'engagea sur une route plus importante, John le devina bientôt à cause du ronronnement plus régulier des roues géantes sous lui. Il se fraya un chemin à travers les tas de journaux pour gagner l'arrière du véhicule. Il regarda le paysage. Ils roulaient sur un axe bitumé à deux voies, au milieu d'une zone industrielle. Des kilomètres de fonderies s'alignaient à l'horizon couleur de ciment gris, reliées les unes aux autres par des barrières et des lignes à haute tension. John ne voulait pas trop s'éloigner de son seul repère géographique connu — la clinique. Il décida de faire sa sortie à la première occasion.

Quand le camion s'arrêta à un passage à niveau, il se laissa glisser à terre.

À l'instant où ses pieds touchèrent le sol, il fut happé par une série de sensations qui faillirent lui faire perdre l'équilibre. Un souffle d'air chaud empestant le diesel, les odeurs de détritus, d'asphalte et de pollution chimique, et les durs rayons du soleil sur son visage. Il traversa l'intersection en clopinant aussi vite que possible, des élancements dans la tête, ses tympans déjà fébriles agressés par le *clang-clang-clang* annonçant le passage des trains. Il ne prit même pas la peine de regarder derrière lui pour voir si son chauffeur anonyme l'avait repéré.

Il trouva un peu plus loin une petite épicerie à l'enseigne de Pick Kwick. Il y avait une cabine téléphonique devant l'entrée, sous un auvent métallique. Il composa le numéro de l'opératrice et demanda un PCV pour la clinique Reinhardt à Joliet. Quelques minutes plus tard, la réceptionniste de la clinique était en ligne. Elle marmonna quelque chose à propos du fait que le docteur Cousins faisait ses visites et qu'il faudrait plusieurs minutes pour entrer en contact avec elle.

John attendit.

Et attendit encore.

Cela lui sembla une éternité. Durant tout le temps qu'il attendit, mort d'angoisse, la brise agitait l'auvent au-dessus de sa tête, produisant le bruit caractéristique d'une crécelle, ce qui le rendait fou, lui donnait la chair de poule et contractait les muscles de son sphincter. Enfin, la voix du docteur retentit dans l'appareil :

— Allô, Marie Cousins.

— Docteur Cousins... C'est John... C'est moi.

La gorge obstruée par le flegme, il avait du mal à articuler.

— John, Dieu soit loué ! Ne quittez pas !

Il y eut un silence, suivi d'un frottement étouffé, comme si elle posait sa main sur le micro.

— Docteur Cousins ?

— Vous nous avez fait une peur de tous les diables, John. Quand vous avez disparu, tous les deux, nous ne savions que penser.

— Je ne sais vraiment... À dire vrai, je ne sais pas moi-même ce qui s'est passé.

— Ça va, John ?

— Un peu étourdi, disons un peu secoué... Mais rien de grave.

— Bien, John, bien. J'en suis vraiment très heureuse.

— Le problème, c'est que je n'ai aucune idée de ce qui se passe. Le type qui est venu me voir... Le type qui prétendait être mon frère... Eh bien, ce n'était pas mon frère.

— Que voulez-vous dire ?

— En fait, il a essayé de me tuer.

Un autre silence, des bruits étouffés. Au-dessus de John, l'auvent grinçait furieusement. Il était de plus en plus irrité, tendu.

— Allô ? Docteur Cousins ?

— *Il a essayé de vous tuer ?*

— Ouais, exact. C'est ça.

Il raconta tout ce qu'il savait à propos de l'homme qui se faisait appeler Robert, comment il l'avait emmené à l'écart, et comment il l'avait surpris. Il raconta comment il était parvenu à s'enfuir dans les bois, et comment il avait passé la nuit dans la remorque de la voirie. Il raconta même l'attaque de l'opossum. Puis il ajouta :

— Il m'a accusé de toutes sortes de choses, docteur Cousins. Rien de précis, remarquez... Mais je pense que le mieux pour le moment, c'est de rester hors de vue, de ne pas bouger pendant un certain temps... Le temps que les choses s'arrangent. Si vous pouviez venir me rejoindre, et m'aider à rester hors de vue... Ce serait le mieux, je crois.

Bruits étouffés, chuchotements.

— Il faut revenir à la clinique, John.

— Non... En fait, je pense qu'il vaut mieux que... enfin... que je reste hors de vue.

— Vous devez revenir, John. C'est la meilleure chose à faire.

— Pourquoi ?

Encore un silence gêné.

— Bon, écoutez, reprit-elle... Je vais venir vous chercher, et... hum, je vous ramènerai... Et ensuite nous tâcherons d'arranger les choses.

Que diable se passait-il ? Marie Cousins lui avait toujours donné l'impression d'être une parfaite mère poule. Décidée, efficace, protectrice. Pas une seule fois, depuis que John était arrivé dans son petit univers de programmes, de thérapies, de couloirs immaculés et de tubes fluorescents, il ne l'avait vue hésiter. Aujourd'hui, elle semblait aussi versatile qu'un rat de laboratoire.

— D'accord, dit-il, se crispant à cause d'un tiraillement dans la colonne vertébrale. Je suis dans une cabine près de...

Il s'interrompit brusquement. Il allait lui donner le numéro indiqué sur l'appareil et lui expliquer où il se trouvait, grâce aux voies de chemin de fer et aux panneaux des rues voisines, lorsqu'il entendit deux bruits distincts à l'arrière-plan, à une fraction de seconde d'intervalle. Le premier était le clic qu'on entend parfois lorsque la communication est défectueuse — et qui trahit, John le savait, la présence de quelqu'un en train de tripoter la ligne. Le second était le grésillement d'une voix dans un talkie-walkie.

— John... Allô, John ?

John sentait qu'elle devenait nerveuse. Il serrait si fort le téléphone qu'il avait l'impression que ses doigts collaient au plastique. Il ne trouvait rien à lui dire. Mais il ne pouvait se résoudre à raccrocher.

— John, vous êtes là ? John, ne raccrochez pas. Je vous en prie, John, dites-moi quelque chose.

Il reposa violemment le combiné et prit une profonde inspiration. Il avait le cœur au bord des lèvres, des frissons dans le dos. Il venait de comprendre que le docteur Cousins avait essayé de gagner du temps, de le garder en ligne pour permettre aux flics de localiser l'appel et de le repérer. La colère montant du fond de son estomac, le venin durcissant les muscles de son abdomen, il commença à imaginer la batterie de Max Roach — baddap-baddap-BAP ! BAP ! BAP ! BAP ! BAP ! — qui frappait au rythme de sa rage naissante, et le faisait s'agiter nerveusement, tapant machinalement du pied contre le support de métal rouillé. Il était un fugitif, à présent, et il n'avait toujours pas la moindre idée de ce qu'il avait pu faire. Mais ce n'était pas tout. Il se passait autre chose. Quelque chose qui venait du plus profond de son être — quelque chose d'inachevé, d'instinctif — montait en lui comme du poison. Le mélange de rage, de peur et de désespoir générait un nouveau sentiment, une nouvelle émotion impossible à exprimer mais bizarrement séduisante. Comme un diapason dans l'aine. Un bourdonnement mental reptilien qui le faisait se sentir ignoble et puissant à la fois. Est-ce qu'il était mauvais ? Est-ce qu'il était le mal ?

BADDAP BADDAP BAP !

Un bruit interrompit sa rêverie.

Des pneus faisaient crisser le gravier derrière lui. John se retourna. Il vit le soleil se refléter sur le capot du minibus qui venait de s'immobiliser devant l'entrée du Pick Kwick. La portière côté conducteur s'ouvrit brusquement, et une adolescente en jean déchiré et corsage lié autour de la taille s'engouffra dans le magasin.

Elle n'avait pas coupé le moteur.

Le moteur tourne, bon Dieu, il n'y a personne dedans, et les clés de contact sont sur le tableau de bord.

Tout d'abord, son cerveau surchargé ne réagit même pas à cette occasion incroyable, à cette petite fenêtre sur la liberté qui s'ouvrait sous ses yeux. Un instant plus tard, il réalisait que pareille chance ne se présenterait sans doute jamais plus. Il devait agir vite, sans hésiter ni réfléchir, sans même considérer l'aspect moral de son acte.

Il se précipita vers la voiture, ouvrit la portière et se glissa derrière le volant.

L'habitacle empestait la bière éventée et la marijuana. Une petite figurine de plastique à l'image de ZZ Top était accrochée au rétroviseur, et la radio diffusait du heavy-metal atroce. John remercia Dieu que ces minibus soient si faciles à conduire, avec leur transmission automatique et leur direction assistée. Il n'était pas certain qu'il aurait pu s'en sortir avec un levier de vitesse. Il passa la marche arrière et traversa le parking en faisant des embardées, puis revint brutalement en marche avant. La fille sortit du magasin au moment précis où son minibus démarrait dans un nuage de poussière et de gaz d'échappement.

John fut surpris de voir comme il était facile de *ne pas* regarder en arrière.

DEUXIÈME PARTIE

La chute

L'homme est une corde tendue entre l'animal et le Surhomme. Une corde au-dessus d'un abîme.

Friedrich Nietzsche

13

Un candidat convenable

Randall, Illinois, était un don du ciel.

La petite ville prenait forme dans le lointain, par-delà les vagues de chaleur matinales, alors que John poussait le minibus vers le sud. Randall était calme, discrète, et assez éloignée de l'autoroute inter-États pour se fondre dans le patchwork des champs environnants. Population : un peu plus de dix mille âmes. John imagina qu'elle se composait pour l'essentiel de paysans et des familles des ouvriers de l'usine de l'Armour Star toute proche. Après avoir trouvé la grand-rue, il continua vers l'est entre les vitrines datant de la Première Guerre mondiale, les immeubles de brique délabrés et les magasins d'engrais et de nourriture pour bétail. Il remarqua que la plupart des habitants nichaient au nord de la ville, dans de vieux quartiers boisés quadrillés de routes pavées. Ils occupaient de grandes maisons victoriennes à l'ombre d'ormes centenaires. Il y avait même une authentique grand-place, très simple, pourvue d'un belvédère de bois blanc au centre d'un petit parc qui datait, lui, d'avant la guerre de Sécession. L'incarnation même de la pérennité des petites villes de province. Pour John, qui essayait de rassembler ses esprits, l'endroit en valait bien un autre.

Sa première visite fut pour la station-service située à un des coins de la grand-place, une succursale Sinclair avec deux groupes de pompes et un garage équipé d'un unique monte-charge. Le patron était un aimable colosse en salopette graisseuse, avec des bras comme des jarrets de bœuf. Lorsqu'il s'avança pour accueillir John, ses yeux pétillaient de cette bonne volonté et de cette confiance qu'on ne rencontre que dans les petites villes. John lui raconta l'histoire du type poursuivi par la poisse, qui a perdu son boulot à l'usine et sa famille après un divorce, et qui ne possède plus rien à l'exception de ce petit mini-bus d'occasion. Il exagéra un peu, mais son extrême pâleur le rendit sans doute plus convaincant. Il était en proie à des douleurs terribles. Sa cheville l'élançait, son dos l'élançait, son corps tout entier l'élançait. Il n'était qu'élancement. Le garagiste eut pitié de lui et lui acheta le minibus pour trois mille cinq cents dollars en liquide, dont la plus grande partie était dissimulée dans le coffre de la station. Il ne posa même pas de questions lorsque John lui tendit la carte grise qu'il avait trouvée dans la boîte à gants en lui expliquant qu'il n'avait pas d'autre document.

Le garagiste fut probablement le gagnant de la transaction. John n'aurait pas pu être moins regardant.

Sa seconde visite l'amena à un cabinet médical sur Losey Street — une barrière de piquets blancs et une pittoresque petite enseigne en fer forgé accrochée au bec de gaz : Millard Penny, MD, SC, Médecine générale. John entra en boitillant. Il servit à la vieille femme aux cheveux teints installée à la réception la même chanson sur l'homme qui a été licencié, qui a perdu ses droits à l'assurance sociale, etc., etc. Puis il demanda si le docteur accepterait de lui donner une consultation sans rendez-vous. La vieille bique hésita un instant, mais quand les jambes de John le lâchèrent et qu'il dut s'accrocher au bureau pour ne pas tomber, elle eut pitié de lui.

Il se trouva que le docteur était Millard Penny *Junior*,

un jeune homme maigrichon, à peine sorti de sa deuxième année d'internat. Il examina John dans un cabinet minuscule, dont les murs s'ornaient de reproductions jaunies de Norman Rockwell. John lui expliqua que l'animal qui l'avait mordu à la cheville n'était autre que le caniche de son ex-femme, et ils s'amusèrent beaucoup, le docteur Penny et lui, à s'apitoyer sur les aléas du divorce et les tourments de la vie en général. La température de John ne dépassait pas 38 °C. C'était moins grave qu'il ne le craignait. Le docteur nettoya ses plaies, puis lui recommanda de prendre soin de lui à l'avenir. John le remercia. Il sortit sous le ciel couvert de l'après-midi, s'émerveillant du degré d'anonymat qu'on peut s'offrir avec un peu d'argent liquide.

Tandis qu'il marchait au hasard vers l'ouest de la ville, le long de la voie ferrée, John eut son premier moment de lucidité depuis qu'il avait repris conscience à la clinique Reinhardt, un peu plus d'une semaine auparavant. Il réalisa qu'il avait besoin d'avoir quelqu'un de son côté. Quelqu'un à qui il pourrait faire confiance. Quelqu'un qui serait capable de remonter le chemin tortueux qui l'avait conduit jusque-là. Quelqu'un qui aurait l'expérience de ce genre de problèmes. Quelqu'un qui serait malin, professionnel, et, surtout, quelqu'un qui serait discret.

Il aperçut un téléphone public, de l'autre côté d'une rue adjacente, sur le mur d'une quincaillerie Ace. Au fond d'une boîte métallique cabossée placée sous l'appareil, il y avait un volume en lambeaux des Pages jaunes.

Il ne lui fallut pas longtemps pour dénicher un candidat convenable.

14

Un oiseau blessé

Le carillon de l'entrée résonna jusqu'au fond de la cour et avertit la Chasseresse qu'un intrus essayait de forcer la porte du château. Elle courut se dissimuler derrière un arbre, le cœur cognant sauvagement dans sa toute petite poitrine. Elle se demanda ce qu'elle devait faire. L'élément de surprise était important. La surprise était l'arme la plus efficace pour repousser les vampires.

La surprise, et les balles d'argent frottées à l'ail.

La Chasseresse saisit son épée magique, se ramassa sur elle-même et traversa à pas de loup la pelouse jusqu'au coin de la maison, là où les premières tomates commençaient tout juste à grimper sur leurs tuteurs de bois peint. Elle resta un moment accroupie dans la poussière. Le soleil chauffait ses avant-bras couverts de taches de rousseur et ses cheveux de lin. L'air était chargé des odeurs musquées de l'engrais, de la terre retournée et des pissenlits. L'été approchait, et la Chasseresse se languissait d'entendre le camion de M. Frostee descendre l'allée en faisant tinter ses clochettes. La Chasseresse était particulièrement friande des cornets de glace aux myrtilles et des bananes au chocolat fondant. Malheureusement, il lui faudrait attendre encore deux bonnes semaines pour goûter à ces plaisirs. Par ailleurs, la Chasseresse ne pouvait se laisser distraire par les cornets de glace alors que quelqu'un sonnait à la porte.

Sa position avantageuse lui permettait de regarder pardessus le rebord du revêtement d'aluminium. La Chasseresse vit l'homme bizarre qui se tenait sur le porche. Il appuya une seconde fois sur le bouton de la sonnette.

Kit Bales oublia tout à coup qu'elle devait incarner la Chasseresse (son personnage de bande dessinée favori), et se trouva brutalement ramenée dans le monde réel. Elle redevint la fillette maigrichonne, la petite écolière profitant du dernier jour des vacances de Pâques. Elle portait un OshKosh décoloré, des tennis Jack Purcell et une cape de super-héroïne faite d'un vieil afghan que sa mère avait depuis longtemps abandonné aux mites. Kit laissa tomber son épée de plastique dans les plants de tomates et observa, bouche bée, l'homme qui s'était arrêté devant chez elle.

Si elle avait disposé du vocabulaire adéquat pour décrire sa première impression, elle aurait dit qu'il était tendu au maximum, remonté à fond comme le réveille-matin de Maman. L'homme appuya sur la sonnette pour la troisième fois, en jetant un regard furtif par-dessus son épaule et en s'agitant nerveusement. Il avait un drôle de visage hanté. Ses yeux caves semblaient habités par quelque chose qu'il aurait préféré ignorer. Il n'était pas laid, non plus. Il avait des cheveux blonds coupés ras que Kit et ses copines auraient pu qualifier de « vraiment super » et il avait l'air d'être en bonne forme, avec son Levi's serré et son mini T-shirt. Mais ce furent des détails plus subtils qui frappèrent vraiment l'imagination de Kit. Les taches sombres sur sa chemise et son pantalon. La manière dont le moindre bruit le faisait sursauter, tel un oiseau apeuré. Un jour, Kit avait trouvé un oiseau blessé, un moineau avec une aile brisée, sur le toit du préau de l'école. Elle avait essayé de le soigner, dans une boîte à chaussures, avec de la Bactine et du coton. L'oiseau avait tenu le coup un jour et demi, avant de succomber. Kit n'oublierait jamais la façon dont ses yeux miroitaient sous l'effet de la douleur et de la peur. Eh bien, les yeux de cet homme étaient exactement comme cela.

Quand la maman de Kit vint enfin lui ouvrir la porte, l'homme semblait à deux doigts de s'écrouler. On échangea quelques mots. Kit n'entendait pas vraiment ce qui se disait, mais il était évident que l'homme avait besoin d'aide. Enfin, la maman de Kit hocha la tête et l'invita à entrer.

Il la remercia d'un signe de tête silencieux, et la suivit dans la maison.

Le cœur de Kit s'emballait à nouveau. Elle fit le tour de la maison. Elle traversa le carré de tomates, contourna les treilles de rosiers et gagna la porte de derrière. Elle devait agir le plus discrètement possible. Elle ne voulait effaroucher personne. Il y avait maintenant dans sa maison une créature bizarre et belle. Un oiseau blessé. Et Kit mourait d'envie de savoir exactement ce que cet homme voulait à sa mère. Elle monta avec précaution les marches de la véranda et s'avança sur la pointe des pieds jusqu'à la porte.

Elle se posta devant la cloison et écouta le murmure des voix qui lui parvenait de l'intérieur.

L'homme expliquait qu'il se trouvait dans une situation embarrassante.

Kit écouta attentivement leur dialogue, suspendue à chaque mot, même si elle n'y comprenait pas grand-chose. Au fond d'elle-même, elle savait que ce qu'elle faisait était mal. Maman lui avait toujours dit que personne n'aime les fouineurs. Mais la propre mère de Kit était une fouineuse. Une fouineuse professionnelle. Un détective privé. Kit serait d'ailleurs détective privé, elle aussi, quand elle serait grande. Techniquement, donc, rien ne s'opposait à ce que Kit joue les fouineuses. En outre, il n'arrivait pas tous les jours qu'un type bizarre avec des cheveux aussi super se pointe à sa porte. Elle

96

appliqua donc son oreille contre la cloison et se concentra sur leur conversation.

L'homme était presque seul à parler, maintenant ; il racontait comment il en était venu à faire appel aux services de Maman. Il était question d'un réveil dans une *clique* médicale au nord de l'État. Il disait qu'il avait une *amlésie*, et qu'il était *convolessant*. Il parla aussi d'un homme qui prétendait être son frère, et qui n'était finalement qu'un flic *auto-défonce*. Puis la maman de Kit lui posa deux-trois questions. La voix de l'homme était de plus en plus faible. Kit eut du mal à entendre.

L'homme parlait d'un *pistolet*.

C'était vraiment trop *cool* pour qu'on laisse passer ça. Kit ouvrit le battant avec beaucoup de précautions et se glissa à l'intérieur pour trouver une meilleure position.

15

En pleine confusion

— Pour une drôle d'histoire...

Jessica Bales repoussa son siège du bureau en plaqué et se dressa de toute sa hauteur. Elle n'était pas le moins du monde gênée par sa taille — un peu plus d'un mètre quatre-vingt-cinq. En fait, elle avait eu maintes fois l'occasion, au cours des années, de se servir de sa taille, tout comme elle s'était servie de ses formes sculpturales. Jessie n'était pas le genre de femme à se laisser intimider par des conneries de normes sociales. Détective chevronnée et formée sur le tas, elle n'avait qu'un mot d'ordre : tirer parti de tout.

— J'ai le sentiment... Je veux dire, il semble... que vous ayez du mal à me croire.

John était assis sur la banquette en osier, en face du bureau. Il avait les sourcils froncés, les mains crispées — comme à l'instant où il avait franchi la porte et commencé à raconter son histoire, une demi-heure plus tôt. De toute évidence, cet homme se trouvait en pleine confusion. Elle n'avait eu aucun mal à s'en rendre compte. Pour le reste, c'était encore affaire d'interprétation.

— Je vous en ressers un ? proposa-t-elle en se tournant vers la machine à café.

Son bureau se trouvait à l'avant de la maison. Il était contigu à la chambre de Kit, de sorte qu'elle pouvait surveiller sa fille du coin de l'œil lorsqu'elle travaillait tard. C'était une pièce de trente mètres carrés — plancher recouvert de tapis, murs de pierres sèches et lambris de chez Sears — qu'on avait ajoutée au pignon est, dans le cadre d'une rénovation globale de la maison entreprise dans les années quatre-vingt. Elle était dotée d'une entrée indépendante, de stores Levolor, d'un ventilateur Tiffany et d'un appareil stéréo réglé sur la station de country préférée de Jessie.

— Non, merci, dit John en secouant la tête.

— Je vais en prendre un autre, si ça ne vous dérange pas.

Elle versa le reste du café infect dans sa tasse aux couleurs du parc national Yellowstone. Puis elle alla se rasseoir à son bureau, tout en épiant la réaction de John au moment où elle croisait les jambes. Elle faisait souvent cela au début d'un entretien avec un client — surtout si ce dernier était un homme — afin de savoir à qui elle avait affaire. La vision éclair d'une longue jambe bien galbée, par la fente de sa jupe. Si le type se rince l'œil, il est probablement en train de lui raconter des salades, de la baratiner pour se rendre intéressant. S'il ne remarque rien, de deux choses l'une : ou bien il dit la vérité, ou bien il est mort.

Ce type ne remarqua rien.

Jessie le regarda.

— Pour être honnête, je fais rarement confiance aux gens avant de les connaître un peu mieux.

— Je vous promets que *moi*, vous pouvez me faire confiance.

— D'accord. Admettons que ce soit le cas. Qu'est-ce qui vous fait croire que je peux vous aider ?

— Vous êtes détective privé, non ?

— J'ai mes bons côtés.

— Vous connaissez sûrement un moyen de... retrouver discrètement ma véritable identité.

Jessie ne répondit pas tout de suite. Elle sirota son café, et continua d'observer ce petit bonhomme sec et nerveux dans son T-shirt froissé et son jean taché. Pour le moment, la crédibilité de son histoire l'intéressait moins que le type lui-même. Il y avait chez cet homme quelque chose de fascinant. Dans la façon dont il se déplaçait. Certes, il était pas mal excité, mais il avait aussi ce côté désespéré, abandonné de tous, de celui qui est perdu dans la jungle. Ça se voyait dans ses yeux, dans la façon dont il écoutait. Comme le monde aurait été merveilleux si toutes les relations masculines de Jessie avaient pu se trouver dans le même état de manque !

— Je suis connue pour avoir retrouvé un ou deux types, à l'occasion, admit-elle enfin.

Elle fouilla dans le tiroir du bureau, à la recherche d'une Carlton. Jouer les Philip Marlowe de manière aussi éhontée la faisait sourire. Elle fumait depuis l'âge de quatorze ans, et elle essayait d'arrêter depuis la naissance de la petite. À ce rythme, quand elle aurait cinquante ans, sa voix serait deux octaves plus bas que celle de Louis Armstrong.

— Mais il ne m'est jamais arrivé de disposer du corps, et de devoir rechercher tout le reste. Maintenant, ça dépend de qui, quand, où, pourquoi et combien.

Elle lâcha un nuage de fumée vers son sous-main, comme pour ponctuer son propos.

Le visage de Jessie Bales était tout en angles, tout en pommettes et lèvres charnues, comme une photographie de Hurrell dans les années cinquante. On avait l'impression qu'elle se déplaçait dans un halo de lumière. Ce jour-là, elle portait un pull myrtille et des dessous Chantelle de dentelle noire qui soulignaient ses formes. Jessie savait tirer profit de son apparence. Elle savait comment s'y prendre pour s'introduire dans l'arrière-salle de la prison du comté. Elle savait en imposer pour que les réceptionnistes des grandes firmes la laissent passer. Et elle savait, mieux qu'une strip-teaseuse professionnelle, provoquer chez les hommes des montées de testostérone. En d'autres termes, Jessie savait tirer parti de toute chose.

Raison pour laquelle beaucoup de gens se demandaient pourquoi elle gâchait ses talents dans un patelin aussi nul que Randall. La réponse portait en ce moment même une cape de super-héroïne, et jouait quelque part dans le jardin.

La fille de Jessie était née au Northwestern Hospital de Chicago, trois mois après que celle-ci eut reçu sa licence de détective privé. Plutôt que d'imposer à son bébé le quotidien d'une grande ville, elle décida de déménager vers le sud, vers Ploucville, USA. D'élever sa fille dans une atmosphère plus calme, et d'apprendre les ficelles du métier grâce à de petites affaires sans risque — chiens écrasés et maris adultères. Mais le sort voulut que Randall s'avérât aussi pourrie que n'importe quel autre endroit de ce pays fruste. Enlèvements, trafics de drogue, réseaux de prostitution autoroutière, détournements de fonds au Palais de Justice, fermes détruites par des incendies inexplicables, planques de la pègre et fusillades à l'arme automatique, cadavres balancés dans le Vermilion. La grande ville n'avait rien à envier à ce petit coupe-gorge. Jessie Bales finit par y ouvrir un bureau d'enquêtes permanent, et Kit s'intégra au système scolaire. Depuis plus de sept ans, les affaires étaient florissantes.

— Eh bien... Qu'en pensez-vous ? (John la regardait, avec l'air de quelqu'un qui va exploser.) Est-ce que vous acceptez de vous charger de mon affaire ?

Jessie prit le temps de réfléchir. Elle tira une longue bouffée de sa cigarette.

— Pour vous parler franchement, mon cher, je suis encore en train de me demander si je dois avaler votre histoire. (Elle lui adressa un sourire aimable.) Rien de personnel, rassurez-vous.

— Vous pouvez la vérifier facilement, dit-il brusquement. Il vous suffit de trouver un vieux numéro du *Joliet Times-Weekly*.

101

— Et si j'appelais tout simplement la clinique ?

— Non, non, non ! (Il leva les mains, et les agita en signe d'inquiétude.) Ils enverraient quelqu'un me chercher... Vous devez me croire... C'est une très mauvaise idée, ce n'est pas la bonne façon de procéder. J'ai simplement besoin d'un peu de temps, vous comprenez, j'ai besoin de récupérer ma vie par mes propres moyens.

Il s'interrompit, se frotta le visage. Il avait l'air épuisé, éreinté, comme un homme qui aurait tenté d'escalader une montagne et échoué. Au bout d'un moment, il leva les yeux vers elle.

— Je ne veux pas avoir l'air mélodramatique, vous savez, mais vous êtes ma dernière chance. Je n'ai pas envie de me livrer... d'être battu à mort dans une cellule pour quelque crime indicible, contre nature... Je veux simplement savoir qui je suis et ce que j'ai fait, et alors peut-être... peut-être que je pourrai... je ne sais pas... m'en excuser. (Il s'interrompit à nouveau, expira bruyamment avec un sourire caustique qui aurait aussi bien pu être une grimace de douleur.) *M'en excuser... Bon Dieu... Elle est bien bonne !*

Il s'écroula comme une poupée de chiffon, le visage enfoui dans les mains, les épaules secouées de spasmes. Jessie crut d'abord qu'il riait, que l'absurdité de la situation le faisait pouffer. Puis elle comprit — avec une consternation qui la surprit — que cet homme était en train de sangloter, là, dans son bureau en faux pin. Et ce n'était pas du chiqué. C'était le déluge, un déchaînement d'émotions, avec convulsions et coulement de nez, et ça n'en finissait pas.

Jessie sentit le rouge lui monter aux joues. La crise de larmes de ce parfait étranger l'embarrassait. S'agissait-il d'une mise en scène ? Était-il possible que ce type fût sincère ? Jessie n'avait encore rien décidé au sujet de son affaire, et ces grandes eaux rendaient ce type encore plus difficile à déchiffrer. Elle avait rencontré dans sa vie toutes sortes de filous. Mais ce gars-là semblait différent. Il avait l'air désespéré, avec un grand D.

Jessie préférait agir avec prudence.

— Ne vous en faites pas, dit-elle doucement, en écrasant sa cigarette dans un cendrier de plastique. Prenez votre temps.

John avait toujours le visage dans ses mains. Il essayait de se maîtriser. Il essayait aussi de respirer normalement. Il inspira plusieurs fois, non sans mal, et s'essuya le visage sur sa manche. Un filament de mucus et de salive glissa sur son bras. Il avait les joues rouges et les yeux baignés de larmes. Jessie détourna le regard. Elle se sentit envahie d'un accès de honte qui ne lui ressemblait pas. Elle l'entendit renifler, puis reprendre peu à peu son souffle.

Quand elle le regarda de nouveau, il s'était rassis sur son siège, les yeux fermés, et il respirait bruyamment.

— Je suis désolé, dit-il, haletant.

— Pas de problème, assura Jessie en lui adressant un petit geste amical de la main.

— Non, vraiment, je suis désolé... Ça va aller... je suis juste...

Il s'interrompit brusquement. Jessie crut un instant qu'il s'était rappelé quelque chose. Peut-être avait-il eu un éclair, peut-être avait-il vu un spectre venu du fond de sa mémoire. Puis elle entendit un craquement derrière elle et se rendit compte qu'il regardait du côté de la porte qui menait à la cuisine. Elle pivota, pour découvrir le visage d'un petit lutin à demi caché par le montant.

— Que fais-tu là, Boodle ?

Question de pure forme. Jessie se doutait que la fillette avait écouté leur conversation depuis le début. Boodle était le surnom qu'elle lui avait donné des années auparavant. Elle avait d'ailleurs oublié d'où il venait. Peut-être du film *Ce plaisir qu'on dit charnel*, où Jack Nicholson appelle Ann-Margret « The Boodle ».

— Rien, Maman, répondit la petite, l'air penaude, mais les yeux toujours rivés sur l'étranger.

— Tu sais que ce n'est pas beau d'espionner les gens, n'est-ce pas ?

103

La fillette haussa les épaules.

— Kit... dit Jessie, cette fois d'un ton plus sévère.

— Oui, Maman, je sais que ce n'est pas beau d'espionner les gens. Mais tu dis parfois que tu vas espionner parce que ça fait partie du boulot.

Jessie fit son possible pour ne pas sourire.

— Très bien, mademoiselle je-sais-tout... (Elle repoussa son siège et se leva.) Excusez-moi, dit-elle à John. J'en ai pour une seconde. (Elle se dirigea vers la porte et s'agenouilla près de sa fille.) Maman travaille, Boodle, et tu sais quelle est la règle, quand Maman travaille.

— Oui, mais...

— Il n'y a pas de mais qui tienne, Boodle. Je veux que tu ailles m'attendre dans la cuisine. Je te rejoins dans dix minutes pour préparer ton déjeuner.

— D'accord, Maman. Je peux dire quelque chose ?

— Quoi, Boodle ?

La petite se pencha et chuchota à l'oreille de sa mère :

— Ce monsieur a besoin d'un kleenex.

Jessie sourit.

— Je peux lui en donner un ?

Jessie réfléchit un instant, puis haussa les épaules.

— Bien sûr, pourquoi pas ?

Kit passa derrière le bureau et sortit quelques mouchoirs en papier d'un tiroir. Pendant ce temps, John essayait toujours de rassembler ses esprits, tout en observant la petite fille. Celle-ci contourna le bureau dans l'autre sens et vint gentiment lui offrir un kleenex. Il y eut un moment d'embarras. John dévisageait la fillette, clignant des paupières pour refouler ses larmes. Puis il sourit. C'était la première fois depuis qu'il était entré dans cette maison. L'émotion faisait se plisser les coins de ses yeux. Il prit le kleenex.

— Merci beaucoup, petite demoiselle.

— Je m'appelle Kit.

— C'est un très joli nom. Il me plaît.

— Comment vous appelez-vous ?

John inspira profondément, s'essuya les yeux et le nez.

— McNally. Je m'appelle John McNally. Tu peux m'appeler John.

Jessie observait la scène, en proie à toutes sortes d'émotions contradictoires. C'était comme si elle voyait sa fille câliner un chien errant, sans savoir si l'animal était inoffensif ou enragé. Ce qui se déroulait sous ses yeux, entre cet homme et la fillette, la rendait perplexe. Kit n'était pas l'enfant la plus extravertie du monde, mais de temps à temps, elle s'accrochait instinctivement à quelqu'un.

— Viens ici, Boodle, dit-elle finalement, en retournant s'asseoir à son bureau.

La petite fille sauta sur les genoux de sa mère.

Jessie regarda John.

— Ainsi, vous pensez que ce flic utilisait votre véritable nom, hier ? John McNally ?

L'homme regarda par la fenêtre pendant un moment, rumina la question en se passant la langue sur ses lèvres desséchées. Puis il se tourna vers Jessie. Son regard s'était éclairé.

— Oui. Oui, en effet, je pense qu'il utilisait mon véritable nom.

— Pourquoi ?

— Je l'ignore. Peut-être pensait-il que cela pouvait percer le mur de mon amnésie.

— Comment, selon vous, connaissait-il votre nom ?

John haussa les épaules.

— J'imagine que c'est pour le savoir que je suis ici.

Après un long silence, Jessie fit glisser sa fille de ses genoux, et la poussa vers la porte.

— Attends-moi dans la cuisine, ma chérie.

— Mais, Maman...

— *Pas de mais*. Je te rejoins dans cinq minutes.

La fillette sortit tranquillement. Jessie se tourna vers John.

— D'accord. Disons que j'accepte votre affaire. Mais je dois vous avertir, monsieur McNally. Je ne suis pas sûre que vous aurez assez de ce qui restera de vos trois mille cinq cents dollars quand le jeune Doc Penny en aura fini avec vous. En outre, ce fric est brûlant. Assez brûlant pour y faire frire des œufs. Dès l'instant où les flics vous mettront la main dessus — et ils n'y manqueront pas, je vous préviens —, l'argent ne sera plus là.

— Quel sont vos tarifs ?

— En principe, on me paie à l'heure. Cent tickets de l'heure pour une affaire de personne disparue, avec un minimum de cinq cents par jour. Plus les frais et les déplacements.

— Il m'en reste plein. Et si nous dépensons tout ce qui me reste, je vous paierai ce que je vous dois dès que nous saurons qui je suis.

— En admettant que ce soit possible.

— Pardon ?

— Vous supposez que nous serons capables de retrouver votre identité. Franchement, John, je n'en suis pas sûre du tout.

Elle mentait effrontément, bien entendu. Jessie Bales était capable de retrouver pratiquement n'importe qui en donnant quelques coups de téléphone. Y compris pour les cas les plus difficiles — les gens qui ne *veulent* pas qu'on les trouve, ceux qui sont couverts par un dispositif de protection de témoins, ou encore les gens en cavale, ou n'importe quelle variété recensée de sales types. Il lui fallait parfois user ses semelles, mais elle les retrouvait généralement en quelques jours. Retrouver des gens est assez simple. Il suffit de savoir où chercher. C'est ce que vous devez en faire *après* les avoir retrouvés (ou ce qu'ils vont faire de *vous*) qui est plus compliqué.

— Écoutez, madame Bales...

— Ah, mon Dieu, comme je déteste ce « madame Bales »... En outre, ce n'est pas madame, mais mademoiselle. Je vole en solo depuis la naissance de Kit. Et si vous m'appeliez Jessie ?

— Comme vous voulez... Alors... Jessie... Écoutez. Je

106

ne peux pas vous offrir beaucoup plus que ce que j'ai en poche, et peut-être ce qui est bloqué dans mon cerveau, mais je vous demande... je vous supplie... de m'aider.

Jessie le considéra un moment, surprise de voir ses yeux scintiller de nouveau. Tant de questions restées sans réponse, tant de *feux clignotants*. Disait-il vrai ? Ou était-ce une imposture ? Et même si l'histoire était vraie... Jessie ne pouvait pas ne pas se poser la question la plus inquiétante : *Qu'est-ce que ce type a bien pu faire ?* Elle réfléchissait à ce que ce soi-disant flic aurait soi-disant dit : « *Je vais te montrer ce que tu as fait... Je vais te frotter le nez dedans !* » Est-ce que ce flic mentait ? Y avait-il une enquête en cours ? Cette affaire était un vrai casse-tête chinois. Même si tout cela menait à un fiasco, ce ne pourrait être qu'un fiasco *intéressant*.

À vrai dire, c'était la partie du job qu'elle préférait. Le démarrage. Lorsque les choses sont encore neuves, fraîches, intéressantes. Quand le défi s'étend devant vous comme une longue route bien claire, par une belle journée. C'était mieux qu'un prélude. C'était sa raison de vivre.

Jessie tourna brusquement son fauteuil vers le buffet déglingué qui se trouvait derrière elle. Elle en sortit un exemplaire de son contrat-type (celui avec toutes les renonciations et les notifications d'opposition) et fit face à John. Elle posa le formulaire devant lui. Il le regarda, stupéfait, comme un détenu qui découvre une fenêtre ouverte au fond de sa cellule.

— C'est la formule standard, dit Jessie.

Elle prit un stylo à bille dans le tiroir et le posa bien en vue à côté du document.

— Il me faut un versement de deux cent cinquante tickets d'avance, en liquide. Le solde est payable à la fin de la mission, que nous obtenions ou non des résultats.

John fixait le formulaire.

Jessie alluma une autre cigarette.

— Eh bien ? Vous le signez, ce fichu papier, ou vous ne le signez pas ?

16

Une longue nuit

Jessie Bales était née et avait grandi au cœur de l'Amérique profonde. À East Peoria, Illinois. L'été, elle égrenait le maïs. L'automne, elle travaillait en équipe de nuit chez A&W. L'hiver, elle jouait en qualité d'arrière de première division dans les Panthères, l'équipe féminine de basketball du collège d'East Peoria. Sa mère, Harriet, était infirmière diplômée (désormais en retraite), avec plus de quarante ans de carrière à l'hôpital de la paroisse Saint-Vincent-de-Paul de Creve Coeur. Son père, Jerome, était un Gallois austère et tyrannique, qui avait enseigné l'éducation physique dans une école secondaire de la ville et gouvernait son foyer d'une main de fer. Jerry Bales (sans doute un maniaco-dépressif qui s'ignorait) avait contraint sa fille unique à grandir vite, à la dure et dans une ambiance tendue.

Avec son diplôme de fin d'études secondaires, Jessie entra à la Lewis University, à Joliet. Elle y étudia la criminologie, la psychologie et les fondements du droit. Mais ce qu'elle y apprit surtout c'est qu'elle détestait l'université. Le lendemain de son vingt-huitième anniversaire, au désespoir de son père, elle abandonna ses études et s'inscrivit à l'école de police. C'était exténuant, et elle y laissa

108

les meilleures années de sa jeunesse. Mais Jessie avait pris sa décision : elle porterait l'insigne de détective.

À l'issue des six cent cinquante heures de la session académique, elle fut reçue avec mention.

Son premier emploi fut un poste de dispatcheur dans un petit commissariat d'une banlieue de l'ouest de Chicago. Cela lui sembla d'abord l'horreur absolue : vingt·huit mois à jouer du micro pour un salaire minimum, à expédier des unités à travers les faubourgs, à bavarder avec les gars en patrouille, à appeler des « 10-200 » et des « 10-33 » à gogo. Mais plus Jessie jouait du micro, plus elle travaillait avec ses collègues flics, plus elle apprenait. Sa position privilégiée lui offrait une vue d'ensemble, et elle apprit tout ce qu'il fallait savoir sur les bons, les méchants, et toutes les autres catégories de citoyens. Elle apprit à connaître tous les mystères de la rue.

Elle décida que le jour où elle partirait, elle serait détective. Mais à son compte.

Le seul problème vint d'une soirée stupidement arrosée, en compagnie d'un sergent d'accueil du nom de Rick Stallworthy, son ancien superviseur. Ils entretenaient une amitié fondée sur la surenchère verbale, les blagues scabreuses et un respect mutuel. Un soir (c'était un mois avant que Jessie présente sa démission), ils assurèrent ensemble un double service dans le poste désert. C'était la nuit du Nouvel An, et il régnait un calme plat. Vers onze heures, Stallworthy sortit une réserve illégale de Maker's Mark. Ils se saoulèrent consciencieusement. À trois heures du matin, ils faisaient l'amour, un peu négligemment, sur le lit de camp derrière le box des interrogatoires.

C'était la première fois que Jessie couchait avec un homme sans protection. Un mois et demi plus tard, elle apprenait qu'elle était enceinte.

Stallworthy lui offrit le soutien qu'on peut attendre d'un homme normal piégé par les circonstances. Il parvint à maintenir le secret. Il proposa à Jessie de l'épouser, ou de payer l'avortement. Il proposa de lui redonner son ancien boulot, ou au moins de faire en sorte qu'elle touche son salaire jusqu'après l'accouchement. Mais quelque chose avait changé, au fond de Jessie Bales. Elle ne voulait pas de mari, elle ne voulait pas retrouver son ancien boulot, et elle ne voulait pas avorter. Elle voulait garder son enfant et elle agit en conséquence, mais sans se lier d'aucune manière à M. Stallworthy.

Bizarrement, la grossesse sembla l'aider à concentrer son énergie sur la création de son propre bureau d'enquêtes. Elle trouva un emploi à temps partiel chez Truth Finders, une grosse agence de détectives de Chicago. En même temps, elle se prépara à satisfaire les conditions draconiennes posées pour obtenir une licence dans l'Illinois. Cela lui prit quatre mois, mais elle finit par trouver un parrain, passa les épreuves écrites et emprunta l'argent réclamé par l'État pour l'assurance en responsabilité. Quand Kit Bales vit le jour, sa mère avait trouvé une place à Randall et traitait déjà des affaires au téléphone.

Durant les sept ans qui suivirent, Jessie vécut plusieurs vies, jonglant avec toutes sortes de crèches, de baby-sitters et d'emplois du temps inconciliables. Elle n'avait sorti son arme que très rarement, et elle n'avait tiré qu'une seule fois (pour faire peur au salopard qui était à ses basques). Elle avait menacé des gens, et elle avait été menacée. Elle avait été prise en chasse, et elle était partie en chasse. Elle avait été blessée deux ou trois fois, et elle avait blessé quelques personnes. Elle avait parcouru plus de kilomètres avec sa Caddy qu'un fichu représentant en balais-brosses. Mais à la fin de la journée, elle avait quelque chose en commun avec ce représentant : ils avaient tous les deux fait un sacré bon boulot, dans les formes.

C'est précisément ce à quoi elle s'employait ce soir-là, alors qu'elle fonçait vers l'est sur l'Interstate 80, au volant de sa DeVille décapotable bleu pastel. Elle grimaçait à cause du vent et de l'éclat du soleil couchant. Reba

McEntire beuglait une chanson à la radio. À quelques mètres devant, dans une Range Rover, une bande de jeunes aussi enfiévrés que Times Square un soir de Nouvel An s'amusaient à slalomer entre les voitures et jetaient des canettes de bière vides par leurs fenêtres. Jessie leva le pied de l'accélérateur et alluma ses phares.

Avec le soir, le temps s'était détérioré. Le Faucon tombait en piqué depuis le lac. Ses rafales acérées comme des lames de rasoir s'acharnaient sur la capote de la Caddy et secouaient la crinière de Jessie — couleur « coucher de soleil sur le désert » de Clairol. Le crépuscule était venu tôt. Il faisait presque nuit, et l'air portait les odeurs de diesel et des feux de feuilles des fermes des environs. D'une pichenette, Jessie alluma le chauffage. Une bouffée d'air chaud lui caressa les jambes. Elle se dit qu'elle aurait dû mettre un pantalon. Mais impossible de savoir à l'avance sur qui elle allait tomber, ou qui pourrait se laisser persuader par une paire de guibolles aussi splendides. Elle sortit une Carlton de sa poche, et l'alluma avec l'allume-cigares.

Elle se sentait bien, grave comme un juge de paix, concentrée sur son affaire. L'après-midi, elle s'était arrêtée chez les Fitzgerald, sur Cherry Street, et leur avait confié Kit pour la journée. La petite allait à l'école avec la plus jeune des filles de Martha et Dick Fitzgerald, qui ne voyaient aucun inconvénient à s'occuper d'elle quand c'était nécessaire. Jessie leur avait rendu quelques services au cours des années, et ils formaient presque une famille. Mais Kit se montrait de plus en plus rebelle à des séjours improvisés chez eux. Et quand Jessie lui avait annoncé que ce serait le cas ce soir-là, elle s'était murée dans un silence réprobateur, d'autant plus contrariée qu'elle avait école le lendemain. Même les friandises au citron de Martha Fitzgerald ne purent adoucir son humeur.

Puis Jessie s'était arrêtée au Highway Star Motel, à l'est de Randall. Elle avait persuadé John de ne pas en bouger pendant quelque temps. Le Highway Star était tenu par un de ses amis, un vieux Noir nommé Walter Sass. Walter ne posait jamais de questions et ne dormait généralement que d'un œil, ce qui en faisait le baby-sitter idéal pour M. Amnésie. Au grand soulagement de Jessie, John avait accepté de rester là — au moins vingt-quatre heures. Il semblait apprécier l'occasion qui lui était offerte de réfléchir, de fouiller sa mémoire tandis que Jessie s'en allait courir partout.

L'étape suivante fut la bibliothèque municipale de Randall.

Dans la plupart de ses enquêtes sur des personnes disparues — surtout quand leur nom était connu —, Jessie trouvait des indices importants à la bibliothèque locale. Nombre de bibliothèques, y compris les plus petites, possèdent en effet des banques de données. Ces répertoires municipaux remontent des décennies en arrière et regroupent les nom, adresse, nationalité, profession, date et lieu de naissance des habitants, et bien d'autres choses encore. Mais la banque de données de Randall ne renfermait rien d'intéressant. Il n'y avait qu'un John McNally, décédé depuis plus de trente ans. Jessie entreprit alors de consulter de vieux annuaires du téléphone. Bien que McNally fût un nom assez fréquent, elle ne trouva dans la région qu'une poignée de J. McNally, et aucun ne collait. Soit ils étaient morts, soit c'étaient des femmes, ou bien encore ils semblaient si différents du type qui soignait ses blessures et faisait fiévreusement les cent pas dans sa chambre du Highway Star que Jessie ne se donna même pas la peine de creuser plus avant. Il était possible qu'un de ces J. McNally ait été le père de John, mais quelque chose lui disait qu'elle n'était pas sur la bonne piste.

C'est à ce point de ses recherches qu'elle avait décidé d'aller dans le Nord.

Elle savait d'expérience que c'est sur le lieu du crime qu'on trouve souvent les informations les plus précieuses.

Qu'il s'agisse d'un enlèvement, d'un vol ou d'une disparition, des indices traînent souvent au point zéro : le dernier endroit où la personne a été vue vivante. Dans le cas de John McNally, le principe s'inversait. Il devait s'agir du *premier* endroit où on l'avait vu vivant, c'est-à-dire Joliet. Plus précisément, les bois en bordure de l'Interstate 80. Plus précisément encore : Higinbotham Woods, une minable petite réserve forestière à l'ouest de Mokena. L'endroit d'où John avait émergé le soir de l'accident.

Jessie avait lu dans la presse locale le témoignage que le chauffeur du camion avait fourni à la police et au personnel de la clinique. Selon lui, l'accident était pour le moins bizarre. John s'était tout simplement *matérialisé*, comme un spectre, dans le faisceau de ses phares. Le chauffeur était incapable de dire s'il était déjà couvert de sang. Mais quand Jessie arriva sur les lieux, elle ne découvrit qu'une banale étendue de revêtement lézardé, jonchée de fragments de pneus déchiquetés pareils à de grosses tranches de bacon noircies. La forêt était un mur sans fin d'arbustes difformes au feuillage exubérant, et semblait infranchissable. Jessie resta sur le bas-côté pendant près d'une demi-heure. Elle retourna dans sa tête tout ce qu'elle savait, essaya de s'imaginer ici même le soir de l'accident et de se mettre à la place de John.

En vain.

Ensuite, elle avait vérifié toutes les sources classiques dans le secteur de Joliet. Elle alla à la bibliothèque, puis au bureau de poste. Elle passa en revue tous les répertoires de changements d'adresse, les annuaires téléphoniques, les vieux rapports de recensement. Elle se rendit au Palais de Justice du comté de Will, où elle utilisa l'ordinateur pour examiner les extraits de naissance, les registres des impôts et des hypothèques, les histoires de succession, les jugements de divorce... Et elle revint grosjean comme devant. Elle pensa alors aux empreintes digitales, mais même par ce biais elle n'était pas sûre d'obtenir un résultat. Pour que les empreintes de John fussent

113

enregistrées, il fallait qu'il ait été arrêté ou qu'il ait servi dans l'armée. Et pour compliquer les choses, Jessie avait de très mauvais rapports avec les représentants de la loi du coin. C'était la malédiction quotidienne des détectives privés : une police qui vous met des bâtons dans les roues. Jessie s'étant déjà frottée à pas mal de flics vindicatifs, elle s'était finalement fixé pour règle de se tenir le plus possible à l'écart de la police.

Le dernier indice qui pouvait lui offrir une piste était le petit trousseau de clés avec le piano de plastique que John lui avait montré. Une clé originale porte en principe le numéro de série apposé par le fabricant, parfois même un numéro de bon de commande. Un détective débrouillard peut alors remonter la piste et découvrir à qui elle appartient. Malheureusement, la plupart des clés de John McNally étaient des doubles. Ou bien elles étaient vierges, sans le moindre signe particulier, ou bien marquées du logo banal des quincailleries Ace. La seule clé d'origine était une clé de voiture. Mais elle ne portait aucune inscription, bien entendu. Elle correspondait sans doute à un véhicule d'importation — Toyota ou Nissan —, ce qui n'apprenait strictement rien à Jessie. Un klaxon retentit devant elle, la ramenant brutalement dans le monde réel. Un panneau apparut dans le faisceau de ses phares. Un grand rectangle vert indiquant : HIGINBO- THAM WOODS — NEW LENOX — PROCHAINE À DROITE.

Jessie prit la sortie à plus de cent kilomètres à l'heure, tandis que les freins de la Caddy protestaient bruyamment. Elle pila au stop qui se trouvait au pied de la rampe d'accès, puis tourna à gauche et fila vers le nord, dans un nuage de fumée noire. Elle traversa à vive allure le secteur où John McNally s'était matérialisé. Quelques minutes plus tard, elle franchissait la limite nord du bois et émergeait au cœur de la civilisation. Elle longeait maintenant des rubans interminables de centres commerciaux, des kilomètres et des kilomètres de camps de caravaning insignifiants et d'entrepôts industriels. C'était la zone où s'étalaient les faubourgs, la zone des constructions basses préfabriquées et des terrains abandonnés, que baignait une lumière fluorescente grise. Cela s'étendait sans interruption jusqu'à Chicago. C'était l'endroit parfait pour commencer à chercher une aiguille dans une botte de foin.

Un peu plus loin, elle tomba sur un Dairy Queen et s'engagea sur le parking recouvert de gravier.

C'était un petit bâtiment aux murs blanchis à la chaux, avec deux guichets extérieurs éclairés par des spots où grouillaient les insectes. Jessie se dirigea vers le premier guichet et attendit son tour derrière un adolescent en veste de cuir. Le garçon paya son Dilly Bar, puis regagna sa Trans Am déglinguée. Jessie s'approcha. Elle se pencha pour bien voir la fille qui se tenait derrière l'écran de protection.

— Comment va, ma belle ?

— Pas trop mal, répondit doucement la fille. (Elle avait le visage mangé par l'acné, les ongles rongés jusqu'à la racine, et portait un pull taché.) Qu'est-ce que j'peux vous servir ?

— Eh bien, j'espère que tu vas pouvoir m'aider. (Jessie parlait aussi cordialement que possible, tout en fourrageant dans son sac.) Je cherche un monsieur depuis ce matin, et je me demandais si tu te rappellerais l'avoir vu. Peut-être qu'il t'aurait acheté une glace, ou que tu l'aurais vu passer devant ta boutique, ou je ne sais quoi.

Elle sortit trois Polaroïd de John McNally, qu'elle avait pris au Highway Star un peu plus tôt dans la journée, et les montra à la fille.

Celle-ci les examina.

C'étaient de vraies photos d'identification judiciaire : John et rien d'autre, debout devant les tentures jaunies de la fenêtre de sa chambre au motel. Sur la première on le voyait de profil, sur les deux autres de face. De toute évidence, elles avaient quelque chose d'étrange. Jessie avait eu cette impression alors même qu'elle cadrait John dans le viseur de son 600. Cela tenait peut-être à la façon dont il regardait droit dans l'objectif, les yeux vifs et grands ouverts, la tête inclinée dans une position qui suggérait la confiance. Plus tard, en étudiant les photos, elle était arrivée à la conclusion que cet homme avait dû se sentir réconforté par la tournure des événements. Comme un patient atteint d'une maladie très grave, et qui reçoit enfin des soins médicaux.

— Non, jamais vu ce type.

La fille secouait la tête, en mordillant un de ses ongles.

— Tu en es bien sûre, ma poule ?

— Ouais, j'suis sûre. (Elle leva les yeux vers Jessie, et Jessie vit combien elle était mignonne, avec ses boutons, et tout.) Je me souviens toujours des gens que je vois. Papa dit que j'ai une mémoire photographique.

— C'est vrai ?

Jessie rangea les photos dans son sac.

— Ouais, c'est comme ma dernière interro de maths. J'ai eu 17. La meilleure note de la classe.

— C'est merveilleux, chérie.

— Je vous sers quelque chose, m'dame ?

— Oui, pourquoi pas ? Donne-moi un de ces petits délices au chocolat fondant. Et ne lésine pas sur la quantité.

Jessie paya son cornet et retourna à la voiture. Elle s'installa au volant, sortit du parking et reprit la direction du nord, vers les longues files sans fin de centres commerciaux.

Quelques minutes plus tard, elle balança le cornet par la fenêtre.

17

Des balles d'argent

Cela avait commencé par la nausée (exactement comme la dernière fois), le tisonnier brûlant de l'angoisse remontant dans sa gorge, et les étourdissements. L'instant d'après, il pressait son front douloureux contre la table de bois stratifié. Il avait l'impression que des éclats acérés de souvenirs lui déchiraient le cerveau pour sortir de son crâne. Le bureau jouxtait le lit de deux places. Le couvre-lit de taffetas était jonché de feuilles de papier à en-tête du motel. Sur chaque page était griffonné au crayon un dessin différent et incomplet — un visage grimaçant obscurci par des taches, un talon aiguille, des lignes de points de suture, des pièces de bœuf, d'autres visages incomplets, déformés, percés de trous béants.

John tourna le dos au bureau. À ces croquis qu'il avait esquissés machinalement. Il embrassa du regard la sinistre petite chambre, typique de ce genre d'établissement. Une pièce nue, du papier peint démodé, du mobilier d'imitation Bauhaus. Au-dessus de la tête de lit en aggloméré recouvert d'une peinture écaillée, on avait accroché une minable photo de paysage marin. L'air était lourd, sentait le Lysol et la sueur rance. Les murs semblaient se resserrer sur John, le bruit blanc du téléviseur mal réglé dominait les parasites dans son cerveau — l'atroce grésillement des souvenirs à demi formés et des images traumatisantes —, tout cela à contretemps du chuintement des cymbales et du vrombissement de l'orgue Hammond d'un morceau de Jimmy McGriff, comme des vagues s'écrasant sans fin sur le sable...

Il fallait que John fasse quelque chose pour étouffer le bruit dans sa tête.

Il prit son verre. Les genoux tremblants, il se dirigea en titubant jusqu'au comptoir de Formica à côté du placard. Là, coincé sous le comptoir, un petit réfrigérateur agonisait dans un bruit épouvantable. John conservait au congélateur quelques barres de Snickers qu'il avait achetées dans la boutique d'alcools à un pâté de maisons du motel. Il ouvrit le frigo et en sortit la bouteille de Tanqueray.

Elle était déjà à moitié vide.

Il se versa encore deux doigts de ce liquide glacial, argenté, froid comme le mercure. Il en but une lampée, et le feu glacé descendit en un tourbillon dans sa gorge. La senteur piquante du genièvre lui enflamma les narines. C'était si bon, si vivifiant, que c'en était érotique. Il avala ce qui restait dans son verre, puis s'en servit un autre.

A la suite de quoi, il alla s'asseoir sur le lit et attendit que se calme la tempête qui faisait rage sous son crâne.

18

Un trou d'épingle dans une boîte

Avec la tombée de la nuit, l'air s'était très nettement rafraîchi, et Jessie avait l'impression que l'ancêtre, dans sa cahute, examinait les photos de John McNally depuis une éternité. Son uniforme de l'administration des Parcs était boutonné jusqu'en haut, autour de son cou décharné, et ses yeux de chien de chasse nichés au fond de plis de peau tout flasques. Il regarda enfin Jessie, lâcha un « Ouaip ».

— Quoi ?

Jessie s'était laissé distraire. Debout dans le vent vif, devant la petite cabane isolée du gardien, elle essayait d'allumer une cigarette. Les rafales de vent lui cinglaient le visage et jouaient avec la flamme de son briquet Bic. Derrière elle, les ombres du parc forestier de la Shawnee oscillaient et tanguaient sous l'effet de la brise nocturne. La réserve était un modeste patchwork de sept hectares d'épais feuillus et de terrains de camping crasseux. Quelques minutes plus tôt, Jessie en avait franchi les portes sur une intuition. Elle s'était dit que le petit garde, à l'entrée du bois, pouvait être le genre de type à se rappeler un visage, surtout celui d'un solitaire qui rôde la nuit, poursuivi par un danger inconnu.

— Ouaip, répéta le vieil homme. Au fait, madame, on ne fume pas dans le parc.

— Excusez-moi. (Jessie hocha la tête et rempocha sa cigarette.) Vous avez dit *ouaip*. Quoi, ouaip ? Ouaip... Vous vous rappelez avoir vu ce type ?

— Oui, madame, je l'ai vu.

Jessie sentit au creux de ses reins un chatouillement qu'elle connaissait bien, et un léger frisson lui parcourut la nuque. C'était mieux que la drogue, mieux que le sexe : le premier déclic. Comme un trou d'épingle dans la paroi d'une boîte laissant filtrer le premier rayon de soleil. Comme l'ébauche d'une image sur la toile blanche d'une enquête. Elle se passa la langue sur les lèvres.

— Et vous vous souvenez quand vous l'avez vu, précisément ?

— Oui, madame... C'était il y a deux semaines.

— Deux semaines exactement ?

— Oui, madame. Je le crois bien.

— Il était ici ? Il visitait le parc ?

— Non, madame. Je l'ai vu chez Gordon.

— Chez Gordon ?

— Oui, madame. Un gars d'ici. Un ami à moi, qui vend de l'alcool sur Waverly Road. Tous les soirs ou presque, je m'arrête à la boutique en rentrant chez moi, j'prends un pack de six bières, et parfois aussi un peu de couenne de porc. J'ai vu ce gars-là, il achetait de la bibine.

Jessie releva le col de sa veste de cuir. Elle réfléchit.

— Est-ce qu'il a dit quelque chose de spécial ?

Le vieux regarda en l'air, suçota ses dents pendant un moment.

— Pas que je me rappelle, non.

— Vous vous rappelez comment il était habillé ?

— Oui, madame. J'm'en rappelle, parce que j'ai eu le sentiment qu'il était pas d'ici. Il portait une de ces vestes sport en tweed avec des pièces rapportées sur les poches, et un jean. Un jean décoloré. Je peux pas vous dire exactement pourquoi, mais il avait certainement pas l'air d'un type d'ici. Pas pour moi, en tout cas.

— Mais vous ne vous rappelez pas s'il a dit quelque chose qui sortait de l'ordinaire ?

— Non, madame. Me rappelle pas du tout ce qu'il a dit.

— Vous vous souvenez de ce qu'il a acheté ?

— Ouaip. Je me rappelle ce qu'il a acheté, parce que j'ai pensé qu'il faisait des provisions. Il a pris un gallon[1] de Black Label, un gallon de gin... je me rappelle pas la marque... Et une caisse de bière... de la bière boche, d'importation, je crois bien. Et des boissons gazeuses, aussi. Toute la gamme. Je me rappelle que je m'suis dit : « Ce gars-là, ou bien c'est un foutu poivrot, ou bien il fait des stocks en prévision d'une grosse fiesta. »

— Vous ne vous rappelez pas s'il a payé en liquide, ou par chèque, ou avec une carte de crédit ?

Le vieux réfléchit un moment. Non, il ne se rappelait pas.

Jessie hocha la tête et commença à rassembler ses photos.

— Vous dites que ce magasin est sur Waverly Road ?

— Juste au nord, à sept ou huit kilomètres d'ici. Prenez la Southwest Highway jusqu'à Waverly, puis foncez vers le nord.

— Cher monsieur, je vous remercie beaucoup pour tous ces renseignements.

— C'est pas ça qui m'arrache la peau du nez, grogna le vieux.

Il fallait bien admettre que, de toute façon, il n'avait presque plus de peau sur le nez. À en juger par son énorme tarin grêlé, couvert d'ulcères, il était assez évident que le vieux schnock avait lui-même acheté pas mal de gallons, dans le temps...

---

1. Un *gallon* américain = 3,785 litres.

— Portez-vous bien, lui dit Jessie en se dirigeant vers la Caddy.

— Qu'est-ce qu'il a fait, ce type ?

Jessie regarda le vieux par-dessus son épaule.

— Dieu seul le sait.

Elle remonta dans la Cadillac et partit en faisant ronfler le moteur.

Le Don Gordon's Trading Post se trouvait à un carrefour animé, au nord de la ville. Il était flanqué de part et d'autre par des stations-service baignant dans une lumière fluorescente. C'était une modeste construction en préfabriqué, avec une façade en brique et une vitrine crasseuse couverte de grandes affiches vantant les promotions du jour. Jessie se gara près de l'entrée. Il n'y avait que deux autres véhicules sur le parking, une camionnette rouillée et une Chevy SS.

Elle entra.

L'endroit avait cette odeur acide et fermentée caractéristique de tous les grands magasins d'alcool. Un carrelage taché, poisseux, imprégné de tous les liquides renversés au cours des années, et un tapis trempé de bière devant chaque glacière. Le plafond était recouvert d'affiches encadrées de papier alu : ours dansants, Joe Camel, les grenouilles de Budweiser, Elvira... un véritable FAO Schwarz[1] pour ivrognes. Jessie s'approcha du comptoir que surplombait un gigantesque distributeur de cigarettes. Le vendeur était assis sur un tabouret, derrière la caisse.

— Je peux vous aider, mon ange ?

C'était un grand gaillard d'une cinquantaine d'années, genre sportif sur le retour. Il portait une chemise de golf Ban-Lon et mâchonnait un cure-dents.

— Vous êtes Don Gordon ?

— Pour ça, je plaide coupable.

---

1. Célèbre chaîne de magasins de jouets américains.

— J'ai une question à vous poser. (Jessie sortit une photo de son sac.) J'ai parlé au gardien, dans la Shawnee, tout à l'heure. Il m'a dit que ce monsieur est passé dans votre magasin il y a deux semaines. Vous vous rappelez l'avoir servi ?

L'homme assis derrière le comptoir lui fit un grand sourire.

— Vous êtes détective ?

— On pourrait dire ça, ouais.

— Ce gars a fait quelque chose de mal ?

Jessie soupira.

— Je ne suis sûre de rien. Je suis simplement censée le retrouver.

Il y eut un silence embarrassé tandis que le propriétaire des lieux la reluquait, son regard s'attardant ici et là. Les autres clients (un garçon de ferme dégingandé et un vieux Noir) s'approchèrent du comptoir, soit pour faire leurs achats, soit pour écouter la conversation. Ou les deux. Jessie s'éclaircit la gorge. Elle sentait les regards fixés sur son corps comme des sangsues, et cela l'avait toujours débectée.

— Bon, maintenant, je vais vous dire, reprit enfin Gordon en mâchonnant de plus belle son cure-dents. Ce soir est votre jour de chance.

— Comment ça ?

Le cœur de Jessie recommença à battre. Le chatouillement était de retour.

— Parce que ce fils de pute intello est venu ici une bonne demi-douzaine de fois, ces deux derniers mois. Je lui ai souvent parlé.

— C'est vrai ?

— Ouais, et je peux aussi vous dire pourquoi il revenait tout le temps ici.

— Dites-moi.

— Parce qu'il logeait au Wagon Inn, juste là, un peu plus bas, et que cet infâme taudis donnerait à n'importe qui l'envie de se saouler.

Il y eut un autre silence. Jessie dut fait appel à tout son sang-froid, à toute sa volonté, pour ne pas se pencher au-dessus du comptoir et donner à ce gros dégueulasse un baiser sur les lèvres.

19

L'engrenage

Jessie attendit le lendemain matin pour retourner au Highway Star. Tellement impatiente qu'elle était à deux doigts d'éclater.

Walter n'était pas là. Sans doute derrière le motel, en train d'arroser ses tomates. Un petit mot était collé à la vitre : SERONS DE RETOUR À..., et la pendule en plastique à côté indiquait dix heures. Jessie regarda sa montre. Un peu plus de neuf heures. Quelque chose clochait. C'était comme un mauvais pressentiment. Elle aurait bien aimé revenir, la veille au soir, après avoir trouvé le filon chez Gordon, mais ses devoirs maternels l'avaient obligée à récupérer Kit pour la ramener à la maison et la conduire elle-même à l'école ce matin. Maintenant, Jessie était sûre d'avoir laissé McNally trop longtemps seul.

Elle dépassa vivement le bureau et avança sur le trottoir lézardé, vers les chambres. Alors qu'elle approchait de la chambre 21, le soleil chauffait déjà les dalles. Un radiateur faisait entendre son cliquetis irrégulier. Le reflet de Jessie dans les vitres témoignait de la tension dans sa démarche. Elle portait un pull-over aux couleurs vives et un jean blanc. Elle regrettait de ne pas s'être habillée en noir commando. Depuis l'adolescence, Jessie se reconnaissait un certain talent : celui de sentir venir les ennuis avant même qu'ils se présentent. On aurait pu appeler ça de la perception extrasensorielle. Ou même dire qu'elle était médium. Mais Jessie n'avait jamais fait grand cas de ces conneries porte-poisse. Elle avait simplement le nez pour déceler de loin l'odeur des embrouilles.

Et ce matin-là, alors qu'elle se dirigeait vers la chambre de John McNally, tout ce foutu motel puait à plein nez.

— John ? cria-t-elle en grattant à la porte.

Pas de réponse.

Elle jeta un coup d'œil à la fenêtre et vit que les tentures avaient été tirées à la hâte, mais qu'elles étaient maintenues légèrement écartées par quelque chose qui avait chu contre la vitre. Peut-être le dossier d'une chaise, ou le bord d'une table. Comme si l'on s'était battu.

— John !

Jessie frappa plus fort, se mordant maintenant les doigts de ne pas avoir emporté son pistolet. Elle possédait plusieurs armes à feu, et un permis professionnel lui permettant d'en détenir pour l'entraînement dans les stands de tir. Dans l'État de l'Illinois, il était interdit à un civil de porter une arme dissimulée, bien que Jessie l'ait fait à maintes reprises. La plus grosse pièce de son arsenal était un vieux Beretta 9 mm avec un chargeur de quinze cartouches qui ne lui servait qu'à impressionner les types du Gun World Club. Grâce à sa capacité de tir sélectif, il pouvait lâcher des rafales automatiques de trois coups. Tellement illégal qu'elle s'étonnait que ce revolver ne luise pas dans l'obscurité. Elle possédait aussi deux Smith & Wesson, un 357 Magnum et un 38 court. Le 357 servait exclusivement à intimider, car son recul était aussi violent qu'une ruade de bronco. Quant au 38, elle le gardait dans sa cuisine pour défendre son foyer. Son arme de poing préférée — celle qu'elle regrettait de ne pas avoir sous sa ceinture en ce moment même —, c'était le Raven MP semi-automatique. Le petit flingue de calibre 25 pouvait se dissimuler presque n'importe où, et tirait cinq balles (quatre dans le chargeur et une dans la culasse) sans vous laisser le temps de dire ouf.

Mais elle n'avait rien d'autre avec elle que le 22 court planqué sous le siège de la Caddy. Ce petit modèle récent avait presque autant de pouvoir de dissuasion qu'un froncement de sourcils d'institutrice stagiaire.

— John ! Ouvrez !

Elle essaya de pousser la porte. Elle était verrouillée. Elle scruta à travers les rideaux, mais elle ne put distinguer que quelques formes imprécises sur le tapis de la chambre. Peut-être un verre tombé à terre, une chaise, quelques papiers éparpillés. Elle appela Walter, ce qui était ridicule puisque l'ouïe du vieux était morte depuis bien avant l'ère Nixon. Elle se retourna vers la porte et tenta de l'enfoncer à coups d'épaule. Le battant tint bon. Elle essaya encore.

Cette saloperie était le seul morceau de bois solide dans tout l'établissement.

Jessie allait partir à la recherche d'un téléphone, lorsqu'elle entendit la respiration sifflante de Walter Sass, qui passait le coin de la dernière chambre.

— Par le Ciel, s'exclama-t-il, que se passe-t-il donc ?

Vêtu d'une salopette en toile de jean crasseuse, le visage d'une belle couleur de terre brune, il s'avança vers elle en boitillant, une canne à pêche de bambou à la main. Un large sourire découvrait ses dents jaunes.

— Mais qu'est-ce que tu fous ?

— Walter, Dieu merci, te voilà. Tu peux me donner un coup de main pour ouvrir cette porte ?

Le vieux s'approcha et posa sa canne à pêche contre le bâtiment.

— Tu n'as pas besoin de me foutre la baraque sens dessus dessous.

— Tu as un passe ?

— Quel est le problème ?

— Walter, pour l'amour de Dieu, cette chambre est une zone sinistrée ! Mon type a des ennuis ! Allez !

— Ne monte pas sur tes grands chevaux, grommela le vieux, qui se mit à fourrager dans un trousseau de clés.

Il trouva enfin celle qu'il cherchait et la fit jouer dans la serrure, ses mains brunes et noueuses tremblant d'excitation. La porte s'ouvrit brusquement. Jessie s'élança dans la chambre.

McNally gisait à terre, sans connaissance.

Une série de détails se grava dans l'esprit de Jessie au moment où elle s'agenouilla près de lui. Il était au pied du lit, une main crispée sur les couvertures, le visage exsangue, le menton luisant de salive, les paupières à demi ouvertes montrant le blanc de ses yeux. Le téléviseur, dans un coin de la pièce, était allumé. Sur l'écran, il n'y avait que de la neige. Le sol était jonché de feuilles de papier arrachées à un bloc-notes du motel et noircies d'étranges gribouillages. Quelques-unes étaient collées au mur, d'autres coincées derrière le miroir ou fichées dans la lampe de chevet.

John avait été très occupé à... *quelque chose*.

— Walter... Va chercher Mel Penny, dit Jessie d'un ton pressant, tout en soulevant la tête de John.

Elle tâta son cou du bout des doigts. Son pouls semblait plus ou moins normal. Peut-être un peu rapide, mais fort et régulier. La respiration, elle aussi, semblait normale. En revanche, Jessie n'aimait pas l'aspect de ses yeux, ni la salive sur son menton. Est-ce que ce type était épileptique ? Est-ce qu'il avait eu une sorte d'attaque ? Sa blessure court-circuitait-elle toujours son cerveau ? Ou bien peut-être était-il tout simplement cinglé ? Cette hypothèse tracassait Jessie depuis le début. Après tout, ce type n'était peut-être rien d'autre qu'un dingue échappé d'un asile.

— Qu'est-ce qui se passe ?

Walter s'attardait sur le pas de la porte, avec une moue indignée.

— Walter, nom de Dieu, appelle Doc Penny, et dis-lui qu'il s'agit d'une sacrée urgence !

128

Le vieil homme partit à toute vitesse et disparut dans le soleil matinal.

— John ? Vous m'entendez ?

Jessie dégagea doucement les doigts de John du couvre-lit, puis l'étendit sur l'horrible tapis orange.

Au fond de la chambre, la porte de la salle de bains était entrouverte. Le halo d'une lumière fluorescente se répandait dans la pièce. On aurait dit que chaque morceau de tissu dans la chambre — des tentures couvertes de chiures de mouche aux abat-jour jaunis et au vieux rideau de douche — était imprégné d'une odeur acide d'urine. Mais le pire, le plus incongru, c'était toutes ces notes éparses sur le sol, sur la table et sur le couvre-lit.

Au premier coup d'œil, elles avaient l'air de croquis, de griffonnages, de suites de mots et de phrases alignées machinalement. Les notes d'un homme essayant de reconstituer les fragments insaisissables de son passé. Pendant un instant, Jessie se dit que John avait peut-être découvert quelque chose d'important, et que c'était pour cela qu'il avait perdu connaissance.

— John !

Elle le souleva doucement par les épaules et le secoua. Elle ne voulait pas le déplacer, par crainte de le blesser. Elle ne savait rien de la violence de sa chute, et ignorait s'il s'était amoché la colonne vertébrale ou le cou. Elle le secoua à nouveau, très doucement. Sa tête pendait, inerte.

— John ? Vous m'entendez ?

Elle vit ses lèvres remuer.

— John... c'est Jessie Bales. (Elle le secoua encore, lui tapota la joue.) Vous m'entendez ?

Sa mâchoire trembla, ses lèvres, se contractèrent, sa langue claqua dans sa bouche. Il essayait de parler. Ses paupières battaient faiblement, maintenant, ses pupilles se dilatant pour accommoder.

— Tout va bien, le rassura-t-elle. Vous êtes en sécurité, vous êtes dans une chambre de motel. Vous comprenez ce que je dis ?

Il murmura quelque chose.

Jessie se pencha sur lui.

— Que dites-vous ?

Il murmura encore quelque chose. Peut-être : « C'est la méthode... »

— Comment ?

Jessie essuya une goutte de sueur sur le front de John. Elle sentit la cicatrice toute neuve au-dessus de sa tempe, la ligne de points de suture, l'endroit où la calandre du camion avait heurté sa tête. Elle l'assit et l'appuya contre le lit.

— Prenez votre temps, John, tout va bien.

Sa gorge se serrait, il clignait des yeux, tentait de reconnaître le décor autour de lui. Son visage était pâle comme l'albâtre, ses lèvres exsangues bougeaient. Il leva les yeux vers Jessie.

— Oh, bon Dieu... dit-il d'une voix à peine audible.

— Qu'est-ce que « la méthode » ?

Il cligna à nouveau des yeux.

— Vous avez dit : « C'est la méthode. » (Jessie le regarda, examina son visage crispé.) Vous me reconnaissez ?

— Oui... Oui, je crois.

— Dites-moi qui je suis.

— Vous êtes... Vous êtes Jessica Bales... Jessie pour les amis... Le meilleur détective privé de Randall, Illinois.

Jessie sourit.

— Ce n'est pas drôle. Je suis *le seul* détective privé de Randall, Illinois.

Un autre silence. John essayait toujours d'accommoder son regard, de reprendre ses esprits.

Jessie balaya la chambre d'un large mouvement de bras.

— On dirait que vous ne vous êtes pas ennuyé. Vous avez fait vos devoirs de classe ?

130

John essaya de se lever, mais dès qu'il tendit les jambes, tout son corps s'affaissa et il retomba sur le sol en grimaçant de douleur.

— Aïe !

— Doucement, camarade. (Jessie le cala contre le lit.) Faisons les choses dans l'ordre. J'ai fait appeler Mel Penny, il doit être en route.

— Je vais bien, vraiment. Je vais bien.

John fit la grimace. Il essuya son menton humide et se passa la main dans les cheveux. On eût dit qu'il venait de traverser un bâtiment en feu. Mais en dépit de la salive, des tremblements et des convulsions, Jessie ne put s'empêcher de remarquer que ce type était sacrément mignon.

— J'ai encore les jambes... comme du coton, dit-il enfin. Mais par ailleurs, je crois que je progresse. Dans le domaine de la mémoire, au moins... Un petit peu.

— Que s'est-il passé ?

— Je crois qu'on appelle ça un trou noir.

Il se frotta les yeux.

— Vous croyez que c'est votre blessure ?

— Non... pas exactement, non.

— Que voulez-vous dire ?

Il parcourut la chambre des yeux.

— Ce que je veux dire, c'est que je suis presque sûr de savoir ce qui a provoqué le trou noir...

Jessie attendait qu'il continue.

John regarda par-dessus son épaule. Il aperçut un objet sur le sol, derrière le lit. Il se pencha et le ramassa.

— Ceci, dit-il d'un air penaud.

Quelques fibres du tapis adhéraient au goulot de la bouteille de gin Tanqueray.

Jessie hocha la tête.

— Je vois.

— C'est drôle, vous savez... Dans la plupart des petites villes, où que vous soyez, vous trouvez toujours un magasin d'alcool à quelques pâtés de maisons... (Il reposa la bouteille vide sur le sol, debout.) Je suppose que je devrais voir le bon côté des choses. Au moins ai-je trouvé un nouvel élément du puzzle.

— Quoi... Que vous êtes alcoolo ?

John eut un sourire las.

— Ouais, eh bien, j'ai toujours préféré « consommateur chronique de substances à fermentation éthylique ».

— Bienvenue au club, lui dit Jessie, en lui tendant la main.

John la regarda un moment, puis lui prit la main et esquissa un autre sourire.

— Vous aussi ?

— Disons que je suis sortie d'affaire. (Elle haussa les épaules.) Pas bu une goutte depuis presque cinq ans.

— Bravo.

— Qu'est-ce que « la méthode », John ?

Il grimaça à nouveau et respira légèrement, comme pour écarter la douleur.

— C'est remonté en bouillonnant de ma stupeur alcoolique... Juste des mots... Je ne suis pas sûr de savoir ce qu'ils veulent dire. Je me livrais à ma petite « thérapie par l'expression artistique », en essayant d'établir des liens entre les images de mon cauchemar et les noms de personnes et d'endroits que j'ai sur le bout de la langue — et voilà ce qui est sorti : *la méthode*. (Il ferma les yeux, se tut un instant, comme s'il attendait que le dernier élancement disparaisse.) La mauvaise nouvelle, c'est que je n'ai retrouvé que cela. Les mots. Et que je n'ai aucune idée de ce qu'ils signifient.

Jessie soupira, parcourut la chambre des yeux. Il y avait des feuilles de papier à lettres absolument partout, recouvertes de petits dessins bizarres représentant des pièces de viande, ou bien des membres, des visages, des bras aux mains déployées, encore des visages, des doigts pointés avec une autorité biblique. Les mots et les phrases — surtout des combinaisons des mots « *la* » et « *méthode* » — étaient griffonnés dans des symétries torturées. Le mystère était aussi persistant et opaque que de la roche.

Mais ils allaient bientôt retourner la roche.

— J'ai de bonnes nouvelles, dit Jessie.

— Elles ne seront pas de trop.

— J'ai trouvé l'hôtel où vous logiez.

John la regarda en se passant la langue sur les lèvres d'un air pensif, sans rien dire.

— D'après l'employé de la réception, vous y avez passé plusieurs semaines. Et vous avez payé d'avance jusqu'à la fin de ce mois-ci. Ce qui veut dire que les choses sont telles que vous les avez laissées en partant.

Après un silence, John demanda :

— Ils vous ont laissée entrer ?

— J'ai pensé qu'il valait mieux que nous y allions ensemble.

Un nouveau silence angoissé, puis John inspira profondément.

— Eh bien, qu'attendons-nous ?

20

La chambre 213

Il était un peu moins de onze heures et le soleil chauffait déjà lorsque Jessie pénétra au volant de sa Caddy dans le terrain vague derrière le Wagon Inn. Ne voulant pas laisser sa voiture à la vue de tous, car elle était très facile à identifier, elle se gara derrière un transformateur électrique. Puis elle coupa le moteur et attendit. Elle jeta un coup d'œil sur son passager.

John était assis à la place du mort. Il se rongeait un ongle en scrutant l'établissement qui se dressait devant lui, examinant l'une après l'autre les constructions de brique sale. On aurait dit qu'il essayait de tout enregistrer d'un coup. Il y avait moins de deux heures qu'il était sorti de son trou noir, et semblait pourtant récupérer très vite. Doc Penny l'avait examiné des pieds à la tête, et Walter lui avait préparé un solide petit déjeuner avec des œufs et des frites maison. Jessie avait suggéré qu'il se repose un peu avant qu'ils partent visiter sa chambre, mais John était trop impatient pour attendre.

Ils s'apprêtaient à franchir le seuil de son passé le plus récent.

Le Wagon Inn était une incroyable caricature, dans un état de délabrement avancé, de l'hôtellerie routière. Le

134

bâtiment principal, un édifice de trois étages de parpaings, se dissimulait sous une gigantesque roue de char-
rette en néon. Il abritait le hall principal et un restaurant
sépulcral. *Vendredi soir : friture de poisson. Repas gratuit
pour les enfants de moins de sept ans. Essayez notre nouveau
pâté de porc.* Les chambres et les salles de conférence se
trouvaient à l'arrière, dans deux bâtiments attenants d'un
seul étage, qui offraient une superbe vue sur le site d'en-
fouissement des déchets, à l'est, et sur les piliers lézardés
et couverts de tags du pont autoroutier de la 96ᵉ Avenue,
à l'ouest. L'endroit semblait n'avoir pas été repeint
depuis la guerre de Corée. La pollution, les vents du lac
et les fumées d'avions avaient noirci les murs et leur
avaient donné une patine où la crasse s'ajoutait aux effets
de l'âge. Le long de la limite nord du parking, un pâtu-
rage bourbeux accueillait une poignée d'animaux de
ferme décharnés — *Visitez notre zoo domestique, venez en
famille* —, et une affiche tape-à-l'œil incitait les passants
à se rendre à l'Atout Cœur, CLUB POUR MESSIEURS SEULS.

L'hôtel était relativement calme, ce matin-là. Quelques
rares voitures étaient garées sur le parking, et les ailes du
bâtiment semblaient tranquilles. Mais Jessie comprit à la
réaction de John que l'endroit n'éveillait en lui aucun
souvenir. Il avait l'air perdu.

— Je vais vous dire ce que nous allons faire. (Elle
enfonça l'allume-cigares dans son alvéole.) Nous allons y
aller doucement, gentiment.

— Tout va bien, murmura John. Je vous assure. J'essaie simplement de me souvenir.

— Vous reconnaissez quelque chose ?

— Pas encore. (Il se tourna vers le zoo domestique.)
Je veux dire que peut-être...

Il s'interrompit brusquement.

— Vous voyez quelque chose ?

Elle alluma une Carlton et inhala une bouffée.

— Je ne sais pas.

Il se frotta les lèvres, en regardant fixement les petits

poneys et les chèvres souffreteuses. Jessie comprit que ses mécanismes mentaux travaillaient en surchauffe.

— Peut-être, ou peut-être pas. C'est difficile à expliquer... C'est comme si... Comme si j'avais en permanence ce sentiment de déjà vu...

Un silence. Jessie jeta sa cigarette et ouvrit la portière.

— On pourrait entrer et voir si le type de la réception vous reconnaît, qu'en dites-vous ?

Elle prit son sac et sortit de la voiture.

Avant d'accompagner John vers le bâtiment, elle le fit attendre une seconde. Elle revint à la Caddy et ouvrit le coffre. Elle était passée à son bureau le matin pour y récupérer son Raven MP 25 — pour des raisons qu'elle aurait eu du mal à expliquer. Le revolver se trouvait encore dans son étui de cuir, coincé entre la roue de secours et la boîte de balises. Jessie le sortit et vérifia le chargeur. Les balles y étaient blotties comme autant de petites dragées de cuivre. Elle remit le chargeur en place et fourra le revolver dans son sac, à toutes fins utiles.

— On ne sait jamais, dit-elle en rejoignant John à l'avant de la voiture.

Ils traversèrent le parking, contournèrent le bâtiment et franchirent l'entrée principale.

Le hall ressemblait à une salle de réception des années cinquante : une pièce étroite, basse de plafond, avec des lambris en faux bois, des fauteuils de toile orange et un téléviseur allumé dans un coin qui retransmettait un épisode de *The Jeffersons*. Un gamin à cheveux gras, un duvet roux en guise de moustache, se trouvait derrière le guichet. Il portait un petit blazer bordeaux lamentable, une minuscule roue de chariot brodée sur la poche. Quand Jessie et John s'approchèrent, il leva vers eux des yeux brillants et fit claquer une bulle de chewing-gum entre ses lèvres.

— Bienvenue au Wagon Inn, m'sieur-dame. Que puis-je pour vous ?

— Bonjour, dit John, en s'avançant.

136

Il y eut un bref silence embarrassé — une fraction de seconde — quand le gamin croisa son regard. Puis il eut l'air interloqué, comme s'il se demandait quelle était la réaction appropriée à la situation. Jessie vit qu'il cherchait ses mots.

— Bonjour, monsieur Mc... Mc...

— John, dit celui-ci, un sourire plaqué sur le visage.

— On ne vous a pas vu, euh, depuis pas mal de temps, hein... bégaya le gamin, de plus en plus agité. C'est-à-dire, depuis que vous nous avez ordonné de ne plus nettoyer votre chambre tous les jours... On se demandait simplement, euh... si tout allait, euh... si tout allait bien.

John et Jessie échangèrent un regard.

— Je regarde juste, euh... Si vous avez des messages... Non, hein, je n'vois rien, non monsieur, pas de messages.

— C'est bien, dit John d'une voix douce, tapotant d'un air absent sur le comptoir. Mais je dois vous demander encore un service... Je crains d'avoir égaré la clé de ma chambre.

Le gamin regarda Jessie, puis John, puis ouvrit un tiroir.

Il tendit à John une clé munie d'une petite étiquette. CHAMBRE 213.

John hocha la tête. Il se dirigea vers le couloir à gauche du hall. Jessie le suivit. Mais le gamin les rappela avant qu'ils aient parcouru la moitié du chemin.

— Hé, monsieur McNally !

John s'immobilisa.

— Oui ?

— Votre chambre se trouve par là-bas.

Le gamin lui montrait l'autre côté du hall.

— Oui, c'est vrai, bien sûr.

John hocha la tête, l'air penaud, puis fit demi-tour.

Jessie le suivit. Ils passèrent une porte vitrée et empruntèrent un couloir étroit. Les murs lambrissés s'ornaient de gravures bon marché représentant des scènes de la vie au grand air — chasses au renard, vols d'oies.

137

L'air poisseux était imprégné de l'odeur des vieux tapis sales. Jessie ressentit une crispation au creux de l'estomac. Mais c'était une crispation merveilleusement stimulante, annonciatrice de richesses imminentes. Au bout du vestibule, ils montèrent un escalier. Le couloir du premier étage était encore moins aéré et sentait comme si on avait brûlé de la graisse dans une des chambres.

Lorsqu'ils atteignirent enfin la porte de la chambre 213, le cœur de Jessie battait plus fort que jamais.

John inséra la clé dans la serrure et ouvrit la porte. Il entra dans la pièce.

Jessie le suivit.

Il y eut un silence gêné. Jessie regardait John.

John regardait la chambre.

21

Banshees en Technicolor

Ce qui frappa tout d'abord Jessie, ce ne fut pas la taille de la chambre, ni les deux lits doubles poussés contre le mur côté nord, l'un d'eux encore défait, les couvertures roulées au pied. Ce ne fut pas non plus les chaises rembourrées et le bureau regroupés dans un coin, ni le minibar plaqué bois dans un autre, ni la grande salle de bains au fond, séparée du reste par un paravent bon marché d'inspiration vaguement orientale. Ce ne fut pas le décor rustique, ni les gravures Leroy Neiman (achetées par correspondance) au-dessus du lit, ni les lampes Colonial et leur horrible support en forme de roue de chariot. Ce ne fut même pas l'atmosphère, qui sentait le renfermé et dégageait une puanteur moisie rappelant la fourrure humide, les aliments pourris et les vieux journaux. Non, ce ne fut rien de tout cela qui déclencha l'alarme dans le cerveau de Jessie.

Ce fut la collection impressionnante de photos anonymes. Des photos glacées noir et blanc et des images découpées dans des magazines. Collées, suspendues, agrafées, elles occupaient le moindre centimètre carré de mur, d'abat-jour, de bureau et de comptoir.

Il s'agissait apparemment de photos de femmes.

— Grand Dieu ! lâcha John dans un hoquet.

Jessie s'attarda sur le seuil. Elle essayait d'y comprendre quelque chose. D'autres objets inattendus se trouvaient disséminés dans la chambre, abandonnés au milieu des emballages de fast food et des bouteilles d'alcool vides : des vieux classeurs et des portfolios écornés, des calepins déchirés à force d'avoir été griffonnés et manipulés, des piles de journaux et de revues. Jessie Bales demeura interdite, au bord de la nausée. Elle comprit que, sans l'ombre d'un doute, tout cela n'appartenait pas à un représentant de commerce. Il ne s'agissait pas d'échantillons. Ce type était malade. Victime d'une obsession compulsive. Peut-être pire... Peut-être...

— Oh, nom de Dieu, nom de Dieu...

John parlait d'une voix étranglée, au supplice.

— Du calme, John, murmura Jessie. Chaque chose en son temps.

Elle s'avança dans la chambre, ferma soigneusement la porte derrière elle. Puis elle marqua une pause. Elle vit les tentures près de la porte, complètement tirées devant la fenêtre. Le tissu était si vieux et si usé qu'il était presque transparent. Il laissait vaguement deviner le couloir, le balcon et, au-delà, le panneau publicitaire pour la boîte à strip-tease. Jessie se retourna. Elle voulut dire quelque chose.

C'est alors qu'elle vit la photo près du lit, épinglée à un abat-jour. Un cliché sur papier glacé d'un modèle travaillant sans doute pour une agence spécialisée. La fille ressemblait vaguement à Jessie. Elle avait les cheveux blond vénitien, des lèvres boudeuses. Elle se tenait dans une pose aguicheuse et regardait l'objectif par-dessus son épaule avec une modestie affectée. Une lumière diffuse l'éclairait à contre-jour.

Quelqu'un lui avait *découpé* les yeux.

Jessie mit la main dans son sac et serra la crosse plate du Raven. Non qu'elle cût l'intention de s'en servir. C'était une réaction machinale. Elle voulait simplement s'assurer que son arme était là. Dans son sac. Prête. Elle la garda en main.

— Dites-moi quelque chose, John. Qu'est-ce que tout cela signifie ?

— Je ne... Je ne sais vraiment pas.

C'était un murmure d'enfant. Le murmure d'un gosse qui croit aux croque-mitaines, aux monstres venus de l'espace et à la magie. Il avança dans la chambre en traînant des pieds comme un zombie dans un film de série B, le genou effleurant le coin du lit, le regard passant rapidement des photos d'instruments chirurgicaux à celles représentant des accessoires pour sadomasochistes, et aux innombrables femmes — célèbres ou anonymes — dont toutes les images avaient été amputées d'une partie de leur anatomie.

— *Je ne sais vraiment pas...*

C'était presque un gémissement, maintenant. Son expression était amère. Il avait l'air malade. Il se comportait comme un animal blessé.

Jessie s'approcha du lit défait. Elle vit une chemise jaune pâle, ouverte sur les draps froissés. Le contenu s'était répandu sur la literie. Encore des photos. Un peu différentes, celles-ci. Elles étaient collées sur un carton plus épais. Peut-être venaient-elles de livres. Des traités industriels, scientifiques, ou agricoles. Jessie en prit une, la regarda de plus près. L'image la fit sursauter. C'était une photo grotesque, en noir et blanc, montrant une cuve dans un abattoir, et une tête de veau flottant dans un bain d'abats. Jessie prit une autre photo. Celle d'une femme nue, étendue sur une table d'opération. Son sein tranché était maintenu béant par un spéculum, et un masque d'Arlequin grossièrement dessiné dissimulait ses traits.

Jessie lâcha la photo, qui voltigea au milieu d'une collection de clichés tout aussi macabres.

— *Ce... n'est pas... moi...*

La voix venait de la salle de bains. Jessie se retourna brusquement, John était là-bas. Les bruits de frottement, le miaulement étranglé de sa voix, tout cela lui parvenait couvert par le bourdonnement du ventilateur. Jessie sortit le Raven de son sac. Elle ôta le cran de sûreté et s'avança vers la salle de bains, l'arme au côté. Elle avait la chair de poule maintenant, tous ses sens étaient en éveil, et le bout des doigts la picotait. Dans quoi s'était-elle fourrée ? Quelle sorte de monstre avait-elle pris sous son aile ? Il y eut d'autres bruits derrière elle, à l'extérieur. Le crissement de pneus sur le gravier, des grincements de freins, des voix dans une radio. Mais ils semblaient à des milliers de kilomètres.

Jessie jeta un regard inquiet dans la salle de bains.

John était assis sur le rebord de la baignoire. Il pleurait, et serrait sur ses genoux un calepin déchiré en simili cuir. La salle de bains était une vraie porcherie jonchée de détritus et de bouteilles vides ; l'odeur y était épouvantable, les murs couverts de graffitis rouge sombre, palinodies indéchiffrables qui n'avaient d'autre sens que d'ajouter au désordre général. Sans parler des photos, souvent en couleur, clichés d'autopsie, images de chairs roulées comme du papier, d'organes ouverts comme des fruits, de muscles roses et luisants, hurlant au visage de Jessie comme autant de *banshees* en Technicolor.

Jessie pointa le revolver sur John.

Il la regarda, les yeux humides, et souffla, terrifié :

— *Ce n'est pas moi.*

Jessie allait lui répondre, lorsqu'elle entendit le déclic, identifiable entre tous, d'un fusil qu'on arme. Elle reconnaissait ce bruit comme un animal reconnaît la voix de son maître — c'était un de ceux qui lui serraient le cœur. Elle leva les yeux. Le mur de la cabine de douche était percé d'une fenêtre à claire-voie de la taille d'un trou d'homme. La fenêtre s'ouvrait sur un balcon étroit, lui-même donnant sur le parking de derrière. Un homme avançait prudemment sur le balcon, à quatre mètres d'eux tout au plus. La cinquantaine, bedonnant, veste de sport, insigne accroché au cou, scintillant dans la lumière du soleil. Il tenait un fusil de calibre douze à canon scié.

Tout l'air d'être un flic.

John se releva d'un bond et jeta un coup d'œil par la petite fenêtre.

— Non, non, ce n'est pas... *Ce n'est pas moi !*

— OK, OK, je vous crois, murmura Jessie en regardant derrière elle.

La chambre se trouvait dans son champ de vision. De l'autre côté de la fenêtre en façade, il y avait du mouvement. Jessie les voyait à travers les tentures, les formes pâles d'autres hommes dans la cinquantaine, vêtus de vestes sport, qui s'approchaient de la chambre. Ils progressaient latéralement, le dos au mur, armes dégainées, levées, prêtes à tuer. Ça ne sentait pas bon.

Tout à coup, les choses s'accélérèrent.

Jessie se retourna vers la salle de bains et commença à parler, mais John l'écarta de son chemin et bondit dans la cabine de douche. Elle tomba en arrière. Puis tout alla de plus en plus vite. Tandis qu'elle glissait sur le sol, un peu étourdie, John s'agrippa à l'écran de sécurité de la fenêtre, l'arracha de son cadre et écarta les claires-voies avec le coin de son calepin noir. La fenêtre s'affaissa vers l'extérieur. John se faufila dans la brèche et retomba en glissant sur le carrelage moisi du balcon.

Dehors, le flic stupéfait cria :

— Reste où tu es, mon pote !

John était sorti. Jessie entendit le shotgun. Une détonation sèche qui ouvrit une brèche dans le ciel et lui vrilla les tympans. Elle comprit que John avait pris le flic par surprise et fait dévier le coup vers le haut. Le flic avait trébuché en arrière, basculé par-dessus la rampe et atterri dans un container à ordures, un étage plus bas. John longea le balcon à toute vitesse, cap sur l'escalier, au bout, en serrant toujours le calepin dans sa main.

Jessie était trop occupée pour s'inquiéter de John. Elle ramassa le Raven, reprit son souffle et se dirigea vers la fenêtre en titubant. Elle entendit alors une voix furieuse derrière elle :

— Police de Chicago ! Ouvrez et sortez les mains en l'air !

Jessie n'obéissait plus qu'à son instinct, maintenant que des impulsions contradictoires se heurtaient dans sa tête. Elle savait que si elle s'enfuyait, elle serait considérée comme complice. Mais si elle restait là, elle serait sûrement inquiétée, et perdrait même peut-être sa licence. Elle n'avait pas le choix.

Un aboiement :

— Enfoncez-moi cette porte !

Jessie monta sur la baignoire, s'agrippa au rebord de la fenêtre brisée et se hissa à la force des poignets. Elle arracha au passage quelques mailles de son pull, mais parvint à se faufiler rapidement dehors, où elle assura sa prise sur un câble électrique. S'étant posée sur le balcon, elle se pencha par-dessus la rampe et aperçut le flic dans son container à ordures. Il cherchait toujours son shotgun, qui s'était enfoncé dans un abîme de feuilles de chou et de cartons mouillés.

Jessie se précipita vers l'escalier au bout du balcon.

Elle vit John au loin, qui courait en trébuchant vers un groupe d'arbres. Il escalada la barrière bordant le parking du Wagon Inn, puis se remit à courir avec le même boitillement bizarre. Ses jambes affaiblies le lâchèrent soudain, et il s'effondra. Il avala de la poussière. Puis il ramassa son damné calepin, avança en clopinant sous le couvert des arbres et disparut dans la pénombre.

Jessie dévala l'escalier et traversa discrètement le parking de derrière.

Elle retrouva la voiture là où elle l'avait laissée, dissimulée derrière le fouillis de cinq mètres de haut de lignes électriques rouillées et de transformateurs. Elle jeta son sac sur le siège arrière, s'installa au volant et démarra le plus vite possible, en prenant soin de ne pas faire trop de bruit.

L'instant d'après, elle débouchait à vive allure sur le chemin étroit derrière le Wagon Inn.

On eût dit qu'elle avait le diable aux trousses.

22

Un fan

La porte s'ouvrit à la volée, et un grand cyclone noir envahit le studio en désordre. Il fit voler dans son sillage les affiches et les autocollants Post-It, tourbillonner les stores jaunis et frissonner les abat-jour. Le cyclone claqua la porte, puis se rua vers l'évier. Après avoir balancé son sac de cuir sur la table de travail, le cyclone tourna le robinet. Il se pencha au-dessus de l'évier, s'aspergea le visage d'eau froide et secoua la rage qui l'habitait, tel un énorme chien secouant sa fourrure mouillée. Tout l'argent et l'énergie investis depuis deux jours venaient de partir en fumée.

Billy Marsten attrapa un vieux torchon sur l'étagère et s'essuya le visage. Il sentit l'odeur de moutarde qui imprégnait le tissu. Il bouillonnait de colère et de déception. Son plan était pourtant simple, si foutrement simple... Il avait fallu un foutu concours de circonstances pour qu'il le salope, alors que tout s'annonçait si bien.

Cela avait commencé avec le docteur Harkonian, un petit professeur de psychologie criminelle chauve, qui avait des liens avec les services de police. Billy avait appelé le prof deux jours plus tôt, après avoir perdu McNally à la clinique Reinhardt, et l'avait soudoyé pour qu'il glane toutes les informations disponibles dans les dossiers des flics. Cela lui avait coûté trois cents dollars en liquide et la promesse d'arranger un rendez-vous pour Harkonian avec une des étudiantes les plus mignonnes. Le vieux cochon avait livré la marchandise. Un de ses copains était chef de groupe au Secteur 13. Parmi les gens les mieux informés du Chicago Police Department, le bruit courait que le service consacrait de gros moyens à la surveillance d'un endroit appelé le Wagon Inn, à Blue Island. Billy s'était immédiatement mis en planque, et il y avait passé huit à dix heures, caché dans les mauvaises herbes, de l'autre côté de la rue. Mais quand il était arrivé, ce matin, la grande chasse à l'homme avait déjà atteint son point de non-retour. Billy n'avait même pas vu McNally. Tout ce qu'il avait pu faire, c'était de prendre quelques photos de types en civil dévalant à toute pompe l'escalier derrière l'hôtel, et d'une poignée de badauds anonymes.

Autrement dit, un fiasco total.

— Merde ! cracha Billy.

Il jeta le torchon dans l'évier et attrapa son appareil photo.

Il traversa l'appartement à pas lourds, en évitant le bric-à-brac de souvenirs et d'objets de collection. Ce petit studio miteux et sans eau chaude était un véritable musée des us et coutumes des serial killers. Des caisses pleines de coupures de presse et d'articles de magazines au papier glacé s'empilaient le long d'un mur. Tout y était méticuleusement répertorié, et écorné par l'usage. Les étagères gémissaient sous le poids d'innombrables livres et monographies, des rapports annuels du VICAP (Programme de lutte contre la violence criminelle), ainsi que des documents du Centre national pour l'analyse du crime violent, et du Service des sciences du comportement du FBI. L'autre mur était transformé en galerie d'œuvres d'art originales réalisées par des bouchers. On trouvait dans cette collection bizarre des peintures « Skull

Clown » de John Wayne Gacy, des griffonnages au stylo bille de Richard « Night Stalker » Ramirez, et même de jolis petits koalas sculptés dans des chaussettes sales par Charles Manson. La plupart de ces objets étaient extrêmement rares et valaient très cher. Nombre d'entre eux avaient coûté à Billy plusieurs mois de son maigre salaire de vendeur en librairie.

Billy était membre de plusieurs fan-clubs organisés, y compris l'Official International Ed Gein Fan Club. Gein était un des plus fameux serial killers du siècle. Ce timide petit paysan du Wisconsin, élevé par une mère cruelle et dominatrice, avait atteint la notoriété après que la police eut enfoncé sa porte et découvert une véritable maison des horreurs : corps décapités pendus par les pieds dans la cuisine, fauteuils recouverts de peau humaine, boîtes à chaussures pleines d'organes génitaux féminins. Gein accéda immédiatement au statut de superstar (son autographe coûte désormais aussi cher que ceux de Winston Churchill et Mickey Mantle réunis) et finit par inspirer quelques classiques de l'horreur comme *Psychose, Massacre à la tronçonneuse* et *Le Silence des agneaux*. Billy possédait un fac-similé (rarissime) de son certificat de décès officiel, des copies des notices nécrologiques, et un joli certificat d'adhésion qu'il avait encadré et accroché sur le mur de sa salle de bains, à côté d'un chlorophytum tout desséché.

Il avait encore d'autres *collectors*, touchant à tous les aspects imaginables de la vie des serial killers : des séries de cartes de visite à leur nom, en bon ordre sur le radiateur près de la fenêtre ; des bandes dessinées, des fanzines, des calendriers et des cassettes vidéo près du lit ; des figurines de Henry Lee Lucas, Ted Bundy, Berkowitz et Speck sur les étagères à livres. Tout objet célébrant les aspects les plus obscurs du comportement humain avait sa place dans cette pièce. Et pourtant, la collection était encore inachevée, imparfaite, incomplète.

Tout cela parce que Billy Marsten avait perdu la trace de la célébrité la plus fascinante de toutes.

— Merde, merde, merde... Et MERDE ! gronda-t-il en fonçant vers la salle de bains.

Il claqua la porte, se débarrassa de sa veste d'un coup d'épaule et alluma la veilleuse. Une lueur rouge blafarde envahit le réduit et donna la même teinte, presque lumineuse, à la porcelaine lézardée et à la peau blême de Billy. Ce dernier était un photographe amateur plutôt correct, et il avait installé dans sa minuscule salle de bains une chambre noire bien équipée. Il tira d'un coup sec le rideau de douche, découvrant un vieil agrandisseur de belle taille et une série de bacs de plastique alignés dans la baignoire. Les flacons de produits chimiques se trouvaient sur l'étagère porte-savon, et un gros chronomètre était fixé au-dessus de la pomme de douche.

Billy s'agenouilla près de la baignoire et commença à développer ses photos.

La première étape consistait à obtenir un négatif. Il procédait ensuite à l'agrandissement des tirages 10x15 noir et blanc. Billy n'avait réussi à prendre qu'une vingtaine de clichés de la cavalcade du Wagon Inn, avant de quitter les lieux sans se faire prendre par les flics. Il n'avait sans doute pas photographié McNally ou la mystérieuse femme qui l'accompagnait. Mais il valait mieux vérifier. Il entreprit le premier agrandissement. Tenant le papier avec ses pinces de caoutchouc, il le plongea successivement dans le révélateur, le fixateur, puis le bain de rinçage. L'image était totalement floue. On devinait à peine l'affiche de l'Atout Cœur, derrière le Wagon Inn. La photo suivante présentait le même défaut. Une autre image floue, prise alors que Billy s'efforçait de se mettre hors de vue. Même chose pour la suivante, puis la suivante, et encore la suivante. Enfin, Billy plongea la photo numéro six. Dans le révélateur, le fixateur, le rinçage. Et l'image finale émergea sous la lumière rouge.

Billy retint son souffle.

La photo était mal cadrée, et surexposée. Mais on y voyait très nettement une portion de route, derrière le Wagon Inn, qui serpentait à travers un bouquet d'arbres rabougris pour rejoindre une déclivité menant à la bretelle d'autoroute. À mi-distance, légèrement floue à cause du mouvement, on apercevait une voiture. La plus grande partie du véhicule était coupée par le cadre à droite, mais on en voyait assez pour reconnaître la marque et le modèle.

Un modèle récent de Cadillac. Une femme sculpturale tenait le volant.

Billy sortit la photo du bain de rinçage. L'émotion le submergea. L'espoir lui gonfla la poitrine. Tout n'était pas perdu. Dieu merci, tout n'était pas perdu. Il avait encore un moyen de retrouver son héros.

Il tendit le bras au-dessus de la baignoire et prit le sèche-cheveux accroché à un clou. Il s'en servit pour sécher la photo, en prenant bien soin de ne pas laisser le papier se gondoler. Il œuvra avec un maximum de précautions. La finition est un travail délicat, surtout lorsque la photo recèle un indice aussi important. Billy savait qu'il allait devoir l'agrandir encore pour être tout à fait sûr, et malheureusement la qualité du grain diminue en proportion de l'agrandissement. Mais cela n'était pas grave. L'important, c'était que Billy ait découvert le moyen de retrouver la piste de McNally. Ce serait son petit secret.

Quand la photo fut sèche, Billy alla à l'évier et alluma le plafonnier. Une loupe était posée dans un bol, près du porte-savon, Billy la prit pour regarder de plus près l'indice qu'il cherchait, qu'il était sûr de trouver. En effet. Tout en bas dans le coin droit, il vit une plaque d'immatriculation. Juste assez nette pour qu'il puisse déchiffrer la série de chiffres.

La plaque d'immatriculation de la dame bien roulée.

Le moyen pour Billy de retrouver McNally.

Il reposa la loupe dans le bol et déchira le coin droit de la photo.

Il y avait beaucoup à faire. Et il ne disposait pas de beaucoup de temps.

TROISIÈME PARTIE

La méthode

J'ai senti le vent de l'aile de la folie passer au-dessus de moi.

Charles Baudelaire

23

Désintégration

À l'hôtel pour clients de passage, il y avait au-dessus du lavabo une glace crasseuse, souillée par les mouches. À dix heures environ, ce soir-là, l'homme se glissa dans la salle de bains obscure, alluma l'ampoule nue qui pendait au plafond, et vit son reflet dans le miroir. L'ampoule se balançait au bout de son fil. Les ombres se contractaient et se dilataient paresseusement autour de lui, comme un soufflet infernal entretenant une flamme. Il s'approcha et contempla longuement son image. Ses oreilles tintaient, son cœur tambourinait dans sa poitrine.

Tout d'abord, c'était comme s'il voulait simplement avoir confirmation de sa propre existence. S'assurer qu'il ne s'était pas métamorphosé en quelque animal démoniaque, quelque mielleuse petite gargouille. Bizarrement, le visage qu'il contemplait était très ordinaire. Ordinaire à tous points de vue. Et ce visage le regardait de manière parfaitement ordinaire. Un peu effrayé, peut-être. Un peu perturbé, pour avoir lu ces mots terribles écrits de sa main. Mais si l'on exceptait la peur, ce visage n'avait rien d'extraordinaire.

Plusieurs minutes s'écoulèrent.

John McNally retrouva peu à peu son calme, un thème de Charlie Parker dans la tête.

Il leva la bouteille d'un demi-litre de Tanqueray et en avala une bonne lampée. La brûlure au goût de métal le fit grimacer. Il recracha par le nez des effluves de genièvre. La bouteille était presque vide, et John était loin d'être assez saoul pour étouffer ses frayeurs. Il regarda à nouveau son reflet. Il essaya d'établir un lien entre lui-même et le type qui avait écrit le journal.

— Pas possible, bordel, murmura-t-il, face au miroir. Pas possible que tu sois ce type-là.

À côté, le bourdonnement du néon emplissait la chambre comme une armée d'abeilles.

John était enfermé dans cet hôtel depuis près de deux heures. Il tournait en rond et lisait des passages du calepin déchiré recouvert de similicuir qu'il avait récupéré au Wagon Inn. Il avait lu près de la moitié du journal, et chaque page de cette écriture manuscrite fiévreuse, de ces caractères serrés tracés au stylo bille, le rendait un peu plus malade. Une heure plus tôt, il avait ouvert une fenêtre, en espérant que l'air frais pourrait l'aider à expulser sa terreur. Mais le vent doux et empoisonné qui soufflait des aciéries et des usines de Gary et Hammond n'avait fait qu'accentuer son malaise.

— Pas possible, murmura-t-il à nouveau, comme s'il répétait un mantra.

Il se détourna de la glace et regarda, par la porte de la salle de bains, la minable petite chambre d'hôtel. Il passa en revue le mobilier spartiate, le petit lit antipathique d'une personne, l'atroce tapisserie gréco-romaine et les taches humides au plafond. Il se trouvait au quatrième étage d'un immeuble qui en comptait dix, et il avait l'impression de sentir peser sur lui la masse de toutes les autres chambres. Dehors, le crépuscule absorbait le ciel comme un cancer noir. Le néon vert sale d'une enseigne lumineuse filtrait à travers les stores et répandait dans la chambre une lueur blafarde. C'était presque drôle, de voir à quel point la qualité de ses différents logements s'était dégradée depuis qu'il s'était enfui de la clinique,

154

trois jours plus tôt. Il se trouvait maintenant dans le septième cercle : l'hôtel Blue Island (*Les clients de passage sont les bienvenus !*), furoncle posé à la limite sud de la vaste et ennuyeuse cité de Chicago.

À vrai dire, c'était un miracle qu'il soit arrivé jusquelà sans se faire prendre.

Après avoir échappé à l'embuscade au Wagon Inn, John avait fui à travers ce qui lui parut des kilomètres de forêt vierge — sans lâcher le vieux journal recouvert de vinyle. De temps en temps, il entendait un hurlement de freins, ou des éclats de voix. Alors il se laissait tomber sur le sol et restait immobile pendant plusieurs minutes, haletant, s'attendant à être encerclé par les bruits de pas, les chiens, les fusils de chasse et les voix dans les talkieswalkies. Mais cela n'arriva pas. Il finit par sortir du couvert des arbres et par héler un taxi jaune. Il ordonna au chauffeur de foncer droit devant lui. Le taxi l'emmena à Lake Michigan, au sud de la vaste zone urbaine, où il trouva un hôtel raisonnablement sûr.

Il avait échoué à Blue Island, dans cette chambre paumée, où ce damné journal lui faisait souffrir mille morts.

Il jeta un coup d'œil derrière lui, et vit le journal posé sur le lit. Un classeur à trois anneaux, avec du papier quadrillé d'écolier. A l'origine, il était peut-être bordeaux, mais des années d'exposition à l'humidité ou à Dieu sait quoi lui avaient donné une teinte bleu-noir terne semblable à la couleur d'une croûte. Il était difficile de dire de quand il datait — le papier n'avait pas eu le temps de jaunir — mais il dégageait assurément une impression malfaisante. Comme une peau momifiée enfermant quelque abominable grimoire.

C'est mon écriture.

John regarda à nouveau son reflet. Il ressentit un pincement au cœur. Quelque chose, presque impossible à décrire, irradiait de son image, suintait de tous ses pores. Comme s'il avait pressé trop fort sur quelque enveloppe intérieure, et que l'élastique avait fini par casser. Il se mit alors à penser à l'impensable. *Et si ce type, c'était vraiment moi ?* D'abord, cette idée l'étrangla littéralement, lui tourna la tête, lui dessécha la gorge. Puis il se passa quelque chose de tout à fait inattendu. John réalisa tout à coup que le visage qu'il était en train de regarder dans la glace n'était plus le même.

Un changement imperceptible s'était opéré dans ses traits. Une lueur dans son regard, comme une brèche. Ce sentiment ne dura qu'un instant. Mais le pire — le plus mystérieux — c'était l'ambiguïté. Un soupçon de fascination se mêlait à la répulsion, un certain narcissisme à l'horreur. Il scruta ses propres yeux, se demanda quel effet ça ferait de regarder en face le mal absolu, la pure démence, et une vague de chaleur nauséeuse le submergea. Regarder la Bête dans les yeux. *Et si ce type, c'était vraiment moi ?* La sensation se déploya en volutes dans le fond de son abdomen comme un flash d'héroïne, et il ressentit un fourmillement à l'aine.

— Bon, ça suffit !

Il détourna le regard, réalisant que son cœur battait de nouveau follement.

Il amena la bouteille à ses lèvres, but d'un trait ce qu'il restait de gin, fit la grimace, jeta la bouteille vide dans la poubelle. Son esprit vacillait maintenant, flottant sur les vapeurs de genièvre et les échos du journal. Il devait y avoir une réponse dans les pages de ce journal monstrueux. Il devait y avoir un signe indiquant que ce n'était pas lui, que c'était une erreur, un coup monté, une pénible coïncidence, une plaisanterie.

Il le fallait.

Il fit couler de l'eau froide dans le lavabo, s'aspergea le visage. Il était prêt à se remettre à la lecture de ces obscénités, s'accrochant à l'espoir qu'il y trouverait un indice. Il s'essuya le visage avec une serviette et tourna les talons.

Il regagna la chambre.

Où, tapi dans l'ombre comme une tumeur, le journal l'attendait.

24

Torsions

7 août 1991 *Une journée pleine d'idées, des projets*
À LA PELLE. La vie de l'esprit est vraiment une bénédiction
et une malédiction. Est-ce que c'est ma formation médicale ?
Peut-être est-ce autre chose. UN TRUC PRIMITIF ? ? ? ? Je
me sens obligé d'exposer l'essence de ma méthode, tous les pro-
jets affluent menant vers la Grande Expérience. Mais ça,
c'est pour l'avenir.

Pour le moment, je passe une grande partie de mon temps
à chercher le spécimen parfait. Ça dure parfois une éternité,
souvent toute l'heure du déjeuner, parfois encore plus long-
temps, mais elles apparaissent toujours. Toujours. Comme sur
des roulettes. À chaque fois.

Elle émerge d'une banale boutique de mode comme The
Limited, Ann Taylor ou — DIEU M'EN GARDE ! — The
Gap. Ce que je détecte en premier, c'est l'attitude. Ce n'est
pas difficile. Un léger tassement des épaules, un certain ennui,
une sorte d'indolence dans la démarche, et je sais immédiate-
ment que j'ai une candidate.

Je pose bien vite quelques billets sur la table et je suis ce
triste petit spécimen.

Invariablement, elle m'entraîne d'une distraction (morne et
pitoyable) à l'autre. Teinturerie, supermarché, manucure,

boutique diététique, thérapeute, chiropracteur, salon de bron-
zage, tae-kwon-do, pythonisse, caisson de privation sensorielle
et ainsi de suite, ad nauseam. N'importe quoi pour occuper
une existence désespérément MOYENNE, des heures atroce-
ment vides. Et alors — mais seulement alors — j'en suis sûr :
Elle est parfaite.
Parfaite.
PARFAITE.
P-A-R-F-A-I-T-E !

11 août 1991 Où en étais-je, la dernière fois, quand
j'ai été si brutalement interrompu ?
Ah oui. L'acquisition du spécimen PARFAIT.
L'acquisition a lieu généralement la nuit. Si elle vit seule,
je procède dans son logement de classe moyenne supérieure,
dans sa rue de classe moyenne supérieure. Si elle a de la
famille, je procède dans un parking obscur ou un square du
quartier. Dès qu'une occasion se présente — et ce n'est pas
difficile, avec une créature aussi solitaire, aussi insignifiante
et aussi malheureuse — je l'attrape quand elle est seule, qu'elle
marche d'un air absent, la cervelle vide. Des pensées aussi
FUTILES que sa vie. Puis je passe à la Phase Un.
PHASE UN.
J'ai trouvé que la meilleure technique, c'était l'atomiseur.
Une petite bouteille d'eau de Cologne à bon marché que l'on
trouve chez n'importe quel marchand de produits de beauté.
Le flacon de vingt centilitres est celui qui convient le mieux. Il
est assez petit pour se dissimuler dans la main, et il contient
suffisamment pour projeter assez de produit dans les narines.
Je remplis l'atomiseur d'une solution aqueuse d'atropine. J'ai
essayé le formol — qui est rapide, du reste : il paralyse la
victime à la seconde même où elle le respire — mais il est
bruyant et salissant. Il irrite l'appareil respiratoire et provoque
des vomissements et des crampes d'estomac. L'atropine est plus
propre et instantanée. Je m'approche nonchalamment de la
femme — en général en sens inverse, en regardant de tous
côtés comme un touriste égaré — et quand nous sommes à un

mètre l'un de l'autre, je lui balance un joli PSCHIT dans la figure.

Elles s'écroulent souvent sans savoir ce qui les a frappées.

PHASE DEUX.

Le transfert. C'est plus difficile que ça en a l'air. Une femme de cinquante-cinq kilos dans les pommes, complètement inconsciente — morte, parfois, si par malheur j'ai utilisé trop d'atropine —, c'est un POIDS, croyez-moi. Comme si l'on tirait derrière soi un grand sac plein de boules de bowling. La pauvre misérable âme est complètement flasque. À ce stade, mon petit break japonais à hayon me rend bien service. J'enveloppe la fille dans une couverture, je la charge à l'arrière, et je la conduis au labo.

Le labo, c'est là où je la guéris, où je la transforme. L'endroit n'est pas très agréable, j'en ai peur, mais il est discret, calme, et bien équipé. Ce n'est rien d'autre, à vrai dire, qu'une simple cave. À l'origine, une cave à vin, je crois.

Maintenant, bien sûr, c'est un lieu de transcendance.

PHASE TROIS.

La transformation. Il faut prendre à ce stade un certain nombre de décisions. L'emplacement idéal de l'incision, la nature de l'implant, la mise en place de l'implant en fonction du tissu environnant, le type de médium à introduire. Supposons que je choisisse un site sub-mammaire, ou plus bas, peut-être quelque part le long du fascia triangulaire. J'injecte dans le torse un anesthésiant local — généralement de la Marcaïne avec une goutte d'adrénaline pour empêcher la fille de bouger — et j'utilise un scalpel courbe pour inciser. Je rétracte les bords, et je regarde dans le trou béant.

Chez la plupart des filles élues, le tissu sub-glandulaire ressemble à de l'écorce humide, spongieuse au toucher. Mais plus on regarde de près, plus on se rend compte que c'est un patchwork infini de sombre et fétide NÉANT. Comme un ciel nocturne. Une galaxie de cellules absolument dénuées de sens. Le vide. L'expression de la vie inutile, vide et vaine de la fille. Je remplis cet espace vide avec un peu de moi-même. J'utilise mes poils, mes ongles, ma salive, voire une goutte de mon sang. En général, je m'incline devant la muse et laisse l'inspiration me guider.

Je remplis le vide avec du sens. J'imprègne les cellules vides avec les miennes, qui sont significatives.

John referma le journal.

La chambre lui semblait tout à coup plus petite. Les joints de la tapisserie se resserraient. Il faisait étouffant, malgré la fenêtre ouverte, tristement étouffant, chaud et humide comme dans une serre. John avait la gorge nouée, la respiration difficile. L'alcool lui tournait la tête, il se sentait nauséeux et malade de confusion. Était-ce lui ? Est-ce qu'une simple amnésie épisodique pouvait effacer ce genre d'insanités ? Il avait l'impression d'être sur des montagnes russes, de faire une virée dans son propre passé. Mais la virée devenait cahoteuse.

Il dut respirer à fond pendant quelques minutes pour rassembler assez de courage et rouvrir le journal.

J'implante toujours une bonne quantité de mes cellules — DE MOI-MÊME ! — dans la femme, ce qui consiste en général à fourrer une touffe de poils sous un lambeau de muscle, ou enfoncer quelques rognures d'ongle dans la poche de dissection, ou injecter dans le tissu quelques centimètres cubes de mon propre sang. Puis je referme en hâte l'incision, avec des points intradermiques. J'utilise le plus souvent des agrafes autodissolvantes pour éviter la formation d'une CICATRICE, pour le cas où la fille survivrait. Je referme toutes les plaies avec du sparadrap chirurgical. Je lui administre un peu d'antibiotiques, juste pour lui donner une chance de s'en sortir (non que je me préoccupe le moins du monde de démocratie), et je l'enveloppe dans la couverture. Je la mets dans le break, et je la conduis à une centaine de kilomètres de la ville. Là, je l'allonge doucement sous les étoiles, dans un pré isolé, ses YEUX SANS VIE fixés sur les corps célestes, ignorant que son propre corps vient de subir une transformation.

160

Puis le moment est venu de rentrer dans la nuit, plein de paix et de satisfaction retrouvées. J'ai joué mon rôle. J'ai rempli un récipient qui était vide de SENS et de VALEUR.

Parfois la fille survit.

Parfois non.

La vague de nausée submergea John comme un courant chaud empoisonné. Il repoussa la table, trébucha vers la salle de bains et vomit bruyamment dans les toilettes.

Quand il se fut vidé l'estomac, il se dirigea vers la fenêtre en titubant. Il s'appuya contre le cadre et laissa la brise polluée rafraîchir son front trempé de sueur. La nuit était éclairée par les néons et les réverbères. Les ombres allongées dessinaient sur les murs des creux aux bords irréguliers. John regarda la ville pendant un moment, le cerveau paralysé par l'alcool, la confusion et la terreur.

Ces lignes, dans le journal.

Ce n'étaient pas ses pensées.

C'était le coup monté le plus génial du monde.

Il y avait pourtant dans ces mots quelque chose de familier, de personnel. C'était subtil, et s'il avait dû s'expliquer, John aurait été embarrassé. Quoique... Il y avait quelque chose sous les mots, sous la narration... comme si ce récit était la partie visible d'un iceberg, que les mots étaient superficiels, qu'ils dissimulaient quelque chose d'encore plus énorme, d'encore plus ignoble. John en était persuadé. Dès lors, il n'était plus seulement obsédé par le désir de trouver sa véritable identité, mais aussi de découvrir ce qui se trouvait sous ces mots décousus.

La clé, c'était *la méthode*. Ces mots lui étaient venus à l'esprit la nuit précédente, juste avant qu'il sombre dans le trou noir. Il les avait prononcés quand il se trouvait dans un état comateux le lendemain matin, il les avait murmurés à Jessica Bales. Et il les avait retrouvés dans le carnet. S'agissait-il de la méthode décrite par le narrateur ? Ou était-ce autre chose ? À qui, par ailleurs, pouvait bien appartenir cet horrible journal, sinon à lui ?

Il allait le découvrir.

Dès qu'il aurait reconstitué ses réserves de gin et qu'il aurait bu un verre.

Peut-être même plusieurs verres.

25

La nuit

— Attends... non... pas encore !

La fillette avait remonté les couvertures jusqu'à son menton, et son petit visage angélique était enfoui dans l'oreiller.

— Dis-moi quand, alors, rétorqua Jessie, le doigt sur l'interrupteur, sa silhouette se découpant dans l'ouverture de la porte.

Chaque soir, elles observaient le même rituel. Il s'agissait de se mettre d'accord sur le nombre de lampes qu'on laissait allumées dans le couloir, l'angle d'entrebâillement de la porte, et une foule d'autres précautions censées apaiser la fiévreuse imagination de la fillette. Kit Bales adorait les histoires qui donnent la chair de poule, les bandes dessinées d'horreur et les émissions de télévision angoissantes. *Pendant la journée.* Mais dès le coucher du soleil, elle cédait à l'effroi normal chez les petits, et avait autant besoin de protection que n'importe quel enfant de sept ans. Jessie était toujours heureuse de l'obliger.

— Maintenant ! lâcha la petite fille. Là, c'est très bien.

— Tu es sûre ?

— Ouais, comme ça.

— Dieu merci, dit Jessie avec un gloussement.

— Maman ?

— Oui ?

— Qu'est-il arrivé à cet homme ?

Jessie prit une profonde inspiration. Elle s'attendait à la question. Mais elle était encore très perturbée par les événements de la journée et n'avait pas de réponse toute prête. À vrai dire, elle n'avait aucune idée de la manière dont elle devait en parler avec sa fille. Mais Kit était très intelligente. Avec elle, il était inutile de tourner autour du pot.

— Il s'est attiré des ennuis, dit-elle enfin.

— Quel genre d'ennuis ?

— Je n'en sais trop rien, chérie, mais ce qui est sûr, c'est que nous ne le reverrons jamais. Plus jamais.

— Pourquoi ?

— Parce qu'il a fui la police. Et s'il revient, la police l'arrêtera.

Après un long silence, l'enfant demanda :

— Est-ce qu'il a fait quelque chose de mal ?

Jessie soupira. *Pourquoi, pour l'amour du Ciel, n'ai-je pas une fille stupide ? C'est tellement plus facile, avec des enfants stupides.*

— Je crois... qu'il a blessé des gens.

— Blessé comment ?

Jessie se mordit la joue, réfléchit, puis rentra dans la chambre et approcha une chaise laquée du lit de Kit. La chambre était à l'image de son occupante : un amalgame de contes de Grimm et de figurines de plastique de *La Guerre des étoiles*. Les jouets s'entassaient dans les coins, les murs tapissés de papier à licornes étaient recouverts d'affiches de Chewbacca et de Joey Lawrence. Jessie s'assit près de sa fille.

— Tu te rappelles, ma chérie, je t'ai dit un jour qu'il y avait des choses, dans le travail de Maman, qui ne sont pas pour les oreilles d'une petite fille ?

Kit hocha la tête de mauvaise grâce.

164

— Eh bien... (Jessie fit un geste vague vers la fenêtre.) Ça... ça en fait partie.

La petite fille croisa les bras, sur la défensive. Elle avait l'air un peu comique, tel un pharaon minuscule et solennel.

— Je vais sur mes huit ans, Maman. Je crois que je peux le supporter, maintenant.

Jessie eut un sourire.

— Peut-être bien, Boodle. Cela dit, pour être franche avec toi, je ne sais pas vraiment ce qu'il a fait. Je n'aurais pas dû accepter de travailler pour lui, voilà tout.

— Mais il a besoin de ton aide.

— Peut-être, Boodle, mais je crois qu'il a fait de vilaines choses, et je ne veux certainement pas aider quelqu'un qui a fait de vilaines choses.

— Comment le sais-tu ?

— Comment je sais quoi ?

— Comment sais-tu qu'il a fait de vilaines choses ?

Le sourire de Jessie s'effaça. Elle traversait de temps en temps un moment comme celui-ci — lorsqu'elle réalisait que sa fille était sur une longueur d'ondes totalement différente de la sienne. Quelque chose clochait, et elle savait que c'était important pour Kit.

— Qu'est-ce qui se passe, ma chérie ?

La petite fille haussa les épaules, et baissa les yeux.

— Ça va, Boodle ? insista gentiment Jessie.

— Maman, tu dis toujours que tu aimes aider les gens, et que c'est pour ça que tu es détective.

— C'est vrai, Boodle, mais le problème...

— L'homme qui s'appelle John McNally a besoin de ton aide, et tu as dit que tu l'aiderais.

Il y eut un silence embarrassé. Jessie essayait de comprendre ce qui se passait. Elle caressa les doux cheveux de sa fille.

— Tu l'aimes bien, John McNally, n'est-ce pas, Boodle... ?

La petite haussa de nouveau les épaules.

165

Jessie sourit.

— C'est très bien d'aimer quelqu'un à la première rencontre, Boodle... Dieu sait que je t'ai aimée dès le moment où je t'ai vue.

Elle se pencha et frotta son nez contre celui de Kit, ce qui fit glousser la petite.

— C'est idiot, Maman.

— Et pourquoi donc ?

— Parce que tu es ma maman, et que je suis sortie de ton vagin, et que tu étais *obligée* de m'aimer.

Bien qu'elle fût tendue, Jessie éclata de rire.

— Encore un point pour toi. (Elle remonta doucement les couvertures sur les épaules de Kit, et lui caressa la joue.) Maintenant, assez d'éducation sexuelle pour ce soir. Il est temps de gagner le pays des rêves, ma chérie.

Elle déposa un baiser sur le front de Kit et se dirigea vers la porte. Puis elle jeta un dernier regard à la plus intelligente de toutes les petites filles du monde, et éteignit la lumière.

À des kilomètres de là, blotti dans une obscurité totale, quelqu'un d'autre était en train de s'installer pour la nuit.

Debout près de l'entrée d'une ruelle putride, noyé dans la puanteur des ordures décomposées, Death[1] ignorait tous les stimuli extérieurs. Il se concentrait sur sa tâche immédiate. Comme un rayon de soleil de l'épaisseur d'une tête d'épingle réfracté à travers une loupe, toute son attention se concentrait sur les formes qu'il voyait bouger derrière les stores crasseux, à cinquante mètres de là. Il avait le sentiment que cette quête sans fin ne servait qu'à l'éprouver. Son être tout entier — jusqu'à la moindre fibre, la moindre molécule — aspirait au soulagement, aspirait à la paix. Une fournaise brûlait en lui, activait son métabolisme et affûtait ses sens.

Il y eut un bruit furtif du côté des poubelles. Sans

_____
1. La Mort.

doute quelque vermine. L'autre extrémité du spectre de l'évolution. Cela le déconcerta à peine.

Death approcha de l'entrée de la ruelle, sans prêter attention aux bruissements derrière lui, à la puanteur, aux bruits de pas, ni aux sirènes lointaines qui remontaient une rue parallèle. Pas une once de graisse ne recouvrait son corps mince et nerveux. Façonné par un entraînement physique intense, le yoga et la méditation, son pouvoir de concentration était aussi affûté que celui d'un serpent.

C'était une bonne chose, car il avait besoin de tous ses pouvoirs pour trouver le soulagement.

Sa Grande Expérience.

Toutes les années de préparation, de manœuvres et de rêve allaient enfin aboutir à un résultat. C'était palpitant... Absolument enivrant. Il sentit une vibration au creux de ses reins. Ses oreilles tintaient. Ses doigts le démangeaient. Une sensation qu'il ne connaissait que trop bien. Le besoin revenait, comme la marée montante.

Il allait bientôt trouver un nouvel agneau sacrificiel.

26

Dans de sales draps

— Qu'est-ce que tu fais ?

— Comment ça, qu'est-ce que je fais ?

— Qu'est-ce qui te prend, bon sang, de m'appeler chez moi pour me parler de ça ? (Au bout du fil, la voix était aussi tendue qu'une corde de banjo.) Si l'on apprend que je suis de mèche avec toi sur ce coup, je perds mon boulot.

— Et à qui veux-tu que j'en parle, Dolores ? Je n'ai pas l'habitude de tailler une bavette avec le commissaire tous les matins.

Jessie serrait le combiné un peu plus fort que nécessaire. Debout au milieu de sa cuisine, vêtue d'un peignoir en tissu éponge et de pantoufles crêpelées, elle arpentait la maison depuis une demi-heure. Elle pensait à sa conversation avec Kit. Elle pensait à la manière dont la petite s'était immédiatement attachée à cet étranger amnésique. Et elle-même, en dépit des abominations du Wagon Inn, éprouvait toujours un sentiment ambigu à l'égard de cet homme.

A l'heure où le générique de *Nightline* défilait sur l'écran du téléviseur de la cuisine, Jessie avait craqué et décidé d'appeler une ancienne collègue de l'époque du dispatching.

Dolores Loeb était une dure à cuire, une ancienne du Secteur 13 qui avait fait ses débuts comme dispatcheur dans la deuxième équipe, et qui avait servi sous les ordres de Stallworthy. Deux ans plus tôt, elle avait été nommée sergent de permanence à la section des crimes violents, et les deux femmes étaient restées en contact. Elles jouaient encore au canasta tous les deux ou trois mois, avec deux autres filles des Homicides. Mais depuis que Jessie s'était mise à son compte, elles évitaient de parler boutique.

Jusqu'à ce soir-là.

— Bon, écoute, reprit soudain Dolores, d'une voix un peu lasse. Je ne t'ai rien dit. Personne ne t'a rien dit, et si tu prétends le contraire, je te fais arrêter...

— Merci.

— Il y a un blocus terrible sur cette affaire, tu ne peux pas imaginer. La presse est totalement verrouillée. Tout est encore tellement conditionnel qu'il vaut mieux ne pas en parler.

— Je vois.

— Le truc, c'est que ce type — l'amnésique —, ils le cherchent dans le cadre d'une enquête sur des meurtres en série.

— Ils le cherchent ?

— Ils le cherchent très sérieusement.

— D'autres suspects ?

— Non. Ce type, c'est *Le* suspect.

Jessie sentit un léger frisson remonter le long de son épine dorsale. Elle jeta un coup d'œil vers la porte de derrière. Sous les chers petits rideaux froissés, le verrou était bien fermé.

— Tu peux m'en dire un peu plus ?

— Bon Dieu, Jess, pourquoi diable t'intéresses-tu à cette histoire ?

— Aucune raison.

— Alors, pourquoi veux-tu... (Dolores s'interrompit brusquement, et fit entendre un *fff!*, comme si elle avait touché un objet brûlant.) Oh, Bales, si tu travailles là-dessus...

— Je ne travaille pas là-dessus, Dolores.

— ... et qu'on apprend que je t'ai parlé...

— Calme-toi, Dolores. Je ne travaille pas là-dessus.

Mais Jessie travaillait bel et bien sur l'affaire. Elle y travaillait comme une folle. Mentalement, elle faisait même des tonnes d'heures supplémentaires.

Il était évident à ses yeux que McNally n'avait pas simulé l'amnésie. Pourquoi, dans le cas contraire, aurait-il eu besoin d'un détective privé ? Mais tout le reste était encore très mystérieux. McNally finirait peut-être par prouver son innocence, et Jessie savait qu'il n'était pas impossible qu'il ait été victime d'un coup monté. Si tel était le cas, les autorités fédérales étaient le mieux placées pour le découvrir. Cependant, une pression tenace, au fond d'elle-même, la poussait à ne pas abandonner l'affaire. Est-ce que McNally la manipulait ? Est-ce que le désespoir qu'elle avait lu dans ses yeux était un appât destiné à la faire mordre à l'hameçon ? *Et alors ?* Puisqu'elle-même était désespérée. Désespérément seule... *Et alors ?* Puisque la plupart des hommes qu'elle rencontrait portaient des salopettes et pensaient qu'il n'y avait pas eu de bonne émission de télévision depuis *Green Acres*. Mais ce n'était pas une raison pour servir de cobaye à un dangereux déséquilibré.

— Écoute, Jessie. (La voix de Dolores semblait épuisée, lessivée.) Je dois aller retrouver mes chats. Snoozer a une infection de la vessie, et si je ne le fais pas sortir avant de me coucher, ma cuisine va sentir la pissotière.

— Encore deux petites questions, Dee, je t'en prie. Est-ce que tu n'aurais pas entendu parler d'un flic du nom de Robert, ou « R » McNally ? Il bosserait au comté de... je ne sais pas, Ingham ? Ingram ? Un grand costaud, cheveux couleur sable, porte des vestes sport chères, peut-être du Versace...

Un long silence, puis :

— McNally ? Tu as dit *McNally* ? Comme dans... John McNally ?

— Du calme, Dolores.

— Tu travailles *vraiment* sur cette affaire ! Nom de Dieu, Jessie, tu vas me faire foutre en taule, aussi sûr que je suis là. C'est une sale affaire de meurtres en série, une affaire classée « rouge », et moi je fais du karaoké avec une foutue détective privée, Dieu tout-puissant, je suis finie...

— Doucement, Dolores, on dirait que je te demande la combinaison du coffre du collège de ton fils.

— Il n'y aura *pas* de coffre du collège... Je ne te dirai pas un mot de plus.

— Dis-moi une dernière chose. Tu n'aurais pas entendu parler, par hasard, de tordus ayant monté un groupe d'autodéfense, et qui travailleraient à l'insu du CPD ?

— D'autodéfense... quoi ? De quoi parles-tu ?

— Sais pas. Peut-être de rien du tout. Mais supposons qu'un type des Homicides se sente un peu frustré, et qu'il refuse de clôturer un dossier. Tu sais bien. Un type qui décide de jouer les Charles Bronson, les Juge Dredd, ou je ne sais quoi. Je me demandais, c'est tout.

Il y eut un long silence.

— Dee ? Tu es toujours là ?

Jessie comprit qu'elle avait visé juste.

— Ouais, je suis toujours là, reprit la voix, vaincue. Je me demande simplement pourquoi je suis en train de foutre ma carrière en l'air, rien qu'en te parlant.

— Calme-toi, Dolores. Personne ne le saura. En outre, la dernière fois que nous avons joué aux cartes, je t'ai tout raconté sur la liaison de Sy Weisman avec la réceptionniste de Keeler Brass. Et Sy est mon avocat, nom de Dieu ! Alors, fiche-moi la paix !

Un autre silence.

— D'accord. Certains inspecteurs se sont un peu... comment dire... *emportés*. Sur cette affaire de serial killer,

171

je veux dire. Mais je n'appellerais pas ça un groupe d'autodéfense, Jess.

— Comment dirais-tu, alors, Dee ?

— Jessie, si tu voyais certaines de ces victimes, ces pauvres filles, je te dis que...

— Si ce n'est pas un groupe d'autodéfense, Dolores, comment appelles-tu cela ?

Une pause, puis :

— J'appellerais cela des inspecteurs qui se sont un peu emportés...

Pendant quelques instants, Jessie pesa les différentes possibilités. Elle regarda dehors, par la fenêtre de la cuisine. Elle vit le jardin baignant dans l'obscurité, le mince reflet du clair de lune sur l'herbe, le treillis d'ombres de la cabane à outils et de sa tonnelle. Il était presque minuit, et le quartier dormait déjà profondément.

— Laisse-moi te poser une dernière question, Dolores, dit-elle enfin.

— Jessie, pour l'amour de Dieu...

— Est-ce que tu accepterais que je te rende visite au commissariat, un de ces jours ? Je t'inviterai à déjeuner, et tu me laisseras jeter un coup d'œil sur les photos de groupes des différentes divisions, équipes de softball, photos d'identité, etc.

— *Il n'en est pas question.*

— Allons, Dolores, tu me rends ce dernier service et...

Jessie fut interrompue par un bruit sourd, à l'extérieur, près de la fenêtre de derrière. Elle sursauta légèrement. On avait dit que quelqu'un était en train de fureter du côté du garage et avait heurté la grille du barbecue.

— Je dois y aller, Dolores, murmura-t-elle en se dirigeant lentement vers le support moral du téléphone. Je te rappellerai.

— Ne me rappelle plus jamais, Jessie. Pas pour me parler de cette affaire McNally, en tout cas.

— Je te parlerai demain, dit Jessie, puis elle raccrocha doucement.

Sur le comptoir près de la cuisinière, il y avait une boîte à sucre en métal. Elle ne contenait pas de sucre, mais un Smith & Wesson 442 à crosse recourbée. Très vite, Jessie éteignit le plafonnier et sortit le revolver de la boîte. Elle vérifia le chargeur, le remit en place d'un coup sec. Puis tenant l'arme des deux mains, en position de défense, elle revint à la porte de derrière et regarda à travers les rideaux.

Un autre grattement, sur le patio, la fit à nouveau sursauter.

Elle jeta un coup d'œil vers le grillage, du côté est de la cour, et vit un petit paquet de fourrure sombre qui longeait la barrière en se dandinant. Il s'arrêta un instant et se retourna vers la maison, ses minuscules yeux noirs lançant des éclairs orange tandis qu'il bougeait son museau couleur de cendre.

Fichu raton laveur !

Jessie baissa son arme et retourna dans la cuisine obscure, le cœur battant encore à tout rompre, les lèvres sèches. Elle se maudit d'être si nerveuse, et s'efforça de respirer à fond jusqu'à ce que son pouls ait retrouvé un rythme normal. Ces saloperies de ratons avaient toujours été un fléau, depuis qu'elle occupait cette maison. Elle allait devoir faire quelque chose. Placer des pièges, du poison, ou n'importe quoi d'autre.

Elle replaça le revolver dans la boîte à sucre et sortit de la cuisine.

Avant de se coucher, elle passa à la salle de bains et chercha un somnifère dans l'armoire à pharmacie.

Elle allait avoir du mal à s'endormir, cette nuit.

27

Désolation

Si vous cherchez le mot *désolation* dans le dictionnaire, vous pouvez tomber sur une photo du hall de l'hôtel Blue Island à trois heures du matin. La vitrine de façade lézardée projetait de longues ombres sur le parquet usé. On devinait les formes des lumières blafardes de l'éclairage public, au carrefour désert. La réception se trouvait dans une cabine fermée. Un guichet grillagé donnait sur le comptoir en aggloméré peint. Plusieurs avis manuscrits au stylo feutre affichaient des phrases du style : Nous n'acceptons pas les chèques bancaires et L'établissement n'est pas responsable des objets laissés dans les chambres. Un ventilateur à treillis était posé dans un coin. Il agitait, en cliquetant, un air qui sentait le renfermé.

Polly Koslowski était assise derrière le comptoir. Elle faisait des mots croisés pour tenter d'échapper à l'ambiance sinistre. C'était une femme d'une quarantaine d'années, petite et trapue, au visage de bouledogue et aux cheveux bouclés tellement oxygénés qu'ils semblaient presque argentés. Elle travaillait depuis si longtemps en équipe de nuit qu'elle remarquait à peine la désolation qui régnait autour d'elle. Cette fille d'immigrés polonais vivant dans les quartiers sud avait vécu trois mariages, trois divorces et plusieurs fausses couches, et son petit ami du moment purgeait une peine de trois à cinq ans à Marion pour trafic frauduleux. Polly Koslowski n'était pas du genre à avoir peur de son ombre.

Mais ce soir-là, elle avait une bonne raison d'avoir la trouille.

Ce n'était certes pas parce que la maison était pleine. Pour l'heure, il n'y avait qu'une douzaine de clients dans cet asile de nuit de quatre-vingts chambres. Au premier, une poignée d'habitués — Fellson, Carmine, Biggs et Jimmy Pete ; rien que des vieux usés, décharnés, qui essayaient de se tenir à l'écart de la boisson et de garder leurs petits boulots à la Mission catholique. Au deuxième, deux ou trois putains et leurs michetons. Au troisième, un petit représentant mielleux, accompagné d'une femme assez grosse et de deux mioches au nez morveux. Au quatrième, il y avait ce type bizarre avec ses yeux hallucinés. Polly se demanda s'il n'était pas à l'origine de sa nervosité, avec ce nom bidon qu'il lui avait donné — c'était quoi, déjà ? Johnson ? Ralph Johnson ?

Manifestement, il lui manquait une ou deux cases. Il était arrivé plus tôt dans la journée, suant comme un porc, les yeux à fleur de tête comme s'il était branché sur le secteur, cramponné à un vieux classeur moisi comme s'il s'agissait des joyaux de la couronne. Il s'était inscrit, avait payé en liquide, et demandé où il pouvait trouver de la gnôle. Puis il s'était terré là-haut toute la nuit, sans manger, et n'avait pas montré sa bobine sauf pour sortir chercher de l'alcool. En fait, il était allé en acheter encore un demi-litre un quart d'heure plus tôt. Il était revenu au bout de quelques minutes, l'air abattu, et il avait traversé le hall en titubant comme le capitaine du *Titanic*. En pensant à ce type, Polly avait la chair de poule.

Soudain, un bruit détourna son attention de sa grille de mots croisés.

Cela venait de derrière la porte métallique zébrée, sur

sa gauche. Celle du couloir. Un craquement. Comme ceux qui traversent parfois les vieilles poutres. Polly, sceptique, pinça les lèvres. Elle travaillait depuis dix-sept ans à la réception de l'hôtel, et elle était capable de reconnaître tous les bruits que pouvait générer la vieille baraque, du grondement des radiateurs au sifflement de l'air dans les fenêtres, des grincements de la machine à glace au vrombissement des tubes à néon défectueux, des gémissements étouffés des accouplements frénétiques derrière les cloisons fines comme du papier aux éclats des disputes, aux hurlements, aux lamentations des ivrognes, voire au murmure des prières. L'hôtel était une ménagerie de bruits, et Polly Koslowski les connaissait tous. Sauf celui qu'elle venait d'entendre. Il était incongru. Au point que ses poils raides se dressèrent.

Elle repoussa son tabouret et sortit de la cabine.

Alors qu'elle traversait le hall à pas feutrés, vers la porte métallique portant l'inscription CHAMBRES, Polly eut un pressentiment. Mentalement, elle vit l'étrange personnage au calepin, suant, énervé, avec ces yeux bizarres, blotti dans l'ombre, l'attendant avec un grand couteau de boucher. La vision, très nette, ne dura qu'une fraction de seconde, mais cela suffit à lui donner la chair de poule et à assécher sa gorge. Elle avait une petite cousine, Leanu, en Roumanie, qui était censée être médium. Elle tenait une petite baraque de voyante à Bucarest. Polly n'avait jamais cru à ces conneries.

Mais, bien sûr, s'il est trois heures du matin et que vous êtes seule dans un pareil bouge...

— Foutaises, marmonna Polly.

Elle s'approcha de la porte et jeta un coup d'œil par le hublot encrassé. Elle vit le couloir désert, le tapis bordeaux qui s'étirait dans l'ombre. À intervalles irréguliers, les appliques murales dessinaient des flaques de lumière pâle qui ne faisaient que rendre l'obscurité encore plus intense. Mais il n'y avait ni mouvement, ni bruit. Polly suçota l'intérieur de sa joue, réfléchit, repensa à la vision

176

qu'elle venait d'avoir. Elle suçota, réfléchit et finit par rassembler assez de courage pour pousser la porte.

La première chose qu'elle remarqua en pénétrant dans le couloir, ce fut l'odeur.

Il ne lui fallut que quelque secondes pour l'identifier. Mais durant ce laps de temps, les choses se passèrent si vite que Polly n'eut pas le temps de réagir, de crier, ni même de bouger. Le miroitement d'un objet en verre jaillissant de derrière la porte. Un bras puissant, un bras d'homme, entoura ses épaules, une main se colla sur sa bouche, et puis un pétillement — comme un Alka-Seltzer... Le nuage noir commençait déjà à lui obscurcir la vue, un poids invisible la tirait vers le bas, vers l'inconscience, quand elle reconnut l'odeur. Une odeur qui la ramena loin en arrière, au cours de biologie, à l'époque où une collégienne nommée Polly Koslowski avait été malade en disséquant une grenouille.

Du formol ?

28

Des rubans noirs

Les images se précipitaient furieusement — souvenirs mouvants, déformés, court-circuités, explosant sur fond de parasites — *FLASH ! Des lames ultrafines lacérant de l'étoffe — FLASH ! —, une lumière de scène magenta s'enflammant — une petite ville du Michigan noyée sous la neige, des visages s'effaçant spontanément, des photos de filles déchirées dans des annuaires et des brochures d'étudiants — PSCHTT ! — PSCHTT ! — PSCHTT ! —, d'innombrables textes, notes et extraits de journal intime crépitant comme des éclairs de chaleur dans le bruit parasite. Maintenant les souvenirs passaient comme des flashs, jetant des étincelles, dessinant des arcs de cercle — un rideau s'ouvrant dans un théâtre obscur, un homme seul se découpant dans le faisceau d'un projecteur —, des feuilles couvertes de sang, de la peinture rouge éclaboussant du bois dur pourrissant — CLIC — CLIC — CLIC !! —, des gens, des lieux, du sang, des visages, des dents, des hurlements, du papier qu'on déchire, DU SANG !*

— Non !

John s'éveilla en sursaut. Il se trouvait sur un sol recouvert d'une moquette. Son cœur faisait autant de bruit qu'un ensemble de tambours africains, et son crâne l'élançait.

Il resta là un moment, à plat ventre, clignant des yeux par à-coups. Une douleur intolérable lui vrillait les jambes. Son corps était partiellement engagé dans l'entrebâillement d'une porte. Tout d'abord, il ne comprit pas où il se trouvait. Il était complètement habillé. Une odeur moisie, fibreuse, comme celle d'un tapis sale, lui pénétrait dans les narines. Il cligna encore des yeux, et ravala le goût de panique, sec et pâteux, qui lui montait dans la gorge. Il tourna la tête — malgré son cou douloureux — et découvrit les dessins fatigués de la vieille moquette. Il comprit soudain où il se trouvait. Dans le couloir de l'hôtel. Devant la porte de sa chambre. Est-ce qu'il était tombé là pendant la nuit ?

Est-ce qu'il avait eu une crise de somnambulisme ?

Les images-flashs de ses rêves s'accrochaient toujours à sa conscience, comme des brûlures rétiniennes derrière ses yeux. D'autres visions crépitèrent dans le bruit blanc de son esprit. D'autres explosions de lumière. Il se rappelait encore certaines d'entre elles — les photos empruntées aux annuaires, le sang, la petite ville enneigée du Michigan. Comment savait-il qu'il s'agissait du Michigan ? Il tenta de se lever, mais dès qu'il ordonna à ses jambes et à son torse de bouger, la douleur le paralysa, incendia ses hanches. Il retomba à terre, haletant, en se tenant les côtes comme si elles risquaient d'éclater sous la pression.

Seigneur, il était dans un état... Entre ses blessures qui refusaient de cicatriser et son insatiable soif d'alcool, il était en train de se détruire. Depuis plus de trois jours, il n'avait pas pris un instant de repos ni un repas décent. Le pire, c'est qu'il essayait de justifier son besoin de gnôle. Il en avait besoin pour pouvoir penser correctement, il en avait besoin pour anesthésier la douleur de ses articulations, et il en avait besoin pour atténuer l'horreur provoquée par ce qu'il avait lu dans les pages de cet affreux journal. S'il continuait à ce rythme, l'alcool allait le jeter dans les griffes de la loi — puis, sans doute, dans un hôpi-

179

tal psychiatrique — pour le restant de ses jours. Il frissonna soudain, glacé jusqu'aux os.

Un bruit venu de la rue, apporté par le vent du matin, vint tournoyer devant une fenêtre. Ça ressemblait au crissement d'une voiture de police, peut-être au bêlement aigu d'un mégaphone.

John parvint à se mettre sur pied. Il se traîna péniblement jusqu'à la fenêtre protégée par des barreaux. Il pressa son visage contre la vitre crasseuse et s'efforça de voir par-dessus le rebord. Quatre étages plus bas, il distinguait à peine le carrefour, la rangée de bancs de pierre de l'arrêt de bus et l'entrée de la station de métro. Il y avait un soudain accès d'activité à cet endroit-là. Deux voitures de la police de Chicago et une ambulance étaient garées devant l'hôtel. Des habitants du quartier se serraient autour du cordon jaune déployé juste au-delà des véhicules. Une quatrième voiture venait de démarrer. Elle faillit renverser un groupe d'une douzaine de badauds, comme des quilles dans un bowling. Les flics tançaient les curieux et essayaient de les faire reculer vers le trottoir opposé. C'était un vrai foutoir.

C'est alors qu'il entendit le bruit métallique des portes de l'ascenseur déglingué, à l'autre extrémité du couloir.

John pivota. Il se rua dans sa chambre, mû par un instinct de panique animal. Il claqua la porte derrière lui, ferma le verrou et accrocha la chaîne de sûreté. Son cœur s'affolait à nouveau et cognait dans sa poitrine comme une amarre détachée contre le flanc d'un navire. Il n'avait aucune raison de penser que les flics étaient là pour lui, sauf sa paranoïa délirante — et l'idée qu'il s'était peut-être trahi pendant sa brève crise de somnambulisme nocturne. Il courut vers le bureau, s'empara du journal, ramassa quelques notes éparses et fourra le tout dans un sac à dos en plastique qu'il avait acheté chez le marchand d'alcool voisin.

La fenêtre de derrière donnait sur un escalier de secours. John l'avait remarqué la nuit précédente, et s'était dit que ça pourrait lui être utile s'il avait besoin de

180

prendre la tangente. Une question demeurait : pourrait-il ouvrir la fenêtre ? Il la déverrouilla, et essaya de la soulever en force. Rien à faire. Ce machin était bloqué par le temps et les innombrables couches de peinture.

Il y eut de l'agitation sur le palier. Puis quelqu'un frappa lourdement à sa porte. « Monsieur Johnson ? Police de Chicago ! » Une autre voix : « Il y a quelqu'un ? Hello ? Monsieur Johnson ? Nous voulons simplement vous poser quelques questions. »

John prit la chaise du bureau et la jeta contre la fenêtre.

Il dut s'y reprendre à plusieurs fois. Au quatrième essai, il brisa la vitre. Le cinquième fit sauter le vantail. Maintenant, il y avait de plus en plus de bruit derrière lui : des corps massifs heurtaient le panneau de bois, les vieux gonds grinçaient, la chaîne était sur le point de sauter. John se faufila par la fenêtre, après avoir jeté le sac à dos par-dessus son épaule. Son esprit s'emballait. Il se demanda avec angoisse s'il était condamné à s'enfuir ainsi par les fenêtres jusqu'à la fin de sa vie.

Puis il se retrouva à l'extérieur.

Il se tenait sur la plate-forme grillagée de l'escalier de secours, giflé par le vent, submergé par les odeurs urbaines de bière, de moisissure et de gaz d'échappement. L'échelle avait quarante-cinq centimètres de large. Elle était fixée au vieux garde-fou métallique. Au moment où John commença à descendre, l'ensemble se mit à tanguer comme un canot de sauvetage en péril. Il dut s'accrocher pour ne pas tomber. La douleur déferla dans ses articulations. Le métal rouillé grinçait. Il lui fallut faire des efforts démesurés pour atteindre le dernier échelon. Et là, il sauta.

Il atterrit sur le trottoir. Le choc se répercuta le long de ses jambes avec la violence d'un coup de fusil.

L'écho des voix lui était renvoyé par un mur tout proche. John vit alors qu'il se trouvait dans une étroite ruelle séparant deux bâtiments élevés. L'endroit était aussi obscur que la forêt la plus profonde, plein de détritus et bordé de chaque côté de cartons détrempés. La douleur le maintenait dans un état second, et ses genoux menaçaient de le lâcher, mais il parvint à rester debout. Ses glandes surrénales fonctionnaient à nouveau, et envoyaient des ondes d'énergie à ses organes et ses membres. Cinquante mètres plus loin à droite, la ruelle débouchait sur la rue qui longeait la façade de l'hôtel Blue Island. De l'autre côté, à vingt mètres environ, il y avait un passage étroit fermé par une clôture grillagée. Celle-ci paraissait assez délabrée pour qu'on puisse la franchir.

John avança à pas feutrés. Soudain, quelque chose attira son regard dans l'obscurité. Un éclair. Puis un autre. Et encore un autre. Une lumière argentée et dure, comme un soleil artificiel. John se glissa derrière un container à ordures, s'accroupit et risqua un œil. Il vit la fenêtre crasseuse du rez-de-chaussée enchâssée dans le mur latéral de l'hôtel, des silhouettes qui se déplaçaient de l'autre côté de la vitre, et le flash d'un appareil photo. John dut concentrer toute son attention pour comprendre ce qui se passait. Il réalisa soudain que l'endroit qu'il observait n'était autre que le petit hall minable de l'hôtel Blue Island.

Puis il vit le sang.

Il y en avait partout dans le hall, dessinant des serpentins, de sombres rubans. Des giclées d'hémoglobine avait taché le comptoir saccagé, la cabine grillagée et les murs. Le sang était si noir qu'il ressemblait à du chocolat sous les éclairs des flashs. Les assistants du médecin légiste étaient penchés au-dessus d'un corps écroulé en travers d'une chaise. Leurs mains gantées de blanc le manipulaient, l'essuyaient, le photographiaient.

C'était la réceptionniste de nuit. La femme dont le badge disait qu'elle s'appelait Polly. Elle était à plat ventre, les cheveux emmêlés de sang. Le dos de son corsage était en lambeaux. John hoqueta, le visage décomposé, et s'affaissa contre le container à ordures comme s'il venait de recevoir un coup dans l'estomac. La pauvre femme avait été poignardée dans le dos à coups répétés. Des plaies béantes s'ouvraient dans sa chair comme des fleurs rouges. Celui qui avait fait cela avait voulu dire quelque chose. L'atroce banalité de tout cela — le petit hall minable aspergé de sang, la réceptionniste rongée par l'ennui condamnée à rester à jamais vautrée dans son sang — obligea John à détourner le regard.

Les larmes lui brûlaient les yeux. Son estomac se révulsait, dur et brûlant.

Il réalisa que ce meurtre cruel lui était adressé. C'était la nouvelle étape de sa descente aux enfers, et il était impuissant à l'arrêter, impuissant à s'y soustraire. Comme si les bas-fonds de la ville et le Destin en personne conspiraient contre lui, l'avalaient et le digéraient dans leurs sucs rances et malfaisants. Il essaya de bouger ses jambes, de convaincre son corps de foutre le camp. Mais il était paralysé, rivé à ce ciment froid et râpeux, hypnotisé par les rubans noirs qui quadrillaient le hall. Pourquoi ? Pourquoi cette pauvre femme renfrognée avec ses boucles oxygénées et ses yeux tristes ? Était-elle une de ces « femmes vides » dont parlait le journal ? Si seulement John pouvait se rappeler son passé, et les souvenirs perdus qui hantaient ses rêves, peut-être découvrirait-il *qui, quoi, comment...*

Et *pourquoi.*

D'autres messages radio retentirent dans la rue. Tout près de lui, cette fois. John se raidit. Il vit les hautes silhouettes des policiers se découper à contre-jour à cinquante mètres de là. Ils pénétraient dans la ruelle, leurs ombres se répandaient comme un cancer sur le trottoir, revolver à la main, en position de tir.

John retrouva l'usage de ses jambes.

D'un bond, il s'arracha à la puanteur du container à ordures. Courbé en deux, il courut dans le passage en direction de la clôture. Ayant repéré un trou dans le grillage, il l'agrandit d'un coup sec et se faufila au travers.

Puis il disparut dans l'ombre des immeubles.

29

Un vrai supplice

Quand le téléphone sonna, Jessie sacrifiait à son rituel matinal. Elle faisait trempette dans un bain parfumé, avec une tasse de café français et une Carlton, et essayait d'imaginer la vie que Kit et elle-même pourraient mener, n'importe où ailleurs qu'à Randall, Illinois. Il était presque neuf heures. Les Fitzgerald étaient passés prendre Kit pour la conduire à l'école, et la maison connaissait ce calme parfait et ensoleillé qui envahit les foyers après le coup de feu du matin. Le moment de la journée où Jessie s'abandonnait en général à une délicieuse oisiveté, et passait une heure à rêvasser tranquillement.

Mais ce jour-là, ses pensées bouillonnaient furieusement, et ça la rendait folle.

Elle pensait à John McNally. Elle se demandait d'où venaient ses sentiments si ambigus à son égard. Elle pensait à la confiance, au destin, et à ses expériences ratées avec les hommes. Depuis qu'elle s'était installée à Randall, elle avait vécu une succession d'aventures désastreuses. Il y avait eu le professeur de collège, qu'elle avait fait fuir avec ses idées de libertaire enragée. Il y avait eu l'agent d'assurances, qu'elle avait terrifié sur la piste de

184

danse. Il y avait eu le barman incapable de bander, l'étudiant qui la prenait pour sa mère, et le cuisinier qui cherchait la bagarre. Rien que des désastres. Mais cette fois, dans le registre des relations catastrophiques, Jessie Bales s'était surpassée.

Le client séduisant qui se révélait être un maniaque meurtrier.

Peut-être était-ce simplement une malédiction familiale qui remontait aux rapports de Jessie avec son père, Jerome « Jerry » Bales, extraordinaire professeur d'éducation physique et gentil fasciste de quartier. Dire que le vieux était mal à l'aise avec la gent féminine serait l'Euphémisme du Siècle. En vérité, Jerry Bales était affreusement nul avec les femmes, à commencer par celles de sa propre famille. Mais ses relations tendues avec sa fille connurent un point de non-retour par une nuit humide d'août, dans les années soixante-dix.

Pour Jessie, cette nuit-là avait commencé comme n'importe quelle autre nuit de ses paisibles années d'adolescence. Elle avait traîné sur la grand-rue avec trois de ses amies, cherchant les ennuis, se partageant une bouteille de cidre Annie Green Springs. Pour une raison ou pour une autre, elles avaient échoué sur Northmoor Road, le repaire des amoureux du coin, et elles avaient décidé de faire un arrêt-pipi. En se faufilant dans les bois, à la recherche d'un endroit discret pour se soulager, Jessie entendit des bruits à travers le feuillage. Un couple d'amoureux blotti dans l'herbe folle. Elle s'approcha discrètement, s'attendant à surprendre une camarade de classe. Mais lorsqu'elle fut assez près pour reconnaître leurs visages, elle reçut le choc de sa vie. Son père besognait Mlle Lochman, la prof de gym des filles, au clair de lune.

Jessie s'enfuit ventre à terre, sans regarder derrière elle, comme si elle avait vu un revenant. Jamais elle ne parla à quiconque de ce qu'elle avait découvert dans les bois cette nuit-là, pas même à sa mère ou à son père. Mais l'expérience l'avait changée à jamais ; elle avait glacé quelque chose au plus profond d'elle, et scellé son destin. Elle ne ferait plus jamais totalement confiance à un être humain. Et ce fut sans doute ce qui déclencha son désir de devenir un fouineuse professionnelle. Mais le vieux était mort depuis longtemps — il avait succombé à un cancer du foie six ans plus tôt —, et Jessie était à présent une mère célibataire de trente et quelques années, qui luttait pour maintenir à flot son cabinet d'enquêtes et vivait dans une vieille maison pleine de fuites.

Et ce foutu téléphone qui sonnait, dans le salon.

— Merde, murmura-t-elle, en émergeant de son bain moussant.

Elle écrasa sa cigarette dans la coquille Saint-Jacques qui lui servait de cendrier. Elle sentait bon les sels de bain et le liniment. Elle passa à la hâte un peignoir, enveloppa ses cheveux dans une serviette éponge et se précipita vers le salon en laissant des traces humides sur le plancher.

Elle décrocha à la cinquième sonnerie.

— Jessie Bales.

— Jessie, c'est John. John McNally.

Silence embarrassé et tendu. Il y avait un curieux bruit de fond. Comme une cavalcade. John parlait d'une voix faible, presque inaudible.

Le silence se prolongea. Jessie se demandait où elle avait planqué ses revolvers, si elle avait bien fermé toutes les portes, et qui elle devrait appeler en premier — le shérif, qui était un crétin, ou la police d'État, moins encline à l'interroger sur son injustifiable retard à livrer le psychopathe aux autorités.

— Jessie ? Vous êtes là ?

— Oui, je suis là.

Elle regarda à travers les rideaux. Un rayon de soleil matinal filtrait à travers les feuilles des érables et mouchetait la pelouse. Le quartier bruissait de son activité matinale. Les cars d'écoliers allaient et venaient. Les hommes embarquaient dans les camionnettes avec leurs boîtes à casse-croûte et prenaient le chemin de l'Armour Star. Un décor un tout petit peu trop douillet pour une épreuve de force entre un détective privé et un suspect de meurtres en série.

— Où êtes-vous, John ? demanda-t-elle doucement.

— Je vous appelle d'une cabine. Ce n'est pas... pas très loin de chez vous.

Un début de panique s'empara de Jessie.

— Que diable faites-vous ?

— Je voulais être sûr de ne pas tomber une fois de plus dans une embuscade... si je venais à votre bureau. J'espérais, et je priais pour que vous n'ayez pas encore appelé la police.

— Rendez-vous, John.

— Écoutez, Jessie... Je ne suis pas un psychopathe. Croyez-moi. Je suis innocent.

— Que voulez-vous de moi ?

— Je veux que vous finissiez le travail... Le travail pour lequel je vous ai engagée.

Il parlait d'une voix étranglée par l'émotion, terminait chaque phrase essoufflé. De deux choses l'une. Ou bien John était innocent, ou bien c'était le plus grand comédien du monde. Le jury n'avait pas encore tranché. Mais peu importait qu'il fût crédible aux yeux de Jessie. Peu importait que cette affaire fût terriblement excitante... Elle préférait rester aussi loin que possible de ce cinglé.

— Sans vouloir vous vexer, lui dit-elle d'un ton uni, je pense avoir découvert votre identité. (Elle essuya de sa manche une goutte d'eau qui lui coulait sur le nez.) Maintenant, si *cette identité-là* ne vous convient pas, eh bien, je suis désolée. Je ne sais que vous dire.

— Ce n'est pas moi, Jessie, je vous le jure.

— Comment le savez-vous ?

— J'en suis certain... Vous devez me faire confiance.

— *Vous faire confiance ?* Bon Dieu, John, comment pouvez-vous *vous-même* vous faire confiance ? Comment savez-vous que l'amnésie n'a pas scindé votre personnalité en deux ?

— Comment cela ?

— Cet autre type... il se pourrait que ce soit aussi *vous*.

Une longue pause. Jessie entendit dans l'écouteur le bruit d'un camion, qui passait près de la cabine en grondant. Elle se dit que McNally devait appeler du coin de Losey et Chatham, près du vieux champ de foire. C'était à dix minutes à pied de chez elle.

Quand John répondit enfin, sa voix était plus faible, et en même temps plus décidée.

— Je ne pourrais jamais faire toutes ces horreurs, Jessie.

— Comment pouvez-vous en être sûr, alors que vous ne connaissez même pas votre propre nom ?

Un autre silence, chargé d'angoisse.

— À cause de mon cœur.

— Votre cœur ?

— La douleur dans mon cœur... Je ne peux pas vous l'expliquer autrement... C'est un vrai supplice. Ce journal que j'ai trouvé dans la chambre du Wagon Inn... Jessie, vous n'en croiriez pas vos yeux... Des choses horribles...

Jessie réfléchit un moment. Elle se demanda qui pourrait avoir envie de piéger un type comme lui, et pourquoi. Certes, on avait déjà vu des choses plus bizarres, dans ce monde dingue et si loin d'être parfait. On avait vu des policiers zélés truquer un peu pour boucler une affaire de meurtres en série. Mais encore une fois, quelles étaient les chances pour qu'un type victime d'un coup monté devienne au même moment amnésique ? Cela semblait sacrement bizarre, pour ne pas dire foutrement commode. Est-ce que John s'était fait piéger *après* les blessures qui l'avaient rendu amnésique ? Cela paraissait vraiment difficile à avaler. Même pour Jessie Bates.

— Vous ne pouvez pas venir ici, John. Je suis désolée.

— Donnez-moi une chance, Jessie, dit-il d'une voix désespérée. C'est tout ce que je vous demande.

— John...

— Cinq minutes... Cinq minutes en tête-à-tête. Je crois être capable de vous convaincre.

— Allons, John...

— Vous pourrez me jeter à la rue si vous n'êtes pas convaincue... Jessie, je vous demande de courir ce risque. Si j'étais ce monstre, et si je voulais vous faire du mal, ne pensez-vous pas que je l'aurais déjà fait ?

— Je ne sais plus quoi penser.

— Cinq minutes, Jessie, s'il vous plaît. J'ai besoin de votre aide.

Jessie contempla les rideaux de lin légèrement entrouverts, que gonflait la brise à travers les écrans de protection. Dieu merci, Kit était en sécurité à l'école — pour le moment, en tout cas. Elle rentrerait à la maison d'ici quelques heures, et Jessie ne voulait surtout pas la mettre en danger. Elle prit une profonde inspiration. Et réfléchit. Elle sentait, flottant dans l'air, une odeur d'herbe fraîchement coupée. Frank Peets avait dû tondre sa pelouse ce matin — pour la première fois de la saison. Peets était le chauffeur routier de près de soixante ans qui habitait la maison voisine. Un vrai rustre, qui avait tendance à reluquer le cul de Jessie dès qu'il en avait l'occasion. L'avantage était que, s'il y avait un problème — si Jessie avait des ennuis —, Peets serait là en un éclair, avec son calibre douze qu'il gardait dans un coffre au fond de son garage.

— Très bien, dit-elle, après une longue hésitation. Cinq minutes, mais pas une seconde de plus. Vous avez compris ?

— J'arrive.

Il y eut un déclic. La communication était coupée.

30

Désir de mort

Jessie raccrocha violemment le téléphone, en maudissant sa stupidité. Elle retourna dans la salle de bains, finit de se sécher, puis passa dans sa chambre pour s'habiller. Tout en enfilant ses vêtements — rien de trop provocant : chemise de coton ample, pantalon kaki, cheveux tirés en queue de cheval —, elle se demanda si elle avait un désir de mort. Jusqu'à maintenant, elle avait préservé son anonymat. Si McNally était arrêté et qu'il mentionnait son nom, elle pourrait plaider l'ignorance. Mais dès lors qu'il franchissait à nouveau sa porte et réapparaissait dans sa vie, elle était sa complice, tout simplement. Alors, pourquoi faisait-elle cela ? Pourquoi faisait-elle cela à Kit ? Son ego était-il faible *à ce point* ? Sa curiosité était-elle *à ce point* irrépressible ?

Il lui restait une chose à faire avant de retourner dans la pièce principale : sortir le Raven 25 de sa cachette. Elle vérifia le magasin, remit le chargeur en place dans la crosse — ce *clic-clac* rassurant de la balle qui s'introduit dans la chambre.

Puis elle passa au salon, et attendit.

Quelques minutes plus tard, elle entendit la sonnette.

— Attendez une seconde ! cria-t-elle.

Elle se posta derrière la porte d'entrée, les pieds écartés, les genoux légèrement pliés. Elle tenait solidement le Raven de la main droite, le doigt sur la gâchette. Elle saisit fermement la poignée.

— Je vais ouvrir la porte. Je veux que vous avanciez d'un pas à l'intérieur et que vous vous tourniez à gauche, les mains bien en vue.

— Compris, dit une voix étouffée de l'autre côté du battant.

Jessie ouvrit la porte.

John avança d'un pas, prudemment. Puis il se tourna vers le mur, les bras levés au-dessus de la tête. Jessie claqua la porte. John portait le même jean et le même T-shirt (ils devaient commencer à être plutôt crasseux), plus un anorak beige, apparemment neuf. Il avait sur l'épaule un sac à dos de Nylon, tout neuf également. Jessie lui braqua le revolver sur la nuque.

— Vous pouvez vous retourner, maintenant.

John obtempéra. Leurs regards se croisèrent.

Quelque chose se mit soudain en mouvement, au fond de Jessie, comme le tambour d'une serrure à combinaison. Cela venait peut-être de ses yeux humides, du désespoir qu'elle voyait monter en lui, ou du léger tremblement de sa mâchoire, alors qu'il attendait qu'elle prenne l'initiative. Peut-être était-ce autre chose. Depuis quelque temps, Jessie nourrissait des pensées troublantes à l'idée d'être proche d'un homme atteint d'amnésie. Ce devait être fascinant de réapprendre à un homme tout ce qui le concernait, sur son passé, sur lui-même. Par ailleurs, il y avait là quelque chose de libérateur : être capable de remodeler un homme à partir de zéro. Ça semblait presque séduisant. Pas de bagages, pas d'espoirs, pas d'hostilité préalable. Rien qu'une ardoise vierge. L'homme parfait.

— Après ce que vous avez vu l'autre jour, dit-il, je ne dois pas m'attendre à ce que vous me fassiez entièrement confiance, n'est-ce pas ?

191

Jessie gardait le revolver braqué sur son œil gauche.

— Qu'avez-vous dans ce sac, John ?

— Le journal, dit-il doucement. Celui que j'ai pris au Wagon Inn.

— Continuez.

— Si l'on y réfléchit, il n'y a que deux explications possibles.

— Je vous écoute.

— Ou bien je suis coupable et... je ne m'en souviens pas. Ou bien j'ai été piégé... et je ne m'en souviens pas.

Jessie réfléchit un moment, le revolver toujours pointé sur lui.

— D'accord. Bien sûr. Et alors ?

— Par conséquent, continua John, vous avez là une occasion incroyable.

— De quoi parlez-vous ?

— Je vous parle de l'enquête du siècle, Jessie. Réfléchissez. Je vous parle d'accomplir un travail important. Beaucoup plus important que de prendre le pharmacien en flagrant délit d'adultère, ou... ou de retrouver des chiens perdus.

— Parfait, John, dit Jessie, sans bouger le revolver d'un millimètre. Flattez mon ego. C'est une bonne technique.

Le seul problème, c'était que ce fils de pute avait raison. Cette histoire avait pris racine dans l'esprit de Jessie, et elle n'y pouvait rien. Sa résistance faiblissait à vue d'œil, comme un bouquet de fleurs se fanant en quelques secondes.

— Quel serait l'intérêt ? demanda John. Je veux dire, si je jouais la comédie... Pourquoi ne me serais-je pas simplement enfui ?

Jessie haussa les épaules. Le revolver vacillait, maintenant. C'était comme si elle découvrait que son cavalier n'était autre que Charlie Manson, puis qu'il était sacrément bon danseur. Le pire, c'était qu'elle aimait bien ce type. Elle l'aimait *vraiment bien*. Elle se demanda si cela avait un rapport avec le fait que Kit s'était tout de suite entichée de lui. Les enfants ont un sixième sens pour ce qui concerne les adultes. Ils voient des choses que leurs parents ne voient pas toujours.

— Comment diable saurais-je pourquoi vous ne vous êtes pas enfui ? demanda-t-elle avec un sourire las. Je ne suis qu'un modeste chasseur de chiens.

John plongea son regard dans le sien. Elle éprouva un grand trouble.

— Je vous fais une promesse, Jessie, dit-il d'un ton égal. Si je suis coupable, si c'est moi qui ai fait toutes ces horreurs... (Il s'interrompit brutalement. Il avait la gorge serrée, comme s'il avalait du verre pilé, comme si cette hypothèse lui était intolérable.) Si c'est moi... je me tuerai, et je laisserai un message vous donnant le bénéfice de ma capture. Je suis sérieux en disant cela. Très sérieux.

Jessie laissa retomber le revolver, et tout son corps se détendit.

— Bon Dieu, McNally, vous n'aurez pas besoin de vous tuer... Je m'en chargerai.

John lâcha un soupir de soulagement.

— Merci beaucoup, inspecteur, dit-il en souriant.

Jessie secoua la tête. Elle glissa le Raven sous sa ceinture.

— Dans l'immédiat, je vais simplement essayer de vous tuer avec mon café.

Ils passèrent l'essentiel des deux heures qui suivirent assis dans la cuisine, à discuter en buvant du café. John fit des dessins sur des serviettes en papier. Il lui décrivit les images apparues pendant ses évanouissements, et les fragments de ses souvenirs. Il lui montra des passages du journal. Il lui parla de théâtres obscurs, de pièces de bœuf et de petites villes enneigées du Michigan, d'annuaires et de morceaux de verre multicolores, et d'une foule de visions bizarres et ésotériques totalement dépourvues de sens. Pendant toute la matinée, Jessie garda le petit semi-automatique coincé sous sa ceinture. C'était très inconfortable : quand elle s'asseyait à la table de la cuisine, le revolver lui pénétrait dans le dos. Mais c'était moins inconfortable que d'être assise sans protection à côté de John.

Vers midi, elle appela un de ses vieux amis.

Tom Beavers était un fils de cultivateur qui avait grandi trop vite. Il avait un faible pour les casquettes Caterpillar pleines de cambouis et les salopettes trop grandes pour lui. Il était gardien de nuit dans un centre commercial du quartier. C'était aussi un artiste amateur qui, à l'occasion, mettait son talent au service du bureau du shérif du comté de Will. Jessie voulait un portrait-robot du flic qui avait essayé d'effacer John du nombre des vivants, et Tom Beavers semblait le plus compétent pour cela.

Beavers et Jessie se connaissaient depuis longtemps. Ils étaient même sortis ensemble plusieurs fois, mais Beavers avait un fichu problème de boisson, ce qui avait mis fin à leur relation. Ils étaient néanmoins restés proches, et Jessie lui faisait assez confiance pour lui demander un ou deux croquis et de garder bouche cousue.

Quand elle lui téléphona, bien entendu, il lui assura qu'il serait très heureux de lui rendre service.

Un quart d'heure plus tard, Tom Beavers sonnait à la porte de Jessie, muni de son bloc de papier relié cuir et d'une boîte à outils pleine de matériel de dessin.

Ils travaillèrent sous la véranda. Jessie prépara une cruche de thé glacé et des sandwichs crudités poulet, et ils s'installèrent autour de la table ronde métallique. Ils mangèrent et firent le portrait de l'inspecteur qui était venu à la clinique pour tuer John. La véranda était protégée des insectes par des moustiquaires, le sol recouvert de gazon artificiel, le plafond orné de suspensions florales où se mêlaient plantes grasses, lierre et fougères. John resta presque tout le temps assis sur le bord de sa chaise. Il décrivit le flic dans les moindres détails, se permettant de faire des suggestions ou des corrections au fur et à mesure que Beavers avançait dans son travail. Jessie restait silencieuse. Elle se contentait de les regarder, en pensant à l'homme qui prenait forme sur le bloc de pelure d'oignon de Tom Beavers.

Si on lui avait demandé de décrire le visage de l'inconnu, elle aurait dit qu'il était parfaitement banal. Des traits un peu anguleux peut-être, un peu émaciés sans doute, mais rien de particulier. De belles pommettes, une coupe de cheveux élégante, l'air vaguement étranger, genre scandinave. S'il lui avait fallu citer une célébrité qui lui ressemblât, elle aurait sans doute suggéré un mélange de Max Von Sydow et de l'acteur qui incarnait Jésus dans *La Dernière Tentation du Christ* — comment s'appelait-il, déjà... William ? Willem ? C'est cela. *Willem Dafoe.*

Jessie devait rendre justice au bon vieux Tom Beavers. Il était évident qu'il savait tenir un crayon.

Quand il eut fini un portrait de huit centimètres sur treize, Jessie lui proposa une bière. Beavers accepta avec joie. Il avala finalement trois grandes Budweiser, et commença à raconter à John des histoires à dormir debout sur le passé de Jessie. Au bout d'une heure, celle-ci regarda sa montre. Elle remercia chaleureusement Beavers pour son boulot — mais il était tard, dit-elle, et Kit allait bientôt rentrer à la maison, et ils avaient tous beaucoup de travail. Beavers finit par se lever. Il se dirigea vers la porte d'entrée, soudain sentimental sous l'effet de l'alcool. Jessie l'accompagna jusqu'à sa voiture, au bout de l'allée, lui glissa cinq billets de vingt dollars et lui recommanda de prendre soin de lui.

Beavers partit en faisant vrombir son moteur. Lynyrd Skynyrd chantait un de ses vieux succès, dans la radio poussée à fond.

Quand Jessie revint au patio, John contemplait le portrait-robot.

— Ça va ? demanda-t-elle.

Il se contenta de hocher la tête, les yeux toujours fixés sur le dessin.

195

— Ce salaud de psychopathe a essayé de me tuer de sang-froid.

— Je sais, John. Et c'est bien pour cela que nous allons essayer de le retrouver et de comprendre pourquoi.

L'espace de quelques secondes — avant de commencer à desservir la table et de se préparer pour l'après-midi —, Jessie se demanda s'il y avait quelque chose que le salaud de psychopathe savait, et qu'elle ignorait.

31

No man's land

Le vent griffait le visage de John. Assis sur le siège du passager, il regardait le paysage défiler de part et d'autre de la Cadillac. Ils fonçaient sur la Highway 57 en direction du nord, sous un ciel de plomb. Son déguisement lui était insupportable. La perruque blonde le démangeait sans répit sous sa casquette des Cubs, ses lunettes noires glissaient sur son nez, et sa queue de cheval fouettait l'air en tous sens. Mais Jessie avait insisté : ce déguisement ridicule était le moyen le plus sûr de se protéger en public.

— Je veux vous demander autre chose... (Jessie devait brailler pour couvrir le vacarme conjugué du moteur et du vent) avant que nous arrivions au poste de police...

— Tout ce que vous voudrez, dit John.

Son cœur galopait dans sa poitrine, de plus en plus vite, alors qu'ils approchaient de la ville. Il regarda Jessie conduire, une cigarette entre ses doigts aux ongles teints en rose, la coiffure saccagée par le vent. Cette bonne femme était un sacré personnage. Une vraie originale. Sans trop savoir pourquoi, John avait le sentiment qu'il avait eu beaucoup de chance de tomber sur sa petite publicité dans les Pages jaunes de Randall.

— Je vous que vous me promettiez de faire ce que je vous dirai lorsque nous serons en public.

— Bien sûr.

— Je veux dire à *la lettre*, John. Jusqu'au moindre détail. Quoi que je dise, vous obéissez.

— Oui, bien sûr. Et comment !

— Je veux vous l'entendre dire.

— Dire quoi ?

— *Promettez-le-moi* ! s'exclama-t-elle.

John sentit son estomac se nouer. Chez Jessie, ils s'étaient querellés à propos d'une question essentielle : était-il pertinent ou non que John participe à cette mission de reconnaissance ? Il pensait qu'il valait mieux que Jessie y aille toute seule et qu'ils communiquent par téléphone, tandis qu'il attendrait chez elle ou au motel. L'épisode du Blue Island l'avait terrifié, et il n'était pas vraiment prêt à replonger dans un no man's land. Mais Jessie avait été inflexible : il devait l'accompagner. Selon elle, il fallait qu'ils soient comme des feuilles poussées par le vent, et qu'ils suivent *ensemble* toutes les pistes qui se présenteraient, aussi insignifiantes soient-elles, afin de se rapprocher du passé de John. Elle voulait le faire bouger, le maintenir sous pression. Elle voulait se livrer au jeu des associations d'idées, à partir des images et des phrases-clés qui apparaissaient pendant les malaises et les étourdissements de John. Elle voulait aussi essayer de provoquer un autre étourdissement en le faisant boire, puis enregistrer ses murmures et prendre des notes qu'elle lui soumettrait à son réveil. Elle pensait également à l'hypnotisme. Elle avait dit à John qu'ils pourraient peut-être chercher un psychologue ou un thérapeute capable de le placer sous hypnose profonde.

Pour John, tout cela avait beaucoup d'importance. Il avait l'impression que son cerveau était un de ces petits puzzles de plastique — ceux avec les petits carreaux qu'on fait glisser pour en modifier la configuration, libérant la place pour un autre, et ainsi de suite jusqu'à ce que le puzzle montre une image simple et identifiable.

Mais il connaissait aussi la véritable raison pour laquelle Jessie tenait à l'emmener. Elle voulait l'éloigner de Kit.

Dès leur première rencontre, John et Kit s'étaient entendus comme larrons en foire. (Ce qui incitait d'ailleurs John à se demander s'il avait des enfants.) Mais il savait aussi que cette sympathie mutuelle plaçait Jessie dans une impasse. Il était évident qu'elle ne lui faisait pas assez confiance pour le laisser avec sa fille. Ce que John, à vrai dire, ne pouvait lui reprocher. La fillette était un véritable joyau — une enfant de sept ans à la maturité exceptionnelle — et John lui-même aurait été peu enclin à la confier à un étranger. Même s'il eût été plus simple d'installer Kit chez les voisins pendant que John attendait au motel, il pouvait parfaitement comprendre l'attitude excessivement protectrice de Jessie.

— Je vous le promets, dit-il doucement. Je ferai ce que vous me direz.

— Levez la main et répétez après moi : « Moi, John McNally... » Allez, dites-le !

John sourit, en dépit de sa tension nerveuse. Il leva la main droite et répéta :

— Moi, John McNally... Je jure que je suivrai à la lettre les ordres et instructions de la grande déesse détective.

Jessie le regarda.

— C'est bien, John. Parce que nous nous apprêtons à prendre de vrais risques. Vous comprenez ce que je dis ?

— Oui, je comprends.

Il y eut un long silence, troublé seulement par le bruit du vent.

— Le poste du Secteur 13 se trouve dans un coin isolé de Pullman, dit Jessie en allumant une cigarette. (La fumée voltigea au-dessus de sa tête.) Pas très loin de

Calumet. Je suis passée plusieurs fois devant quand je travaillais pour la police départementale.

— Vous pensez que notre flic pourrait se trouver dans ce poste ?

Jessie haussa les épaules.

— Ce n'est pas le commissariat le plus proche de Higinbotham Woods, mais c'est le plus proche avec une équipe de flics des Homicides de Chicago.

John hocha la tête.

Le plan de Jessie voulait qu'ils commencent par le poste de police situé au plus près de la clinique Reinhardt. (John avait été stupéfait d'apprendre qu'elle avait été flic, et qu'elle avait gardé quelques amis dans le service, ce qui lui permettrait sans doute de soudoyer un de ses copains pour qu'il jette un coup d'œil sur le portrait-robot du flic assassin.) Son intention était d'identifier le flic qu'ils cherchaient. Puis elle se présenterait à lui, comme témoin oculaire. Elle prétendrait avoir vu cet ignoble scélérat, John McNally, traverser ses plants de tomates trois jours plus tôt — ou une autre idiotie du même genre —, et qu'elle avait pensé qu'il était de son devoir de le signaler. Elle le ferait parler, et en tirerait le plus d'informations possible. Jessie voulait aussi prendre les empreintes digitales de John et les faire vérifier. Mais cela exigerait beaucoup de temps et de manœuvres. En outre, une telle démarche pouvait les trahir et les faire arrêter.

Il tourna la tête et regarda le paysage à travers les vitres teintées.

Les centres commerciaux et les bois épars avaient cédé la place dans les quartiers sud à un océan de toits et de ciment nu. La lumière plombée accentuait l'effet de brume de la pollution qui venait l'après-midi de Midway, Gary, et des aciéries. Une odeur lourde et pharmaceutique se répandait dans l'air, comme si l'on avait renversé plusieurs sirops poisseux.

John était juste en train de se dire qu'un verre d'un

breuvage un peu raide ne lui ferait pas de mal, quand la voix de Jessie lui parvint aux oreilles.

— John ? Vous êtes là ?

Il leva les yeux vers elle.

— Désolé, je... je réfléchissais.

— Ouais, eh bien, réfléchissez plutôt à ce que je vais vous expliquer. Il y a une ruelle, juste en face du poste de police, de l'autre côté de la rue. C'est là que vous m'attendrez pendant que je serai à l'intérieur. C'est l'endroit idéal, car elle offre plusieurs chemins de fuite... Au cas où les choses tourneraient mal. Il y a une sortie à l'autre bout, une deuxième qui mène dans un immeuble voisin, et une dernière, l'échelle de secours. Vous me suivez ? John ?

John lui assura qu'il la suivait parfaitement.

Ils quittèrent l'autoroute à hauteur de la 111e Rue et continuèrent en direction du lac. Dix minutes plus tard, Jessie s'engageait sur le parc de stationnement, à deux rues du commissariat. Elle se gara et ouvrit le coffre de la Caddy, d'où elle sortit plusieurs objets : le grand cartable de cuir dans lequel elle avait dissimulé le portrait-robot du flic, le journal écorné et son Beretta 9 mm avec deux chargeurs de réserve. Ils prirent une ruelle qui longeait deux entrepôts miteux en brique grise, puis tout droit. Jessie s'était trompée. La ruelle ne se trouvait pas « juste en face » du poste de police. Elle en était même assez éloignée.

— J'y resterai un quart d'heure, pas une seconde de plus, dit Jessie, tout en conduisant John derrière un container métallique, près de l'entrée de la ruelle. (De là où il était, il apercevait tout juste les marches du commissariat.) Vous ne bougez pas d'ici avant que je vienne vous chercher. Compris ?

John lui assura qu'il avait bien compris.

Elle sortit le portrait-robot de son cartable, puis donna celui-ci à John.

— Je prends le portrait. Je vous laisse le revolver. Les

détecteurs de métal à l'entrée le repéreraient. N'y touchez pas. C'est strictement une arme qu'on jette, ce qui veut dire que si vous êtes cerné, vous la jetez à terre. Vous comprenez ?

John hocha la tête. Il la suivit des yeux quand elle tourna les talons et s'engagea à grands pas dans la rue.

Il ne lui fallut que quelques secondes pour dépasser le petit pâté de maisons et disparaître à l'intérieur du poste de police.

John frissonna, dans l'air frais et humide. Il voyait bien que pour les flics de Chicago, c'était un jour comme les autres. Devant le poste, des voitures de patrouille étaient garées en épi le long du trottoir. Quelques agents de quartier appuyés sur le capot de leur véhicule observaient négligemment la rue en buvant du café dans des gobelets en carton. John fouilla la rue du regard, dans les deux sens. C'était un quartier déprimant. Beaucoup d'entrepôts industriels, mais aussi quelques bâtiments de grès brun, des studios et des galeries : le résultat de la « réhabilitation » rampante du secteur — ici un arbre chétif, là un nouveau banc d'arrêt de bus, tout décapé, préfabriqué.

Mais pour l'essentiel, c'était toujours le vieil univers minable des rondes de flics et des sans-abri.

John avait plus que jamais envie de boire un verre. Il avait la gorge serrée, l'estomac retourné, les narines desséchées, et son cuir chevelu le démangeait sous la perruque grotesque et la casquette de base-ball. Un seul verre. Rien de spécial. Juste un ou deux doigts de Tanqueray. Oui, ce serait parfait.

Il ferma les yeux et pria Dieu de pouvoir avaler un verre le plus vite possible.

Tout à coup, une violente nausée lui empoigna les tripes. Il tituba et dut s'accrocher au bord graisseux du container pour ne pas tomber. Une foule d'images aussi fulgurantes qu'un feu d'artifice monta à l'assaut de son cerveau. Images de visages mutilés, une scène de théâtre, de la viande pourrissante, et les mots d'un dément :

202

« J'imprègne des cellules vides avec les miennes, qui sont utiles. Puis je rentre chez moi dans la nuit, plein de paix et de satisfaction retrouvées. J'ai joué mon rôle. J'ai rempli de sens et de valeur un récipient vide. » Et enfin, une vague puissante le submergea, une fraction de seconde. Un désir primitif, animal. Ce que doit ressentir le fauve qui traque sa proie. Une soif de sang brutale, toute de crocs et de salive tiède, qui jaillit des entrailles de John comme une éruption d'adrénaline.

Le frisson de la chasse.

Puis cela disparut aussi brusquement que c'était venu.

Il n'y avait plus rien, à l'exception d'un écran blanc dans le cerveau de John, et son propre murmure :

— Rien qu'un verre, mon Dieu, un seul...

Un pâté de maisons plus loin, un jeune homme costaud tout de noir vêtu était penché sur le volant de sa voiture d'importation rouillée. Il avait du mal à respirer, et la réverbération du soleil sur son capot le faisait grimacer.

Il transpirait abondamment. Il essayait de rassembler ses esprits, de faire en sorte que son cœur reprenne un rythme régulier.

Billy Marsten n'avait jamais essayé de suivre quelqu'un sans se faire remarquer — en tout cas, pas dans les rues encombrées de Chicago — et la tension qu'il avait dû supporter l'avait épuisé. Il avait l'impression d'avoir des aiguilles dans les yeux, ses membres étaient douloureux, et sa gorge aussi sèche qu'une mine de sel. Mais apparemment, il avait réussi. Ni McNally ni cette détective ne semblaient avoir remarqué sa présence, et c'était tant mieux. Cela signifiait que tout l'argent dont Billy avait inondé le professeur Harkonian pour identifier l'immatriculation de la Caddy n'avait pas été dépensé en vain. Plus important, cela signifiait qu'il allait pouvoir continuer à surveiller son héros de loin, et peut-être mettre la main sur le suprême *collector* dont pouvait rêver un fan tel que lui.

La photo d'un maniaque célèbre en train de commettre un crime.

Billy prit son petit Nikon, vérifia qu'il était bien chargé puis le fourra dans la poche de sa veste de cuir noir.

Il était prêt.

Billy se retourna et scruta l'entrée de la ruelle, par la vitre arrière lézardée. Il discernait tout juste une ombre mince qui se découpait sur le mur de brique. La silhouette de John McNally. Belle, délicate. Dès que McNally aurait envie de remettre ça, Billy serait prêt. Billy serait juste derrière lui. Tout était parfait. *Presque.*

Le seul problème, c'était cette sensation de picotement dans la nuque, qu'il avait éprouvée dès l'instant où il avait retrouvé la piste de la Cadillac, à Randall, et qui depuis ne le quittait plus. Rien de concret, juste un vague malaise. Le fruit de son imagination, sans doute. Cependant, la sensation était réelle, et Billy se dit qu'il ferait aussi bien de regarder les choses en face.

Il avait le sentiment que quelqu'un le suivait, *lui*

32

Ligne rouge

Le poste de police, au loin, miroitait dans des vapeurs de chaleur et de pollution. John gardait les yeux fixés sur les ombres de l'entrée. Quelques minutes plus tard — des minutes qui lui semblèrent durer une éternité —, une silhouette aux formes généreuses passa la porte à doubles battants et descendit promptement les marches. C'était Jessie. Elle avait l'air nerveuse.

— Il se passe quelque chose de drôlement bizarre, murmura-t-elle en se faufilant dans la ruelle sombre et en tirant John contre le mur.

Elle avait le visage légèrement coloré et transpirait, autant d'avoir vivement traversé la rue que de l'excitation provoquée par ses découvertes. Elle dégrafa le haut de son corsage et plongea la main dans son soutien-gorge. (Ce geste laissa John pantois. Il était persuadé qu'on ne faisait cela que dans les romans et les films à sensation.) Elle en sortit une petite photographie noir et blanc montée sur carton. Celle d'un homme qui présentait des traits communs avec le portrait-robot de Beavers.

— Qu'est-ce que c'est ? demanda John.

— Que je sois pendue si ça ne ressemble pas à notre gars, dit-elle en se reboutonnant.

Puis elle lui donna la photo.

John ôta ses lunettes de soleil et l'examina dans la pâle lumière. Il fut pris de frissons, comme si une lame glacée courait sur ses mollets.

C'était l'homme qui était venu à la clinique Reinhardt pour le tuer. Appuyé contre une toile de fond peinte, vêtu d'un élégant costume sur mesure, il se tenait de profil, mais le visage tourné vers l'objectif. Son sourire était de pure convention. Il n'était que tension et froideur. La photo était assez ancienne — elle datait peut-être du début des années quatre-vingt, à en juger par le style du costume trois pièces et l'épaisseur de cheveux blonds que l'homme avait encore sur le crâne. Mais les yeux n'avaient pas changé. Des pierres ciselées, glacées, d'un profond bleu cobalt.

— Où avez-vous trouvé cela ?

John ne pouvait détacher son regard de la photo.

— OK. Voici toute l'histoire. (Jessie n'avait toujours pas repris son souffle.) Je m'arrange pour voir l'amie d'une amie, une certaine Marylou Chambers, qui travaille aux violations de domicile. Bon, elle n'est au courant de rien. Ne reconnaît pas le portrait. Etc., etc., etc. Elle me montre deux ou trois photos de groupe, dont une du club de bowling du Secteur 13. Rien. C'est alors qu'on l'appelle ailleurs. Coup de chance pour moi. Son bureau se trouve juste à côté des Homicides, et en face de leur salle d'archives. Je me glisse là-dedans, et je me mets à fureter...

— Vous avez trouvé ça dans la salle d'archives ? s'étonna John.

— Tout d'abord, je n'ai pas trouvé grand-chose. Puis j'ai découvert une corbeille près de la fenêtre, coincée entre deux vieux cartons pleins de dossiers. Sur le côté, il y avait une petite étiquette barrée d'un grand trait au feutre rouge. Je me suis dit : *ligne rouge*. Dans le jargon des flics, ça désigne une grosse affaire, le top secret. On aurait dit de vieux dossiers sur des affaires classées. Soudain j'ai entendu la fille remonter le couloir, alors je me suis empressée de fouiller dans la corbeille. Une pile de documents, des dépositions, des notes, et une chemise avec des photos...

— Dont celle-ci ?

— C'était la première du paquet, visible comme le nez au milieu de la figure. Le problème, c'est qu'au moment où j'allais m'emparer du reste... il y avait un matériel vraiment juteux, des photos de visages déformés, étranges, des choses sans signification apparente... la fille arrivait à son bureau. J'ai juste eu le temps de piquer cette photo, et de m'esquiver vers les toilettes des dames, et le tour était joué.

John fronça les sourcils.

— Des visages déformés, étranges ?

Jessie hocha la tête.

— Je sais que ça a l'air bizarre. Mais je ne peux pas le dire autrement. Des peintures et des dessins de visages tordus. Des gens à qui il manque d'énormes parties du visage. Ou bien ils venaient de subir une grave opération, ou bien l'artiste était sous acide quand il peignait. Il y avait autre chose... le mot *bacon*.

— Bacon ?

John secoua la tête en signe d'incompréhension, devant la totale absurdité de ce qu'il entendait.

— Oui, *bacon*. Je suis sûre d'avoir vu le mot *bacon* griffonné en travers d'une des notes.

John se demanda s'il s'agissait de la « viande » qu'il avait vue dans ses hallucinations. Il regarda de nouveau la photo de l'homme qui souriait.

— Je ne suis sûr de rien, pour le bacon et les visages déformés. Mais ce type est le bon, sans aucun doute.

— Regardez au dos, dit Jessie.

John retourna la photo. Il y avait une petite étiquette, avec un nom tapé à la machine.

Il lui fallut un millième de seconde pour comprendre. Durant cet instant, John eut l'impression qu'une boule d'acier avait jailli du papier pour le frapper au milieu du front, actionnant une gâchette raccordée à son système nerveux. Tout à coup, des lumières se mirent à clignoter, des cloches tintèrent, son cerveau fut traversé de vagues brutales de souvenirs sensoriels, son esprit envahi de quelque chose qui était vif, brillant, et terrifiant. Quelque chose au-delà des mots, au-delà de la lumière, du son ou des sensations.

— *Arthur Glass ?*

Il s'était suffisamment ressaisi pour prononcer ces mots avec effroi, d'une voix étouffée.

Jessie hocha la tête.

— Ouais, Arthur Glass[1]. Ça vous dit quelque chose ?

— *Glass ?*

John ne regardait plus la photo. Il essayait de se remettre du choc, il essayait de penser, les pulsations de son cœur cognant dans ses oreilles. Un bruit de course. Un sifflement étouffé, comme celui d'une bouilloire au loin. Le nom avait déclenché quelque chose en lui, tout comme *son propre nom* la première fois qu'il l'avait entendu.

— Ça a fait tilt dans votre tête ?

— On pourrait dire ça, répondit-il, les yeux fixés de l'autre côté de la ruelle, sur un monceau d'ordures déversé sur le trottoir et assiégé par des mouches.

— Que se passe-t-il ?

Jessie devenait nerveuse.

— Difficile à expliquer... (John regarda la photo. Les yeux de l'homme, tels des lasers, lui perforaient le cerveau. Qui était donc ce salaud, et comment avait-il retrouvé John à la clinique ?) Donnez-moi encore un peu de temps...

Tout à coup, des éclats de voix, des appels radio, attirèrent leur attention. D'un même mouvement, ils se tour-

---

1. Le mot signifie aussi « verre ».

nèrent vers la rue, portant leur regard sur les marches de pierre du poste de police.

— Nom de Dieu, ne me dites pas que... fit John.

Il glissa la photo dans son anorak.

— Merde ! siffla Jessie.

La rue était le décor d'une soudaine agitation. Plusieurs policiers en uniforme descendirent prestement les marches, la matraque à la main. Ils étaient suivis d'un groupe d'employés qui observaient la scène, serrés dans l'embrasure de la porte.

— C'est Dolores, dit Jessie, le souffle court. Elle a dû se pointer juste après mon départ.

— Dolores ?

— Dolores Loeb. La fille, là-bas, avec la coiffure gonflante, celle qui engueule Marylou.

Deux femmes s'étaient détachées du groupe et se tenaient au pied des marches. Celle qui dominait (et que Jessie appelait Dolores) était une femme corpulente avec une coiffure gonflante et une robe voyante en tissu imprimé. Elle s'adressait à l'autre femme (Marylou) en faisant de grands gestes. Leurs voix étaient presque audibles, malgré le bruit de la circulation. Dolores donnait des bourrades à Marylou, montrait le commissariat du doigt, tempêtait et lui donnait une autre bourrade. D'autres flics sortirent de l'immeuble. Ils jetèrent un regard aux deux femmes puis scrutèrent les alentours, les magasins en face. Ils cherchaient quelqu'un. Le cœur de John s'emballa lorsqu'il vit que des agents en uniforme traversaient la rue et se dirigeaient vers eux.

La femme nommée Marylou tendait le bras en direction du coin sombre où se cachaient Jessie et John.

— Oh, merde, elle nous a vus, murmura Jessie. (Elle prit John par le bras et l'attira vivement vers le fond de la ruelle.) Marchez vite, John, mais ne courez pas. Je répète : *ne courez pas !*

L'allée qui s'ouvrait à angle droit au bout de la ruelle était plus étroite ; ses murs de pierre étaient encrassés par le noir de fumée et couverts de graffitis. Alors qu'ils approchaient de l'intersection, John sentit les odeurs de détritus et d'urine. Son ouïe, magnifiquement stimulée par l'adrénaline, détecta une nouvelle nappe de bruits... Des bruits de pas, et d'autres appels radio.

— Arrêtez ! murmura Jessie d'une voix pressante, en l'agrippant par le bras.

Elle l'attira brusquement contre le mur et jeta un coup d'œil à l'étroit passage. John regarda par-dessus son épaule. À quinze mètres de là, un grand costaud avançait dans la pénombre. C'était un homme d'une cinquantaine d'années, qui portait une veste sport bon marché et une cravate encore plus minable. Il avait les cheveux coupés en brosse et le visage fatigué d'un basset, avec une barbe de cinq jours. Ce type avait le mot « flic » écrit sur le front. Sans doute un inspecteur, en poste au commissariat que Jessie venait de visiter. Ses bruits de pas rapides se répercutaient sur les murs de pierre.

— Fichons le camp, chuchota Jessie en ramenant John vers la ruelle principale.

— Un flic ? murmura-t-il.

Elle hocha la tête.

— Et je vous parie à dix contre un qu'il s'est un peu laissé « emporter », ces derniers temps...

— Que voulez-vous dire ?

John ne comprenait plus rien.

— Je vous expliquerai plus tard. Allons-y.

Ils avaient parcouru à peine trois mètres lorsque la silhouette d'un autre gaillard apparut à l'entrée de la ruelle, sa veste de velours battant au vent. Encore un flic en civil, sans aucun doute. Celui-ci était plus jeune, prématurément chauve, et l'insigne de sa fonction était fixé à la poche de sa veste. Il brandissait un revolver, et son expression montrait qu'il ne plaisantait pas.

— On ne bouge plus, Bales ! hurla-t-il.

Il leva son arme, le corps en position de tir.

Tout se passa alors très vite.

John sentit que Jessie, d'une poigne d'acier, lui prenait à nouveau le bras. Elle le tira violemment de l'autre côté de la ruelle — assez violemment pour faire tomber sa casquette et ses lunettes de soleil. Ils s'enfoncèrent dans une niche de moins d'un mètre de profondeur, qui puait la pierre froide et l'urine. La porte métallique de l'entrée de service, démunie de poignée, était solidement verrouillée. Et puis John n'en crut pas ses yeux. *Jessie plongeait la main dans sa poche, sa poche à lui, pour y prendre le revolver.* Il voulut dire quelque chose, lorsque — *BANG !* — le tonnerre retentit dans la ruelle derrière eux. Il tressaillit. Sans doute un coup de semonce du flic chauve.

— *Bales !*

— Couvrez-vous les yeux ! dit Jessie.

Elle leva le Beretta, le pointa droit sur le loquet récalcitrant et appuya sur la détente — *BANG !* Un craquement sec, comme le bruit d'un flash, explosa dans le crâne de John, puis un jet de poussière brûlante lui toucha la joue quand il tourna la tête. Ses oreilles tintaient, sa vision s'estompait. Les choses repartirent de plus belle. Jessie balança un coup de pied dans la porte, qui se plia vers l'intérieur avec un grincement épouvantable, libérant une bouffée d'air empoisonné.

Jessie propulsa John dans les ténèbres béantes, puis repoussa la porte derrière eux.

33

Les groupes spéciaux

Les couloirs sombres et le labyrinthe des salles de l'entrepôt abandonné de la Dayton-Hudson étaient comme le système sanguin d'un cadavre — artères durcies et veines évidées menant à des lieux morts comme des organes disséqués et oubliés. Des bruits de pas résonnaient, semblables aux murmures des morts, alors qu'ils écrasaient des morceaux de verre et de vieux emballages de bonbons. Mais au plus profond de ce Léviathan mort — juste hors de vue, juste au-delà des limites de l'ombre — se dissimulait un corps étranger. Un virus. Un virus intelligent.

Il était capable d'imposer sa volonté, et il avait une obsession. Il s'était baptisé Death.

Death se mouvait furtivement à travers de sombres passages, les sens aiguisés, en éveil, l'attention concentrée avec la précision d'un laser sur les deux cibles qui se trouvaient devant lui. Elles progressaient à tâtons le long de murs carbonisés, vers la faible lueur qui émanait d'une des portes voûtées. Death savait où elles allaient, *avant même qu'elles le fassent*. Les portes menaient au couloir des locataires, là où les commerçants qui occupaient ces locaux avaient installé leurs réserves. Tout en se tenant

212

hors de vue, hors de portée de voix, contrôlant sa respiration, contrôlant ses organes vitaux, Death était capable de suivre sans un bruit le couple qui se dirigeait vers la lumière.

Vers la prochaine étape du voyage.

Vers la prochaine découverte.

La pièce était un lieu de perdition baignant dans une lumière fluorescente verte. Les murs étaient couverts de papillons, de dragons, de crânes, de femmes nues et de roses ardentes. Jessie s'y engouffra comme si rien ne pouvait l'arrêter. John essayait de comprendre ce qui se passait tandis qu'elle le traînait vers l'avant, son Beretta dissimulé derrière son dos, en murmurant des banalités. « Chéri, je t'avais bien dit que nous prenions la mauvaise route, à l'office du tourisme, mais est-ce que tu m'as écoutée ? Bien sûr que non ! » Il lui fallut un certain temps pour réaliser qu'ils traversaient un petit salon de tatouage sans aération, et que le bourdonnement provenait de la pointe électrique. Un succès de Creedence Clearwater grésillait dans les haut-parleurs à moitié fichus. L'air était si épais qu'on aurait pu l'étaler sur un toast, et tous les occupants du lieu avaient le teint blafard — rien que des costauds au crâne rasé, regard torve et veste de cuir, l'air hébété. Leurs yeux injectés de sang suivaient John et son associée extraterrestre aux ongles longs, des jambes magnifiques et des cheveux « coucher de soleil sur le désert » qui se balançaient à chacun de ses pas énergiques. « Chéri, je te prie de croire que désormais on se servira des cartes de l'Automobile Club ! » Il vit Jessie contourner un vieux fauteuil de dentiste miteux, se glisser entre deux autoclaves rouillés, et s'excuser auprès des intéressés, tout en se dirigeant vers la porte d'entrée.

Un malabar vêtu de cuir surgit de l'ombre et lui bloqua le passage.

— Qu'est-ce qui se passe, bordel ?

Ça ressemblait plus à un bruit de tuyauterie percée

qu'à une voix humaine, et c'était plus une invective qu'une véritable question. Il avait une tête énorme et de longs cheveux raides et raréfiés qui lui tombaient dans le dos comme de fines queues de rat. Une larme était tatouée sur son visage.

— Excusez-moi, Ace.

Jessie parla d'une voix cordiale mais déterminée, le regard fixé sur la porte qui se trouvait derrière le type. Dehors, c'était un concert de sirènes et de cris.

— Qu'est-ce que vous foutez dans ma réserve ? Vous essayez de me filouter ?

Le malabar ne recula pas d'un pouce. Il grimaçait, ou affichait un sourire narquois... La rangée de dents pourries que découvrait le mouvement de ses lèvres ne permettait pas d'en être sûr.

— Désolée, Ace, mais mon mec et moi on s'est un peu perdus, vous savez comment c'est...

Jessie tendait le cou pour voir par-dessus les larges épaules du malabar.

— Non, je ne sais pas comment c'est. (Il la repoussa et croisa ses gros bras sur sa poitrine, tels deux gros troncs d'arbres rugueux.) Qu'est-ce que c'est que cette foutue arnaque ?

John s'avança pour prendre la parole, lorsque Jessie l'arrêta d'un geste de la main.

— Tout va bien, chéri, cet aimable monsieur a parfaitement raison, dit-elle, sans quitter le malabar des yeux. Il veut simplement savoir comment nous avons pu perdre à ce point.

— C'est ça, ma petite dame, grogna le géant. Je voudrais bien savoir comment vous avez pu vous égarer au point d'atterrir dans mon arrière-salle.

— Rien de plus normal, dit Jessie.

Elle avança timidement d'un pas. Tout à coup, John comprit ce qu'elle était en train de faire, et il n'y avait rien de timide là-dedans. Elle avait une idée derrière la tête en se postant ainsi devant le malabar. C'était évident,

214

vu la manière dont elle redressait les épaules, écartait les pieds et serrait les poings. Elle avait des projets pour cet homme, qui allaient au-delà des plaisirs de la simple conversation. Oui, bien sûr, elle avait de grands projets pour ce lourdaud tout en muscles.

— Monsieur, dit-elle doucement, c'était une simple erreur. Nous sommes passés par votre entrée de service, là derrière, car nous pensions que ça nous permettrait de rejoindre la rue. Nous vous présentons nos excuses pour tout le dérangement...

— Vas te faire foutre ! vociféra le géant, en la noyant sous son haleine putride.

Jessie sourit.

— Ne me dites pas que je dois faire appel au bon vieux Persuasif...

L'expression de l'homme se modifia imperceptiblement.

— Qu'est-ce que c'est que ce Persuasif ?

La suite fut si rapide, si brutale, que John douta un instant d'avoir bien vu ce qui s'était passé. Le corps de Jessie sembla se projeter en avant, comme celui d'une danseuse de ballet qui s'incline dans une arabesque, et son genou remonta comme un piston vers l'aine du malabar. Il frappa avec la rapidité du cobra — et la force d'un marteau-pilon. L'effet fut immédiat. Le géant suffoqua, puis chancela un instant vers l'arrière, les lèvres retroussées, tout son corps se repliant soudain comme un poing qui se ferme. Il s'écroula contre le mur du fond, arrachant au passage quelques images de papillons et de dragons.

Jessie empoigna John et l'entraîna vers la porte.

La rue bouillonnait d'activité. Des sirènes tournoyaient dans le lointain, les gens levaient leurs stores, se penchaient aux fenêtres ou sortaient sur le pas de leurs portes, descendaient les marches de leurs duplex et de leurs immeubles pour mieux profiter du spectacle. C'était presque l'heure de pointe. Dans le quartier, la circulation commençait à s'animer. Le vent charriait des odeurs de poubelles et de gaz d'échappement. Tenant toujours fermement la main de John, Jessie gagna le trottoir, qu'elle longea d'un pas vif. Pas de quoi éveiller les soupçons, mais assez vite pour mettre une certaine distance entre eux et les flics. De temps en temps, John jetait un regard par-dessus son épaule et regardait autour de lui, comme tous les badauds qui essayaient de voir ce qui se passait, cherchant la scène d'un crime et espérant apercevoir un carnage. Enfin, il fit un geste en direction du salon de tatouage.

— Comment diable avez-vous... ?

— Ce n'est rien, vraiment, l'interrompit Jessie, en scrutant la rue devant eux. J'ai appris ça chez les Éclaireuses. Mais nous ne sommes pas sortis de l'auberge. Continuez d'avancer, sans vous retourner. Il ne faut pas non plus donner l'impression d'avoir le diable à nos trousses.

— Que se passe-t-il, Jessie ? Qu'est-ce que vous vouliez dire tout à l'heure, à propos de ce flic qui s'était laissé *un peu emporter* ?

Jessie jeta un coup d'œil à l'agitation qui régnait derrière elle — les badauds, et les flics, au loin, qui descendaient la rue.

— C'est quelque chose qui me travaille depuis que vous m'avez raconté votre histoire. Ce flic meurtrier qui est venu à la clinique.

— Arthur Glass... Et alors ?

— De temps en temps, on entend parler de ces groupes clandestins issus des services de police. Des groupes d'autodéfense. Des flics qui décident de régler eux-mêmes certaines affaires...

Elle s'interrompit, et John sentit qu'elle était à nouveau inquiète. Elle regardait sans cesse par-dessus son épaule. Précisément ce qu'elle avait recommandé à John de ne pas faire. Son visage était couvert de perles de sueur, la nervosité et son grand trouble lui donnaient un regard vitreux.

— Mon amie Dolores me l'a confirmé, l'autre soir, dit-elle enfin.

Puis elle lui fit un bref topo sur les groupes d'autodéfense dans la police.

John l'écoutait attentivement, tandis qu'ils se hâtaient de rejoindre le coin de la rue. Sa nuque le brûlait. Tout son corps lui faisait mal. Ses muscles se rappelaient à chaque pas à son souvenir. Il avait l'impression d'être une cible. Et ce nom qui voltigeait dans les recoins les plus sombres de son esprit — *Arthur Glass* — grinçait comme un ongle sur une ardoise.

La rue s'arrêtait là, à un carrefour en T. Devant eux se dressait une grande usine — un bloc monolithique de brique et de ciment gris, qui s'étendait sur plusieurs pâtés de maisons. La rue perpendiculaire qui la longeait était un étroit ruban d'asphalte. C'était plus une voie d'accès qu'une véritable rue. Les passants étaient moins nombreux. Il n'y avait que deux adolescents perchés sur le capot d'une grosse voiture, au bout de la rue, qui les regardaient.

— Vous pensez que Glass était un de ces flics pourris ?

— Je n'en sais rien.

Elle marchait de plus en plus vite. Ses yeux couraient de part et d'autre, inspectant la rue transversale.

— Ce n'est pas pour rien que sa photo se trouvait dans ce dossier classé « rouge ». Peut-être a-t-il quitté le service, peut-être a-t-il été révoqué. Peut-être appartenait-il à une sorte de détachement spécial. Comment savoir ?

Arrivés au coin, ils tournèrent à droite.

— Tout ce que je sais, murmura John, c'est que quelqu'un a assassiné cette pauvre réceptionniste, à l'hôtel Blue Island. Et les autres. Les victimes décrites dans le journal...

— Ouais, eh bien, vous pouvez être sûr...

Jessie s'interrompit.

217

— Que se passe-t-il ?

John regarda des deux côtés de l'étroite rue bitumée, puis leva les yeux vers l'immense monolithe de brique avec ses innombrables fenêtres crasseuses, le plus souvent aveuglées par des couches de peinture noire. Plusieurs grandes portes, semblables à des entrées de garage, étaient ouvertes, et on y voyait un peu de mouvement. C'était bientôt l'heure du changement d'équipe, et les ouvriers pointaient à la sortie.

— Comment vont vos jambes ? demanda soudain Jessie.

Elle s'était mise à se déplacer de côté, tendue comme un chat qui fait le gros dos.

— Que voulez-vous dire ?

— Nous allons sans doute devoir courir un peu.

Elle lui indiqua d'un léger mouvement de tête l'autre côté de la rue, où une voiture de patrouille blanc et noir, avec une longue antenne radio et des gyrophares bleus, venait de s'engager. Elle abritait deux agents en uniforme. Elle roulait lentement à moins de cent mètres d'eux, se rapprochant dangereusement.

— Oh, bon Dieu ! murmura John, quand le flic qui tenait le volant croisa son regard.

Soudain, le moteur vrombit.

Et le véhicule se lança à leur poursuite.

34

Dans la gueule du monstre

— Par ici !

Jessie fonça vers le coin de l'usine. John détala à son tour.

Il leur fallut moins d'une minute pour atteindre la limite est de l'usine. John courait à toutes jambes. Le cartable frappait en rythme son dos, il avait les jambes brûlantes, douloureuses. Jessie filait à quelques pas devant lui, son pull-over ballotté par le vent. Elle courait diablement vite (sans doute avait-elle fait du sport au collège), et John avait du mal à la suivre. Elle dépassa en trombe le coin du bâtiment. Et au moment précis où lui-même passait le coin, il eut l'impression que l'air lui éclatait au visage, dans une explosion de bruit et de métal.

Un semi-remorque fonçait vers eux dans un mugissement de klaxon, le moteur hurlant.

— Attention !

Jessie fit un bond de côté pour l'éviter. John l'imita. Ils se jetèrent contre le pignon de l'immeuble alors que le dix-huit-roues les dépassait dans un bruit de tonnerre, suivi d'un tourbillon de poussière et de fumée de diesel. John comprit tout de suite qu'ils avaient pris la mauvaise direction — cette voie étroite à sens unique menait probablement à un quai de chargement ou à une rampe d'accès pour camions. Au même moment, derrière eux, des crissements de pneus sur le ciment dominèrent le bruit du camion. Des claquements de portières et un chœur de voix menaçantes leur firent comprendre que les flics étaient à pied, désormais — qu'ils les poursuivaient *à pied* —, alors que d'autres poids lourds arrivaient, des semi-remorques, des camions à plateau, des bétonneuses, soulevant des nuages de poussière épais comme le sirocco dans le désert.

John sentit qu'on le tirait par la manche.

— Par ici ! cria Jessie.

Elle l'entraîna à l'autre extrémité de la rue, puis ils empruntèrent un trottoir inégal vers l'intersection des rues Sallee et Wayne. John regarda par-dessus son épaule. Aucune trace des flics. Est-ce qu'un camion les avait réduits en charpie ? Est-ce qu'ils avaient demandé du renfort ? Ou avaient-ils pris un raccourci ?

— On ferait mieux de quitter cette rue ! brailla-t-il à l'adresse de Jessie.

— Taisez-vous, et suivez-moi !

Elle l'entraîna vers le carrefour. Il y avait là un arrêt d'autobus, un petit banc de pierre en ruine, une affiche à moitié décollée de l'équipe d'un journal télévisé local et, à côté, les marches couvertes de graffitis d'une station de métro.

— En bas ! s'exclama Jessie.

Et John descendit derrière elle les marches qui s'enfonçaient dans l'obscurité fraîche et malodorante.

Il régnait dans le métro cette atmosphère étrange, éthérée, que la plupart des citadins trouvent parfaitement naturelle. C'était le pays sous la ville, un immense squelette de granit et d'acier, un monde différent où l'air était aussi confiné et acide que celui d'une cave à vin. Un lieu froid et humide en été, trop chaud en hiver, et constamment pollué par des sous-produits humains — urine, crachats, odeur *sui generis*, chewing-gum fondu, plus la crasse accumulée pendant un siècle. Les bruits de pas semblaient se répercuter à l'infini, et les graffitis étaient omniprésents. Mais il y avait aussi un côté énigmatique — onirique —, comme si à tout moment n'importe quoi pouvait arriver. Peut-être était-ce dû au mouvement continuel des trains, à la vitesse, ou à la fonction transitoire de l'endroit. Quelle qu'en soit la raison, John eut le sentiment d'entrer dans la gueule d'un monstre.

Ils s'arrêtèrent un moment en bas des marches. Deux guichets encadraient trois tourniquets métalliques. Jessie se rua sur celui de droite, fouilla dans sa poche et plaqua un billet de cinq dollars sur le comptoir. Elle n'attendit pas sa monnaie.

John la suivit. Ils passèrent le tourniquet et traversèrent le quai de ciment.

La station de Wayne Street était noire de monde. Il s'agissait surtout de banlieusards qui attendaient la rame de la ligne B : mères de famille avec des sacs de supermarché, debout près des voies, sous les tubes fluorescents ; adolescents qui traînaient près des distributeurs de boissons, tout au fond ; quelques hommes d'affaires en trench-coat, l'air égarés — appuyés contre le carrelage crasseux du mur, ils lisaient le journal ou consultaient leur montre avec impatience. Au milieu du quai, un musicien de rues avec un jean rapiécé et des mitaines jouait « Sweet Home Chicago » au saxophone. Il ne prêta aucune attention à Jessie et John qui quittaient la zone éclairée pour gagner un renfoncement obscur au bout du quai, délimité par deux énormes remparts de béton. Le sol était jonché de mégots et de bouteilles vides, et l'air empestait l'urine et la pourriture. Tout à coup, John eut conscience que quelque chose n'allait pas. La tête lui tournait, il avait la chair de poule, et il ressentait cet élancement aux tempes révélateur d'un début de crise.

— Jessie... commença-t-il.

Elle le coupa d'un geste bref.

221

— Attendez, tenez bon... (Elle tendit le cou pour voir au-delà du bord, pour voir si les flics les avaient suivis dans le métro.) Voilà un train. Si les flics ne se montrent pas, nous embarquons.

— Je ne me sens pas très bien, murmura-t-il.

— Accrochez-vous, John.

Il contint tant bien que mal son étourdissement. La puanteur ambiante ajoutait à son vertige, menaçait de lui faire perdre l'équilibre, de l'entraîner dans les ténèbres. Il essaya de se concentrer, à travers l'obscurité du tunnel, sur la tête d'épingle lumineuse qui fonçait sur eux. Deux rames arrivaient, presque simultanément, de deux directions opposées, sur des voies parallèles. Leurs gémissements discordants s'intensifiaient, jusqu'à ressembler à de véritables hurlements de douleur. Les voyageurs s'avancèrent vers le bord du quai, prêts à embarquer. Par bonheur, il n'y avait pas de flic en vue.

— Jessie, hum, j'ai un petit... euh... *un petit problème*, dit John en lui agrippant le bras.

Sa poitrine se bloquait, il avait de plus en plus de mal à respirer. Les sons et les couleurs se brouillaient, des fusées éclataient devant ses yeux, comme un feu d'artifice. Ses oreilles tintaient, assourdies par la mélopée des trains qui approchaient. Le tunnel s'emplit de bruit et de lumière. Le quai frémit.

Elle lui prit le bras.

— Accrochez-vous, John, on va bientôt être tirés d'affaire. Dès que le train s'arrêtera.

— Jessie...

Il chancela en arrière, sa tête heurta le ciment crasseux, une douleur aiguë lui transperça la tempe. Il effleura du bout des doigts la ligne de points de suture au-dessus de son œil droit. Cela lui fit l'effet d'avoir une fermeture Éclair au fond du crâne. Sa vision s'élargissait, s'enflammait. Il fut submergé par le bruit du train. Il sentit que Jessie lui agrippait le bras. Elle s'apprêtait à le tirer vers la rame qui allait au nord, celle qui venait d'entrer dans la station en grondant, et qui freina bruyamment avant de s'arrêter.

Au même instant, de l'autre côté des voies, l'express du sud traversa la station dans un grondement de tonnerre, en soulevant un nuage de poussière et de détritus. John regarda le stroboscope des fenêtres défilant devant lui. Il vit les visages maussades tournés dans sa direction.

Dans sa tête, quelque chose se déclencha.

Durant un instant qui lui sembla une éternité, son passé submergea sa mémoire, telle une vague déferlante.

Il a douze ans, il se trouve dans la chambre de ses parents dans leur mobil-home, tout en longueur, il est enfant unique — ses parents l'appellent John-John. Il fouille dans le minuscule placard de son père, poussé par une curiosité naïve et une activité hormonale débordante. Il trouve une boîte à chaussures, elle contient un tas de magazines interdits, Argosy, Gent, Police Gazette, Dude, Real Detective, *et des petites brochures où l'on voit des femmes en tenue légère, bâillonnées, attachées, les seins tendus, et des durs à cuire avec des chapeaux mous et des regards mauvais. Il est transformé. Penser que son père conserve ces saletés — son père, agent d'assurances, catholique fervent. Il en vole un exemplaire, l'emporte dans sa cabane dans les arbres, et se masturbe furieusement. Plus tard, il rêve de devenir un de ces durs à cuire.*

Un éclaboussement de lumière.

La scène s'évanouit aussi vite qu'elle était apparue, laissant de petits filaments de sang sur les cornées de John.

Les fenêtres du train clignotaient en rythme maintenant, comme un vieux juke-box, les visages impassibles des voyageurs glissant tour à tour de la lumière à l'obscurité, signaux de sémaphore, se métamorphosant comme par magie, devenant autant de symboles, d'images, de formes qui semblaient geler le temps et souder John à ce mur crasseux — John qui suffoquait, qui essayait de bouger mais ne pouvait pas, incapable de détourner son regard de ce film muet hypnotique :

Un bonhomme de neige en train de fondre, la tête de guingois, ses yeux de cendre lui tombant du visage (Maman et moi), un berger allemand descendant ventre à terre un sinueux chemin d'automne dans un tourbillon de feuilles mortes (moi et Laddie Boy), une voile claquant dans le vent du lac, une jeune femme lançant des regards noirs vers l'horizon (Gail), une allée sombre et étroite dans une bibliothèque (moi), de minuscules gouttelettes de sang sur le sol, minuscules gouttelettes qui laissent la place à des photographies noir et blanc...

John se cabra à nouveau contre le mur, suffoquant comme si quelqu'un lui avait maintenu la tête sous l'eau.

Une autre rafale d'explosions de lumière et de sons provoqua un déferlement épileptique d'images, une série de minuscules portraits dans les fenêtres en mouvement, une décharge d'énergie mentale établissant une nouvelle connexion, créant une autre scène au réalisme palpable :

Il est seul, à peine dix-huit ans, il porte la toge de fin d'études[1]. Il est le major de sa promotion, le premier de la classe — tous les garçons l'appellent « l'Intello » et aucune fille ne veut le fréquenter —, et il marche le long d'une ancienne carrière pleine d'eau de pluie, et le clair de lune fait miroiter l'onde saumâtre. Il tombe sur un couple à moitié nu, allongé dans la pénombre près de la rive — John-John les connaît, ils fréquentent le même cours d'anglais ; lui, c'est le capitaine de l'équipe de football ; elle, la première cheer leader[2] —, et il y a des bouteilles de Mad Dog vides dans l'herbe à côté d'eux, leurs toges sont roulées en boule dans l'herbe, et John-John se dissimule sous les arbres, il les regarde faire l'amour, il les regarde fumer un joint, et il les regarde dormir, et il se demande ce que ça fait d'être le sportif de la classe, ce que ça fait d'être cheer

---

1. Il s'agit de la toge traditionnelle que les étudiants portent le jour de la remise des diplômes.
2. Étudiante qui dirige et rythme les acclamations des supporters d'une équipe universitaire.

leader. Il a l'impression que son esprit sort de son corps en flottant, qu'il les pénètre, qu'il devient eux, qu'il ressent ce qu'ils ressentent...

Des explosions de lumière comme des mortiers. Il avait toujours le regard rivé sur les fenêtres du train, qui clignotaient et crépitaient en projetant à la vitesse de l'éclair des images de son passé :

Seul, toujours seul, il est assis dans une travée de la bibliothèque universitaire, devant une table étroite, le dos meurtri par le dossier dur des chaises. La lumière verdâtre baigne son visage, âme solitaire aux petites heures, les yeux irrités, contraint, obsédé, récitant mentalement la litanie : « La mort n'est rien... c'est l'absence de présence, rien de plus... le temps infini d'où personne ne revient jamais... une brèche qu'on ne peut pas voir, et lorsque le vent s'y engouffre, il ne fait aucun bruit.

Un long sifflement, le train gronda, les filaments de lumière brûlant comme des lampes à arc derrière les fenêtres. Puis il y eut beaucoup de lueurs colorées à l'intérieur des cadres :

Il se trouve sur une estrade dans une salle sépulcrale livrée aux courants d'air, qui sent le tissu moisi, la vieille colle et le diluant pour peinture ; le sol est fait de lattes de chêne soutenues par des poutres qui craquent à chaque pas ; et il y a des formes, des silhouettes dans l'obscurité, qui l'observent, et il s'accroupit dans une flaque de lumière réfractée (la méthode), il lève les yeux, les joues baignées de larmes comme s'il était sur le point de maudire Dieu, les mains couvertes d'un liquide poisseux (du sang ?), et ses habits sont déchirés, sa chair marbrée et balafrée, et il pleure, la perte de l'innocence, la perte de l'enfance, un chagrin si profond qu'il le dévore comme un cancer des os...

(La méthode !)

Maintenant la lumière s'épanouissait en un soleil, et le soleil se mua en supernova, dans laquelle se fondirent les fenêtres du train.

Il écrit, il écrit fiévreusement, de minuscules griffonnages dans de minuscules calepins, il est absorbé par La méthode, consumé par les dessins de femmes, d'équations mathématiques, de créatures mythiques, de démons, sa vie brûlée à poursuivre des cibles sur de longues étendues d'autoroute — seul, plus de famille, mère morte, père mort, plus d'emploi, plus d'identité.

La lumière explosa, oblitérant tout, ne laissant qu'une seule image :

Un panneau de signalisation, en lettres vertes fluorescentes — Vous quittez East Lansing — disparaissant dans le vide des ténèbres absolues.

Puis... Un claquement sec sur sa joue.

Toutes les images volèrent en éclats.

35

Des fantômes

— John, nom de Dieu, revenez sur terre !

Jessie le gifla à nouveau, le secoua au risque de l'assommer sur le carrelage du métro, essaya frénétiquement de le faire réagir. Elle entendait, derrière elle, les portes de la rame qui se fermaient. Elle se tourna vers le train. À trois voitures de là, le conducteur tendait le cou par la fenêtre. C'était un Noir maigrichon d'une trentaine d'années, qui portait des lunettes épaisses comme des culs de bouteille.

— C'est maintenant ou jamais, m'dame ! cria-t-il, en rouvrant les portes.

— Attendez une minute, pour l'amour de Dieu ! hurla Jessie, indignée. On arrive !

Elle se tourna vers John, le vit battre des paupières. Ses lèvres bougeaient faiblement. Il revenait doucement à la réalité. Jessie le secoua encore une fois, et l'encouragea avec force :

— Allons, John, grands dieux, il faut lever le camp d'ici !

— Ça va, maintenant, dit-il, haletant.

Il parvint à s'arracher du carrelage.

Jessie l'aida à monter dans la rame bondée. Ils s'assirent à l'arrière pour mieux surveiller les allées et venues des banlieusards, des adolescents turbulents et des hommes d'affaires las. Quelques instants plus tard, le train se remettait en marche. Il leur fallut un moment pour s'installer, reprendre leur souffle et rassembler leurs esprits. Puis Jessie dit à John :

— Vous êtes sûr que ça va ?

Il hocha la tête. Mais Jessie n'était pas convaincue.

Le pauvre John venait d'être victime d'une sorte de crise. Cela rappelait à Jessie les rassemblements pour le Renouveau de la Foi qui se tenaient jadis sous des tentes, en marge de la foire du Cœur de l'Illinois. Elle se glissait alors discrètement parmi les fidèles, pour les voir danser avec des serpents et parler dans des langues inconnues. De temps à autre, quelque pauvre fille se concentrait si fort sur sa prière qu'elle entrait en transe, la tête ballottant comme celle d'un chien en feutrine à l'arrière d'une voiture, les yeux révulsés. John s'était retrouvé dans le même état tout à l'heure, regardant bouche bée le train qui passait devant lui. Que diable avait-il vu ?

— Je sais qui je suis, fit-il soudain.

— Qu'est-ce que vous dites ?

Elle l'observa, décontenancée. Son visage s'était légèrement coloré sous le coup de l'émotion. Ses yeux brillaient. Par la fenêtre derrière lui, on voyait danser les étincelles projetées par les roues. Le halo de lumière autour de sa tête lui donnait un air éthéré.

— Je sais qui je suis. En tout cas, je sais d'où je viens.

— Que voulez-vous dire ? Quelque chose vous est revenu à l'esprit ?

Il hocha la tête, puis il lui parla de l'étourdissement qu'il avait eu en regardant passer la rame. Il lui décrivit les choses qu'il avait vues dans les fenêtres du train, les images de son enfance, les visages de ses parents et de ses professeurs. Il parlait d'un ton mesuré, mais si bas que Jessie avait du mal à l'entendre par-dessus le grondement du métro et les conversations des autres voyageurs.

Alors qu'il parlait, ses yeux s'emplirent de larmes, son menton se mit à trembler.

— Pour tout dire, je commençais à me demander si... si j'avais eu une enfance.

Jessie lui tapota l'épaule.

— Moi, je n'en ai jamais douté.

— Ravi que *l'un de nous* ait été si confiant.

Elle sortit du cartable un petit carnet auquel était accroché un stylo à bille, et y nota quelques remarques : *Ville du Midwest, enfant unique, rat de bibliothèque. Père agent d'assurances. Mère femme d'intérieur ?* Elle s'interrompit, et contempla John un moment.

— Quoi d'autre ?

Il reporta son attention sur les parois du tunnel qui défilaient à toute vitesse, les envolées d'étincelles bleues qui ressemblaient à des arborescences dans l'obscurité.

— J'étais un gosse nerveux, murmura-t-il.

Jessie reprit son carnet et y ajouta : *Solitaire, hormones suractives, outsider, frustré, curieux, introverti.*

— Mes parents sont morts, lâcha-t-il tout à trac.

— Vous en êtes sûr ?

— Ne me demandez pas comment je le sais. Mais je le sais.

Jessie écrivit encore quelque chose, puis releva la tête et demanda :

— Vous avez des souvenirs du collège ?

— Oui, certaines images, sans doute de l'université. Je ne suis pas sûr. Je me rappelle que je m'enfermais dans les études, que je me cachais derrière des piles de livres... et puis aussi... ces vers qui ne cessent de me trotter par la tête : « *La mort n'est rien... c'est l'absence de présence...* »

— Qu'est-ce que c'est ? Un poème ?

John secoua la tête.

— Je crois que ça vient de *Rosencrantz et Guildenstern sont morts.* Une pièce de théâtre des années soixante.

— Vous croyez que vous avez joué dans cette pièce ? Au collège, peut-être ?

Il haussa les épaules.

Après un temps de réflexion, Jessie insista :

— Aucune idée de l'endroit où se trouvait votre collège ?

— Si, en fait, je me rappelle, fit-il au bout d'un moment. J'ai vu un panneau.

— Un panneau ?

— Un grand panneau de signalisation d'autoroute. « VOUS QUITTEZ EAST LANSING. »

— East Lansing ? Dans l'Illinois ?

John secoua la tête.

Non. Celui du Michigan. Tout près de la petite ville où j'ai grandi. East Lansing, Michigan. La capitale de l'État. C'est là que se trouve la Michigan State University.

Jessie n'eut pas le temps de lui répondre. Le train vacilla, puis pencha à droite en prenant un virage à quarante-cinq degrés. Elle leva les yeux. Quelques passagers s'étaient levés. Ils se dirigeaient vers les portes, à l'avant et à l'arrière du wagon. La rame entrait dans une station — sans doute la 79e Rue, ou Comiskey Park, difficile de savoir. Le tunnel s'élargissait, bientôt plein de la lumière stroboscopique des lampes fluorescentes et de l'écho des présences humaines.

Jessie regarda par-dessus son épaule, vers la portière du fond. Il n'y avait que deux voitures derrière eux, bondées. Jessie se demanda s'ils seraient capables de s'échapper rapidement par là, au cas où les choses se gâteraient. Deux voitures seulement à traverser, un bond facile sur les voies — *Attention au troisième rail !* —, puis l'obscurité du tunnel.

— Qu'est-ce qui ne va pas ? lui demanda John.

— Rien, dit Jessie, en regardant de nouveau devant elle.

Le train entra en gare dans un bruit d'enfer. Il s'arrêta.

Les portes s'ouvrirent. Des voyageurs débarquèrent d'un pas traînant, d'autres montèrent de même. Jessie se leva, avec une sensation de picotement derrière les bras. Quelque chose n'allait pas, de nouveau. Elle le sentait. John se leva à son tour et fouilla la voiture du regard. Il semblait sentir quelque chose, lui aussi. Puis Jessie identifia le problème. Les deux flics en civil du poste de police de Calumet. Le Chauve et Monsieur Sifflet. Ils montaient dans la voiture qui suivait la leur.

— Oh, merde, lâcha-t-elle.

— Quoi ?

— Les molosses sont dans le wagon de queue.

Elle lui prit le bras et l'amena doucement dans l'allée, en distribuant des sourires aux autres voyageurs — *Ne vous inquiétez pas, il n'y a pas de fugitifs ici, rien que des gens normaux* —, et l'entraîna vers la voiture suivante.

— Soyez naturel, lui dit-elle à voix basse. Pas de mouvements brusques. Allons voir ce qui se passe plus loin.

La rame s'ébranlait pour quitter la station, tanguant, tressautant et cliquetant. Jessie s'arrêta devant la porte de communication et l'ouvrit d'un coup sec. Ils se retrouvèrent sur la plate-forme d'attelage, assaillis par l'odeur nauséabonde de la pierre humide et la cacophonie des roues d'acier jouant un solo de batterie sur les vieux rails. Jessie tira John en toute hâte dans la voiture suivante. Avant de refermer la porte, elle jeta un coup d'œil derrière elle. Les nouvelles étaient mauvaises.

Les deux flics les avaient repérés.

Après avoir traversé le train à grandes enjambées, leurs insignes bien en vue, en braillant à tout le monde de se baisser, ils n'étaient plus maintenant qu'à une demi-voiture d'eux. À en juger par leur expression, il était clair que ces types n'étaient pas simplement fâchés. Ils étaient fous furieux que Jessie et John leur aient faussé compagnie dans la ruelle. C'était une tout autre histoire, à présent. Une affaire personnelle.

— Changement de programme, murmura Jessie.

Elle poussa John dans la voiture suivante, puis vers la portière avant, dépassant des rangées de banlieusards moroses assis à trois de front sur des banquettes de vinyle froid dans une atmosphère pleine de tension, d'odeurs corporelles et d'après-rasages discordants. Elle regarda encore une fois par-dessus son épaule et vit les détectives approcher de la porte de communication. Le temps allait manquer. Jessie avait espéré que le train arriverait dans une autre station à temps pour leur permettre de s'éclipser sans qu'on les remarque. Mais il semblait bien que le moment était venu de recourir au plan B. Quasiment une manœuvre désespérée.

Ils atteignirent la dernière portière. Celle située juste à côté de la petite cabine du conducteur de la rame. Jessie prit John par les épaules.

— Écoutez-moi, John. Les choses se gâtent, alors je vais créer une petite diversion. Tout ce que je vous demande, c'est de rester collé à moi comme de la glu. Compris ?

John lui assura qu'il avait compris.

— OK. Donnez-moi le Beretta, dit-elle en plongeant la main dans le cartable.

À l'autre bout du wagon, la porte de communication venait de s'ouvrir. Les visages des inspecteurs se montraient dans l'ouverture. Sans perdre une seconde, Jessie se mit à frapper sur le panneau de la cabine du conducteur à coups redoublés, avec la crosse de son arme. Certains voyageurs devaient avoir aperçu le Beretta, car une vague de murmures se répandit le long des rangées de sièges.

La porte de la cabine s'ouvrit enfin, dans un craquement. Le petit mécanicien maigrichon leur jeta un regard interrogateur, à travers ses verres épais.

— Que diable se passe-t-il ?

— Arrêtez le train !

Jessie pointa le 9 mm sur l'arrête de son nez.

— Qu... Quoi ? bafouilla-t-il en louchant sur le canon.

— Arrêtez ce foutu train ! Tout de suite !

— Oui, m'dame...

232

Le mécanicien se tournait déjà vers son tableau de bord : un alignement de jauges, d'indicateurs lumineux, de boutons, et deux poignées d'aluminium fixées sur un bloc métallique, à un mètre du sol. La première contrôlait la vitesse. L'autre, c'était le frein.

Le mécanicien tira d'un coup sec sur le second.

Les conséquences furent beaucoup plus dramatiques que tout ce que Jessie avait prévu.

36

Le visage de la mort

Sur l'échelle des catastrophes, ce ne fut *certainement pas* une des plus graves que Chicago ait connues. La palme, bien entendu, revenait au Grand Incendie de 1871. Puis, en suivant la chronologie, on pourrait mentionner les émeutes de Haymarket Square en 1886, le naufrage du navire de plaisance *Eastland* en 1915, les diverses fusillades de la pègre pendant la Prohibition, l'explosion de violence lors de la Convention démocrate en 1968, voire l'inondation de 1992.

Durant sa longue et illustre histoire, le métro de Chicago avait certainement connu, quant à lui, sa part de désastres. Depuis le percement des premières lignes souterraines à la fin des années trente, ses grandes cavernes avaient vu nombre de déraillements, d'électrocutions, de suicides, et toutes sortes de désordres. Le troisième rail à lui seul — qui charrie en permanence assez de jus pour faire frire un régiment — avait fait nombre de victimes au cours des années. Inutile de dire que le chaos qui s'installa après que Jessie Bales eut fait arrêter le train n'était rien en comparaison de la plupart de ces incidents.

Ce qui ne veut pas dire pour autant que John et Jessie purent s'échapper facilement.

— *Allez-y ! Maintenant !*

La voix de Jessie était presque noyée dans le raz-de-marée sonore qui suivit l'arrêt brutal de la rame. (Les passagers protestant et criant, leurs journaux, leurs sacs de commissions, leurs mallettes et leurs parapluies se renversant à grand bruit sur le sol, tandis que le moteur chuintait comme un grand fauve à l'agonie.) Les deux flics avaient valsé, comme tout le monde. Le premier avait atterri sur les genoux d'une grosse femme. Le second avait été projeté à terre, son crâne heurtant violemment une rampe métallique.

Les portes s'ouvrirent automatiquement, révélant un mur de ciment lézardé à quelques centimètres du wagon.

Jessie saisit John par la manche, l'obligeant à sauter avec elle. Ils se retrouvèrent sur la pierre humide, un mètre cinquante sous le niveau du train. Jessie faillit lâcher le Beretta, puis le remit d'un geste maladroit dans le cartable que John portait toujours à l'épaule. L'air était lourd de l'odeur âcre de métal surchauffé, et un voile de fumée s'élevait de quelque part sous la voie. Le chaos régnait toujours à l'intérieur de la rame, ce qui donna à Jessie le temps d'empoigner le bras de John et de l'entraîner vers l'avant du train, au-delà du nuage de fumée grise et huileuse. Ils suivirent le tablier de la voie, abîmé, aussi antique et désolé qu'un champ de rocs du pléistocène. John avait du mal à avancer, mais Jessie le tirait en avant, leurs épaules frôlant le mur humide du tunnel d'un côté, la paroi chaude et sale du train de l'autre. Derrière eux, dans l'obscurité, ils entendirent des portières claquer. La fumée s'épaississait.

— Restez contre le mur, chuchota Jessie.

Ils s'enfoncèrent dans la nuit, au-delà du faisceau lumineux des feux avant de la rame. La fumée âcre recouvrait presque tout de son épais manteau gris-bleu. Le sol vibrait faiblement sous leurs pieds : d'autres trains approchaient, au loin, franchissaient d'autres intersections. Jessie plissa les yeux, que les émanations toxiques emplissaient de larmes.

Au-delà de la fumée, un carrefour en patte d'oie se matérialisa comme par enchantement. Ce tunnel-là continuait à gauche, tandis qu'un second s'en détachait et filait vers la droite.

— Par ici, dit Jessie en pointant un doigt à droite.

Elle ouvrit la voie à John. La lumière décrut immédiatement, tandis que la fumée semblait s'épaissir (d'où venait-elle donc ?). Le passage était de plus en plus étroit. Un rail d'acier fossilisé était incrusté dans le sol de parpaing — c'était sans doute un ancien tunnel pour les marchandises —, et Jessie dut regarder où elle mettait les pieds. Elle espérait qu'ils tomberaient bientôt sur une échelle ou une issue de service menant à la rue. Un peu plus loin, le chemin bifurquait à angle droit sur la gauche, puis se fit encore plus étroit — à peine quarante centimètres de large —, obligeant Jessie à se presser contre la pierre crasseuse du mur pour pouvoir avancer.

Une bonne minute plus tard, elle jeta un coup d'œil derrière elle.

John n'était plus là.

— *John !*

C'était presque un sifflement — entre le chuchotement et le cri pressant. Jessie scruta l'épais brouillard. Le tunnel était si sombre et si enfumé qu'il semblait n'avoir plus de forme, pas de début, pas de fin. Comment cela avait-il pu arriver si vite ? Elle se sentit prise de vertiges, déséquilibrée.

— *Jessie ?*

La réponse de John, prononcée d'une voix rauque, fut comme une étincelle galvanisante dans l'obscurité. Jessie en eut la chair de poule. Il ne devait pas être très loin.

— Où êtes-vous, John ? Vous m'entendez ? Essayez de suivre le son de ma voix.

— *Jessie ?*

— Je suis ici, John, suivez...

Il y eut soudain un bruit qui la glaça d'effroi. Un léger craquement, comme du bois qui s'affaisse. Elle se rappela brusquement quelque chose qu'elle avait négligé de dire à John. *Les tunnels. Les catacombes sous le réseau du métro de Chicago !* Construites à la fin du dix-neuvième siècle, conçues pour abriter les câbles du téléphone, elles représentaient plus de cent kilomètres de passages dissimulés, souvent à peine assez larges pour laisser passer un être humain. La légende prétendait que Capone, dans les années vingt, s'en servait pour acheminer de la contrebande d'un bar clandestin à l'autre. En 1992, le fleuve Chicago ouvrit une brèche dans une digue. Cela provoqua une inondation souterraine considérable, et plusieurs immeubles de bureaux situés au-dessus des tunnels furent envahis par l'eau du fleuve et les poissons qui la peuplaient. Personne ne s'était préoccupé de nettoyer, et il restait aujourd'hui un no man's land pourrissant et infesté de vermine. De tout ce que pouvait offrir la Cité des Vents, c'était ce qui se rapprochait le plus de l'enfer.

Tout cela traversa l'esprit de Jessie en un éclair, quand elle entendit le bruit du bois qui s'effondrait, craquait et gémissait.

Quelqu'un avait mis le pied où il ne fallait pas, dans l'obscurité, et traversé un plancher pourri.

Pour la première fois depuis qu'elle avait accepté de se charger de l'affaire de John, Jessie Bales n'avait aucune idée de ce qu'elle devait faire.

Death se retrouva blotti au sein des ténèbres. Étourdi par cet incident inattendu, par ses efforts pour descendre du train et par la fumée qui pénétrait ses poumons, il s'évertua à contrôler sa respiration et à rassembler ses forces. Les murs de pierre humide lui renvoyaient la clameur étouffée des voix — les voix venues de l'obscurité au-dessus de lui, les voix à l'intérieur de son propre crâne, gémissant, implorant, demandant pitié. Des voix qui lui étaient très familières — à cet homme qui se plaisait à s'appeler Death —, comme les cris d'une femme en extase, ou ceux d'un groupe de voyageurs surpris par le coup de frein brutal d'une rame de métro.

Ou ceux d'un *sujet* reprenant conscience sur une table d'opération.

Death s'accroupit quelques instants dans le brouillard bleu acier. Il respira à fond à plusieurs reprises — pour donner le temps à son rythme cardiaque de redescendre à cinquante ou soixante battements par minute. Il serrait et desserrait ses poings agiles, et il attendait. Il épiait. Ses jambes étaient parcourues de crampes, ankylosées à force d'avoir couru dans les allées et les rues, puis d'être resté assis à l'arrière du métro. Mais il ignorait la douleur. La douleur physique peut être court-circuitée par un esprit transcendant, et l'esprit de Death était particulièrement éclairé. Il se concentrait sur sa tâche immédiate. Trouver un autre agneau sacrificiel, un mouton qui se serait aventuré trop loin du troupeau, trop loin des voitures bondées du métro. Death allait en approcher un, l'embarquer et le transformer en quelque chose de beau, d'éblouissant.

C'est ainsi que Death travaillait. Toujours conscient de la douleur et de la solitude. C'est pour cette raison qu'il s'était baptisé Death.

Il déboutonna son veston. Il portait dessous un pull à col roulé, recouvert d'un élégant gilet gris foncé. D'une pichenette, il ouvrit la trousse de bijoutier attachée comme un holster à l'intérieur de son gilet, et commença à répertorier les délicats petits instruments d'acier qui se trouvaient là. Il y avait plusieurs seringues, contenant du formol, de l'atropine, ou un puissant anesthésiant qui agit comme un hémostat et retarde l'hémorragie. Comme il détestait faire des saletés, il essayait toujours d'éviter les saignements. Les tissus organiques poisseux sont plus difficiles à manipuler. L'hémostat lui permettait de faire ses incisions sur le terrain sans asperger de sang le spécimen, sans parler de lui-même et de tout ce qui se trouvait dans un rayon de cinq mètres. La trousse contenait d'autres instruments : des forceps (rangés par ordre de taille) pour bloquer les artères, des rétracteurs Langeback pour manipuler la peau et les tissus, et une bonne douzaine de lames courbes en dural et de scalpels de dimensions variées pour faire les incisions. L'instrument le plus volumineux (et de loin le plus lourd) était une scie chirurgicale Adson à poignée de caoutchouc, capable de casser en deux un essieu de camion.

Death sortit de sa trousse une seringue d'atropine. Il respira à fond, lentement, régulièrement, les yeux fixés sur le voile de fumée qui se déployait à quelque distance de là.

Un spécimen émergea de la brume, tel un spectre mythique. Un grand, très grand spécimen. Death n'avait encore jamais pris un sujet aussi gigantesque. Cela pouvait présenter des difficultés.

Le jeune homme semblait chercher quelqu'un, peut-être une petite amie égarée dans la confusion. Vêtu d'une veste de cuir noir, d'un pantalon noir et de bottes noires, le garçon était comme une vision sépulcrale dans le tunnel envahi par la fumée. Expression de rancœur maussade, yeux brillants de colère, tatouages ésotériques aux articulations des doigts et autour du cou. Il tripotait un petit appareil photo, le regard fixé sur l'obscurité. Soudain, une petite boîte de pellicule glissa de ses mains et fit un petit bruit en touchant le sol. Le jeune colosse s'agenouilla maladroitement et ramassa le film en regardant par-dessus son épaule comme un enfant qui se sent coupable.

Death déplia ses jambes, puis se redressa de toute sa hauteur contre le mur de pierre couvert de moisissure.

Il se dirigea vers le jeune homme en noir, un sourire aux lèvres. Un sourire rassurant. Des voix résonnaient à proximité, comme des fantômes dans la fumée, mais le géant vêtu de noir les ignorait. Il continuait simplement à manipuler son appareil en titubant dans la pénombre vaporeuse, s'éloignant toujours plus de la civilisation.

— Excusez-moi... ! appela Death du fond de l'obscurité, de sa voix la plus aimable.

Le spécimen s'immobilisa, comme un gros chien qui entend un sifflet aigu.

— Excusez-moi, monsieur...

Death s'approcha encore de quelques pas, la seringue d'atropine dissimulée au creux de sa main dans son dos, ce sourire irrésistible aux lèvres, ce sourire doucereux qui semblait dire : *Hé, voisin, ne t'inquiète pas, nous sommes tous dans la même galère.* Le jeune homme hésita un instant, se tourna dans la direction de la voix, plissant les yeux pour tenter de discerner quelque chose à travers la fumée. Son visage s'épanouit soudain. Il était sur le point de dire quelque chose, quand Death approcha, la douceur incarnée.

— Je suis désolé de vous faire cela, mais j'avais vraiment besoin d'aide, dit Death d'une voix cordiale (il aurait pu aussi bien recueillir des fonds pour le Secours catholique). Ma femme a été blessée dans le...

Le premier coup vint de nulle part.

La tête de Billy Marsten partit en arrière sous la violence du coup. L'impact fit craquer les os fragiles au-dessus de l'arête du nez et envoya une décharge glacée à travers son crâne. Cela fut si rapide que Billy crut d'abord qu'il avait heurté une barre de fer, ou un stalactite tombant du plafond de ce tunnel obscur. Comme tous les jeunes gens qui ont grandi trop vite, Billy avait l'habitude de se cogner la tête. Mais il sentit qu'il perdait connaissance, qu'il tombait dans les bras de la silhouette comme un enfant qui s'écroule dans le giron d'un tendre parent, le feu d'artifice explosa dans son champ de vision, les tintements envahirent son crâne, et une douleur effroyable le transperça, comme s'il avait reçu un coup de machette entre les yeux. Secoué de spasmes dans les bras de l'étranger, Billy se dit qu'il était victime d'une sorte de crise, d'une attaque. Et il lâcha son appareil photo.

Des morceaux de matière plastique se fracassèrent sur les parpaings.

La silhouette étreignait toujours Billy. Il le tenait en position verticale et murmurait : « Tu as été choisi. »

Billy plongea dans les yeux de la Bête, deux boutons froids comme l'acier, et il comprit soudain ce qui se passait, comme si une vague le submergeait — *Bien sûr, mon Dieu, c'était lui, depuis le début* —, et il essaya de parler, il essaya de se redresser et de dire quelques mots ultimes à l'homme qui allait le tuer. Mais Billy était déjà presque inconscient, et il avait du mal à parler, et la dernière chose qu'il sentit fut une piqûre d'épingle sur son bras, et il vit une aiguille qui injectait un liquide clair dans ses veines, et il commença à frissonner, la douleur l'engloutissait, le froid se répandait dans tout son corps. Il fut pris de convulsions. Il regarda le monstre et vit que son autre main tenait un objet métallique, un objet poli et étincelant dans la faible lumière, et brusquement cet instrument métallique et pointu s'éleva jusqu'aux yeux de Billy, et le métal miroita vivement dans ses yeux, l'aveugla, et sa dernière pensée avant de s'effondrer fut de pur dépit — un regret absolu et dévorant — non pas pour sa mort imminente, mais pour quelque chose de beaucoup plus personnel et intime. Dans les dernières nanosecondes de sa vie, Billy Marsten fut complètement anéanti à l'idée qu'il avait négligé de prendre une bonne photo du monstre.

Puis le scalpel transperça la partie supérieure de sa paupière et s'enfonça dans son lobe frontal.

Ce qui mit fin une fois pour toutes à la quête de Billy.

37

Une lettre de fan

Il tient la viande entre ses bras et observe le changement qui s'opère, une fois de plus, et c'est à la fois fascinant et affreux...

La lumière s'en va de ses yeux, comme la flamme d'une bougie qui oscille avant de s'éteindre, les minuscules étincelles au centre des iris s'affaiblissant, se contractant, diminuant jusqu'à ce qu'il n'y ait plus rien, sauf un aiguillon de vie. Puis le feu s'en va enfin, et c'est incroyable. Profondément émouvant. Il baisse les yeux et regarde les mains de l'homme, qui se ferment, se replient vers l'intérieur comme les pétales d'une jolie fleur au crépuscule. C'est si merveilleux d'observer cette vie qui se défait, cette suspension progressive.

Soudain il lève les yeux au ciel, dégoûté, horrifié, et pousse un hurlement. Il s'attend à entendre sa propre voix, mais ce n'est pas cela. C'est la voix de l'Autre. Une voix gutturale, cassée par le whisky, qui coule à flot de sa gorge comme un appel de clairon, pur poison qui contamine l'atmosphère de son message incroyable.

JE SUIS UN ASSASSIN...

... Non...

— Non !

Il cligna des yeux, les ouvrit brusquement, toujours dans le noir, toujours somnolent, mais stimulé par l'écho de sa propre voix.

242

— Qu... Quoi ?

Le cerveau de John McNally resta un moment paralysé, complètement désorienté par l'obscurité. Son corps fut pris d'un accès de fièvre, un frisson remonta le long de son épine dorsale, la panique lui bloqua la gorge. Il lui fallut plusieurs minutes pour réaliser qu'il gisait à plat ventre sur une surface dure, froide, trempée. Ses bras et ses jambes pesaient chacun une tonne, il se sentait à l'étroit dans ses vêtements. Est-ce qu'il se réveillait une nouvelle fois dans un hôpital ? Avait-il été victime d'une nouvelle crise d'amnésie ? Était-il condamné à vivre une succession sans fin de réveils semblables à celui-ci, seul dans le noir, désarmé et inconscient ? À moins que toutes les épreuves qu'il avait subies depuis qu'il avait quitté la clinique Reinhardt n'aient été qu'un long cauchemar...

Il essaya de bouger.

C'était inutile. Son corps adhérait au sol humide et noir, la colonne vertébrale brisée, palpitant de douleur. Il essaya de respirer profondément, d'un souffle régulier, et de penser, de passer en revue les événements qui l'avaient conduit là. Ses yeux s'adaptaient à l'obscurité, maintenant. Il constata qu'il était étendu dans cinq centimètres d'eau sulfureuse stagnante. Il reconnut les formes autour de lui, les murs de l'étroit tunnel réservé aux fourgons dans lequel il était tombé, la pierre lépreuse suintant de crasse, le liquide gluant, les câbles dénudés tombant comme des stalactites au-dessus de sa tête, et le rail brisé et rouillé encastré dans le sol, qui courait dans le noir. La pierre avait la couleur du seigle moisi, et l'air sentait la terre pourrie, toxique, nauséabonde.

Jessie.

Il se rappela comment il était arrivé là. Des images de l'après-midi commencèrent à lui pénétrer l'esprit. La ruelle en face du poste de police, le salon de tatouage, le quai de chargement. La détective l'avait entraîné dans une course-poursuite avec la police, et ils s'étaient retrouvés dans le métro. Le métro. Oui, c'est ainsi que

243

ça s'était passé. Il avait mis le pied sur cette planche de bois pourri, le bois s'était effondré, et il avait dégringolé dans le noir.

Par terre, sur sa droite, il perçut un mouvement.

Il s'assit brusquement et fit un bond en arrière, pour s'éloigner de ce qui venait d'apparaître à la limite de son champ de vision. Une forme pâle, d'aspect caoutchouteux. John pensa tout d'abord qu'il s'agissait d'un opossum tueur, ou de quelque sale bête capable de survivre dans ce coupe-gorge. Mais, bizarrement, elle demeurait immobile. John parvint à s'asseoir tout à fait — en dépit de sa colonne douloureuse et de son esprit embrumé —, et à y regarder de plus près.

C'était une tête humaine. Toute droite, dans une flaque de sang, à deux pas de lui.

Il la contempla, bouche bée, et son corps se tétanisa. Elle avait l'air de le regarder. Ses nerfs arrachés étaient encore animés de contractions, ses yeux étaient grands ouverts, la chair souple et luisante comme un melon trop mûr, le sang jaillissait par saccades du cou déchiqueté (indiquant que la décapitation était récente, quelques minutes, peut-être), et les traits étaient figés dans une grimace inquiétante, ce masque de terreur devant la mort... Un jeune homme aux cheveux noirs, aux yeux noirs, une marque de tatouage sous l'oreille gauche. John était incapable de bouger, incapable de respirer, le regard rivé à cette chose luisante, tandis que toutes sortes de questions se bousculaient dans son cerveau. En quoi est-ce que ça le concernait ? Est-ce que le coupable était toujours tapi dans la pénombre, tout à côté ? *Attention ! Fous le camp ! Fous le camp, espèce d'idiot !* Mais son corps pesait mille tonnes maintenant, ses oreilles tintaient, ses tempes abritaient les percussions de « Cherokee », et il ne pouvait détacher son regard de cette damnée tête coupée qui commençait à ressembler à une blague sinistre, à une tête de mannequin de cire. Il y avait une profonde entaille au-dessus de son œil gauche, et quelque chose sortait de sa bouche. Ce n'était pas une langue gonflée, mais un corps étranger. John pensa d'abord à une fragile petite plume. De petits filaments bouclés, brun clair et brillants. Puis il comprit que ce n'était pas une plume. Non. Pas du tout.

C'était une mèche de cheveux.

John se leva péniblement, le cœur dégringolant dans sa poitrine. Il commença à reculer, les yeux toujours fixés sur cette apparition abominable recrachant une mèche de cheveux. Il parvint à toucher son propre cuir chevelu, et il sentit une légère démangeaison derrière son oreille. Il se mit à répéter très doucement, à voix basse : « Ce n'est pas possible, désolé, non, pas possible, pas... » tandis que son esprit lui hurlait : *Mais regarde-la, crétin, elle est réelle !* Il essaya en vain de déglutir. Le pire n'était pas cette expression difforme...

(fragments de têtes bizarres, déformées)

... non, non, au contraire, le pire c'était que John connaissait ce visage.

Les souvenirs fusèrent à travers le système nerveux de John comme un poison rapide, le nom, BILLY MARSTEN, comme une enseigne au néon explosant dans son cerveau, une violente lumière blanche clignotante, des images prenant forme dans sa mémoire — floues et indistinctes tout d'abord, puis peu à peu plus précises, plus nettes. *Des lettres.* Un tiroir plein de lettres.

Un extrait d'une des lettres flottant dans son cerveau :

Cher Doc,
Vous ne me connaissez pas, mais j'admire depuis longtemps votre brillant héritage — votre règne de la terreur, froid et calculé — et avec tout le respect que je vous dois, je pense que vous seriez le sujet idéal d'une thèse de doctorat...

John cligna des yeux, brutalement, sa mémoire volant en éclats comme une plaque de glace.

Il recula encore, s'éloigna du carnage, de l'horreur, son

245

esprit s'affolant — *Le gosse m'appelait « Doc » dans sa lettre...* ? Puis, du coin de l'œil, John vit son cartable de cuir abandonné sur le sol, à quelques pas sur sa gauche. Il se pencha pour le ramasser. Le cartable renfermait sa seule protection pour l'immédiat — ce journal abominable —, sa seule source d'informations, sa seule preuve concrète. Il continua à reculer, incapable de détacher son regard de la tête coupée.

Son dos toucha quelque chose.

John fit volte-face, glapit comme une bête fauve et leva les mains comme pour se protéger le visage. Mais il n'y avait rien. Rien que les murs. Il comprit qu'il avait heurté le coin de deux murs qui se rejoignaient.

John se pencha en avant, poussa un gémissement et vomit.

Il avait l'estomac vide, bien entendu, et ne put rejeter sur le ciment froid qu'un filet de bile. Il se força, les épaules voûtées, et il se força encore jusqu'à ce qu'il eût expulsé sa nausée et son malaise, et qu'il ne lui restât qu'une sensation de froid et de propreté. Il se redressa et regarda la tête, de l'autre côté du tunnel. Elle était là, d'un blanc terreux, comme une pure malveillance. John l'observa pendant un moment, l'esprit harcelé de questions. *Billy Marsten.* Qui diable était Billy Marsten ? Comment avait-il atterri ici ? Et pourquoi avait-il envoyé à John une *lettre de fan* si bizarre ?

John s'essuya le visage et frissonna. Le moment était venu de foutre le camp de ce tunnel — de fuir cette horrible chose posée sur le sol — et de retrouver Jessie. Que quelqu'un d'autre s'occupe de ce meurtre.

Il se retourna et s'engagea dans un tunnel perpendiculaire.

Et l'obscurité l'engloutit.

Il n'avait pas parcouru la longueur d'un pâté de maisons qu'il entendit des bruits de pas.

Glacé d'effroi, il accéléra le pas, sans s'éloigner du

mur. La pierre était comme de la pâte à modeler desséchée, et une odeur âcre de pourriture lui agressait les narines. Mais il continuait d'avancer, d'avancer en direction des bruits lointains. Il plongea la main dans le cartable, fouilla à l'intérieur et trouva enfin la crosse du Beretta. Il sortit l'arme du cartable et leva le chien. Le revolver lui semblait aussi lourd qu'une brique et le mettait mal à l'aise. Il était sûr de n'avoir jamais tiré de sa vie, mais il était prêt à le faire s'il le fallait.

Une tache de lumière pâle apparut devant lui, à une vingtaine de mètres. Il continua d'avancer dans cette direction, le cœur battant. Sous ses pieds, les vieux rails luisaient faiblement. Des rails qui avaient transporté Dieu sait quoi à travers la ville, et qui brillaient maintenant comme des veines d'argent durci. L'odeur d'œuf pourri était étouffante. Mais il l'ignorait, et se concentrait sur ces damnés bruits de pas, tandis que la lumière — d'abord une tache orange, terne — se faisait plus intense à chaque mètre qu'il parcourait, dans une atroce douleur. L'air véhiculait des relents chimiques, et un bruit reconnaissable entre tous, un bruit de pas — *Merde, il y avait donc quelqu'un d'autre, ici, avec lui* —, alors John se rua vers la lumière, en proie à une panique animale, les bruits de pas étaient de plus en plus proches, et il aperçut droit devant une autre intersection de deux tunnels, vacillant dans la lumière jaune d'une ampoule nue.

À l'instant précis où il atteignait l'ouverture, une silhouette apparut sur sa gauche.

John leva les bras machinalement, le revolver glissa de sa main droite et alla ricocher sur le sol. La silhouette le bouscula. Comme s'il avait été frappé de plein fouet par un bélier, il se retrouva projeté contre le mur de pierre, puis s'affala par terre, à moitié assommé, suffoquant, ses mains griffant le gravier. L'intrus avait heurté le mur adjacent, puis il était tombé lui aussi, en soulevant un nuage de poussière et de débris.

John parvint enfin à reprendre sa respiration. Il se mit

247

à genoux, et marcha à reculons comme s'il avait devant lui un animal sauvage. La peur était presque palpable. *Où est le revolver ?*

L'autre était toujours à trois mètres de lui, haletant lui aussi.

— Qui êtes-vous ? demanda John.

Il se mit sur pied, scrutant le sol à la recherche du revolver, ou d'une autre arme, ou de n'importe quoi qu'il pourrait utiliser pour combattre ce monstre.

— Merde... Qui voulez-vous que ce soit ?

Cette voix rauque, esquintée par le tabac, lui était familière. John se figea. La silhouette se releva tant bien que mal et son visage apparut dans la lumière. Jessie avait les cheveux sales et emmêlés, les joues zébrées de suie. Son corsage trempé lui collait à la peau.

John resta bouche bée. Puis il parvint à articuler :

— Dieu merci...

— Je suis très heureuse moi aussi de vous revoir, dit Jessie en se penchant pour reprendre son souffle.

Elle rassembla les pans de sa chemise et l'essora. Une eau infecte, saumâtre, goutta entre ses doigts.

— Charmant endroit, n'est-ce pas ?

John avait encore dans la bouche le goût âcre de la peur panique.

— Ça va à peu près ? demanda-t-il.

— Juste un peu dans les vapes, répondit-elle en hochant la tête.

John frissonna. Il s'appuya contre la pierre froide, respira à fond.

— J'ai quelque chose à vous dire, Jessie. J'ai trouvé quelque chose.

— De quoi parlez-vous ?

John lui raconta comment il s'était réveillé dans le tunnel, et lui parla de la tête coupée.

Elle l'écouta avec attention. Son expression se durcit. Lorsqu'il eut fini, elle murmura :

— Dieu tout-puissant...

John hocha la tête.

— Je crois que quelqu'un nous suit...

Jessie leva soudain la main, l'interrompit.

— Attendez, John. Attendez une seconde...

— Quoi ?

Elle tendit le cou et scruta l'obscurité du tunnel, derrière eux. Elle écoutait... John entendait maintenant ce qu'elle entendait. Ça ressemblait à d'autres bruits de pas, crissant sur le sol jonché de gravats. John se remit à trembler de peur.

— Nous ferions peut-être mieux de...

— Par ici.

Jessie désigna le tunnel étroit qui s'ouvrait devant eux.

— On devrait pouvoir suivre ce tunnel et traverser la ville jusqu'à Union Station.

— Union Station... Comment diable le savez-vous ?

Jessie le prit par la manche et le poussa vers le tunnel.

— J'ai vu plusieurs fois *La Belle et la Bête*... Allons, cessez de poser des questions idiotes, et fichons le camp d'ici.

38

Un peu d'amour

La gare de l'Amtrak se trouve au coin de Canal Street et de Jackson Street, face à l'antique Union Station. Elle se découpe sur la ligne des toits de Chicago comme un gigantesque jeu de construction. Une horreur en faux art déco qui sert de terminus pour les transports ferroviaires vers le haut Midwest. Les panneaux y sont façonnés dans le style des anciens chemins de fer — en hommage à l'époque des tortillards de la Chattanooga et des porteurs de Pullman — mais quand on y regarde à deux fois, le bâtiment a l'air aussi fatigué et artificiel qu'un vieux centre commercial. Jessie repéra l'endroit en localisant une plaque d'égout stratégique juste à l'est de la South Branch River. Puis elle aida John à se hisser dans les puits de lumière blafarde et à émerger dans la cacophonie de la circulation et des trottoirs grouillants de monde. Les passants les remarquèrent à peine lorsqu'ils sortirent de la bouche d'égout comme des guérilleros à l'esprit dérangé, sales et trempés jusqu'aux os.

On était à Chicago, après tout, une ville où chacun s'occupe de ses propres affaires.

Dans la gare, où ils étaient momentanément en sécurité, Jessie gagna immédiatement les toilettes des dames pendant que John achetait des billets. Elle sécha son corsage avec le sèche-mains, puis s'aspergea le visage d'eau glacée pour s'éclaircir les idées. Ses cheveux et son maquillage étaient dans un état épouvantable. Postée devant la glace, elle essaya de sauver la situation avec un peu de savon et d'eau. Après s'être soulagée, elle resta un moment sur le siège, essayant de se détendre, en préparation des ennuis que l'avenir lui réservait encore. Elle pensait à Kit, et essayait de *ne pas* penser à la tête coupée dans le métro. Elle ne pouvait s'empêcher de se demander comment elle avait pu se laisser entraîner dans ce jeu démentiel. Que Dieu lui vienne en aide, elle commençait à croire à l'innocence de John McNally. L'homme, ou sa vulnérabilité — elle n'était pas sûre —, avait remué quelque chose au plus profond d'elle-même, quelque chose au-delà des mots, et elle avait le sentiment que tout ce qu'elle avait vécu jusqu'alors n'était qu'un prélude à l'incroyable histoire où elle pataugeait en ce moment même.

À sept heures et demie, elle émergea des toilettes et trouva une cabine téléphonique près des escalators. Une minute plus tard, elle subissait les stridentes protestations d'une fillette de sept ans.

— Mais Mme Fitzgerald m'a dit que tu serais à la maison à six heures au plus tard, elle a dit six heures, elle a dit que tu lui avais promis six heures !

— Je sais, Boodle, mais il s'est passé des choses.

— Quelles choses ?

— Je ne peux pas t'en parler maintenant, mais tout va bien. Je vais simplement devoir travailler encore cette nuit.

— Maman, s'il te plaît, je veux dormir dans mon lit, ce soir. Demain nous avons un cours d'artisanat, et je veux apporter une feuille d'un arbre du jardin.

Jessie soupira. Ses doigts se crispèrent sur le combiné.

— Je comprends, ma chérie, mais je n'y peux rien.

— Tu dis toujours ça.

251

— Pas d'impertinence, mademoiselle, dit Jessie.

Elle avait désespérément envie d'une cigarette.

— Pardonne-moi, Maman. Mais tu m'as toujours dit qu'une promesse est une promesse.

— Tu as raison, Boodle. Je t'ai fait une promesse que je ne peux pas tenir, et tu as raison d'être fâchée. Mais tu dois me comprendre. Tu es une grande fille, maintenant. Je pense que tu es assez grande pour l'accepter.

— Je n'aime pas quand tu dis cela, Maman.

— Quand je dis quoi ?

— Quand tu dis que je suis une grande fille.

— Pourquoi ?

— Ça veut toujours dire que je dois faire des choses que je ne veux pas faire...

Jessie réussit à sourire, malgré sa tension nerveuse.

— Eh bien, c'est peut-être justement ce que ça veut dire, être adulte...

— Faire des choses qu'on *ne veut pas faire* ?

— Oui, ma chérie.

— Mais, Maman, ce n'est pas ainsi que ça se passe. Quand on est tout à fait adulte, on fait ce qu'on a *envie* de faire.

Il y eut un silence. Jessie se demanda comment Kit allait interpréter la conduite de sa mère ces derniers jours. Est-ce qu'elle aidait John McNally parce qu'elle le voulait ? Elle regarda sa montre. Il était tard. Tout à coup, elle eut une idée susceptible d'améliorer l'humeur de Kit.

— Tu as peut-être raison, Boodle. Peut-être suis-je en train de faire quelque chose, en ce moment même, parce que j'ai envie de le faire. Mais il arrive qu'on ait envie de faire plusieurs choses à la fois, et qu'on ne puisse en faire qu'une seule. Dans ce cas, il faut espérer que ceux qui vous aiment comprendront.

Jessie attendit sa réaction. À l'autre bout de la ligne, le silence se prolongea. Puis Kit lâcha enfin :

— Je ne te suis pas, Maman.

— Est-ce que tu sais ce que je fais en ce moment, Boodle ?

— Non.

— J'aide ce monsieur qui s'appelle John McNally.

Encore un silence, puis un bruissement.

— John McNally va bien ?

— Oui, ma chérie, il va bien. Mais il a beaucoup d'ennuis, et il a besoin de moi.

Après une pause :

— Quand rentreras-tu ?

— Avant même que tu n'aies le temps de t'ennuyer de moi, ma chérie...

À l'extérieur de la cabine, un frottement attira son attention. Elle regarda par-dessus son épaule.

John attendait fébrilement qu'elle en ait terminé. Il avait fait un peu de toilette, lui aussi. Mais il avait toujours l'air bouleversé, éreinté. Impossible de savoir depuis quand il était là. Jessie se demanda s'il avait entendu la conversation.

— Faut que j'y aille, Boodle. Tu vas être sage, promis ?

— Je te verrai demain matin, Maman ?

— J'espère, ouais. Maintenant, approche le téléphone de ton front, et je te donne un gros bisou. (Elle embrassa bruyamment le combiné.) Je t'aime, Boodle.

— Moi aussi, je t'aime, Maman.

— Au revoir, ma chérie.

— Hé, Maman... attends !

— Qu'y a-t-il, Boodle ?

— Fais attention à toi.

— Oui, je te le promets.

Jessie raccrocha et sortit de la cabine.

— Désolée, dit-elle à John. Kit devient une vraie petite bonne femme.

— Pas de problème. Notre train part dans vingt-cinq minutes.

253

— Allons-y, dit Jessie en se dirigeant vers les portes automatiques, à l'autre bout du terminal.

John la prit par le bras et la repoussa doucement.

— Attendez, Jessie. Un instant.

Il pesait ses mots, maintenant, les yeux enfiévrés par la peur. Jessie comprit que quelque chose le torturait.

— C'est moi qui vous ai entraînée dans cette affaire. Ce cauchemar. Vous devriez laisser tomber, maintenant, et aller retrouver votre fille.

— Écoutez, John...

— Non, c'est vous qui allez m'écouter. J'en sais assez, désormais, pour retrouver mon identité. Je vous paierai ce que je vous dois...

— Stop. (Jessie leva la main et le regarda au fond des yeux.) Je suis impliquée dans cette affaire, non ? Alors, au point où j'en suis...

— Mais...

— N'insistez pas, John. Je vous en prie. Ne m'enlevez pas l'enquête du siècle. Il ne me resterait plus que les maris adultères et les bergers allemands perdus.

Après un long silence, John parvint à esquisser un sourire douloureux.

— D'accord. Allons-y.

La zone d'accès aux portes ressemblait à celle d'un modeste aéroport. Des rangées de banquettes de vinyle baignaient dans un éclairage indirect discret. Çà et là, de petits groupes de voyageurs attendaient leur train en bavardant, en lisant le journal ou en consultant les horaires. Jessie et John patientaient devant la porte E, à côté d'un vieux Noir manchot qui portait un chapeau mou et une chemise hawaiienne. Trois sièges plus loin, un autre vieil homme, avec une barbe blanche, jouait de l'harmonica. Un jeune couple se tenait près de l'estrade du contrôleur. Ils parlaient une langue d'Europe de l'Est.

Jessie et John avaient du mal à rester en place, leur regard passant sans arrêt d'une porte à l'autre.

Ils avaient acheté des allers simples pour le 805 International, un *Superliner* qui contournait les Grands Lacs et faisait un détour par le Canada. East Lansing, Michigan, se trouvait plus ou moins à mi-parcours, à quelque six heures de route. Si la chance ne tournait pas, ils sortiraient de Chicago sans se faire alpaguer, et arriveraient à East Lansing au petit matin. Ils pourraient chercher un motel et commencer à reconstituer le passé de John dès le lendemain. Et après ? Jessie se demandait toujours comment elle allait se sortir de cette affaire. Elle était déjà passible d'une peine de prison ferme pour assistance à un fugitif, complicité, obstruction à la justice, dissimulation de preuves, et Dieu savait quoi encore. Mais quelque chose lui disait que John McNally n'était pas un dingue ordinaire.

— Mesdames et messieurs... annonça la contrôleuse. (C'était une Noire grassouillette, qui portait de grandes lunettes design. Elle parlait dans un micro, d'un ton empressé et monotone.) Dans un instant, nous allons commencer à procéder à l'embarquement dans le train à destination de Flint, Stratford et Toronto. Que les passagers pour Toronto se présentent à la porte E...

Elle recita le nom des villes une par une, en commençant par les destinations les plus éloignées. Jessie et John finirent par prendre la file à leur tour. Ils n'avaient pour bagage qu'un cartable de cuir humide contenant des notes, des photographies, le journal d'un dément et un Beretta 9 mm. Par bonheur, l'Amtrak n'était pas équipé de détecteurs de métal. Les attaques de trains étaient passées de mode depuis que les voitures de tourisme avaient commencé à se répandre.

Quelques minutes plus tard, Jessie et John embarquaient dans l'énorme *Superliner*. C'était un de ces trains qui ont toujours l'air plus gros dans la réalité, avec leurs wagons de près de six mètres de haut. Ils franchirent une porte à l'arrière, traversèrent la soute à bagages et montèrent la volée de marches qui menait au niveau supérieur. Une série de sièges par groupes de deux, inclinables et

255

confortables, s'alignaient de part et d'autre d'une large allée centrale. Les éclairages diffusaient une lumière un peu sinistre, qui s'accordait bien avec le grondement lointain des moteurs. Jessie désigna à son compagnon les deux sièges les plus éloignés, face à la porte de communication avant. Ils s'installèrent, John près de la fenêtre, Jessie sur l'allée, et attendirent le départ du train en jetant des regards furtifs derrière eux, s'attendant à tout moment à voir un flic faire irruption dans le compartiment.

Mais personne ne vint.

Cinq interminables minutes plus tard, le train s'ébranlait.

Jessie lâcha un long soupir de soulagement, puis s'enfonça dans son siège. Le wagon commença à osciller légèrement. La voix du chef de train grésilla dans les haut-parleurs. Il parlait avec un fort accent québécois : « Mesdames messieurs, nous vous souhaitons la bienvenue à bord de l'International. Ce train s'arrêtera à Hammond (Indiana), Michigan City, Niles, Kalamazoo, East Lansing, Flint, Port Huron, Stratford (Ontario) et Toronto. Nous informons ceux qui le désirent que notre voiture-bar située à l'arrière du train ouvrira dans quelques minutes. Vous pourrez y acheter de la bière, du vin et des alcools. Nous vous rappelons qu'il est interdit de fumer dans ce train. Nous vous remercions d'avoir choisi Amtrak, et vous souhaitons un agréable voyage. »

Jessie jeta un coup d'œil à John. Elle constata qu'il était loin d'avoir l'air aussi soulagé qu'elle. En fait, il semblait terrorisé. Instinctivement, elle se retourna, pour juger de la situation. Il n'y avait qu'une poignée de voyageurs, disséminés çà et là. Au milieu du compartiment, une jeune Noire dont le T-shirt portait l'emblème des Chicago Bulls tenait un bébé cramponné à son sein, et piquait du nez par à-coups. De l'autre côté de l'allée, un couple âgé se préparait à jouer aux cartes. Trois sièges devant eux, un homme obèse dans un complet usé contemplait le

256

paysage qui défilait, les remblais envahis par les mauvaises herbes, les immeubles anonymes et orwelliens.

Se tournant de nouveau vers John, Jessie lui posa la main sur le bras, d'une manière rassurante.

— On va y arriver, mon vieux, murmura-t-elle. On va manger un p'tit quelque chose, prendre un café, puis s'efforcer de reconstituer vos souvenirs. Et on ira jusqu'au bout de cette histoire.

Leurs regards se croisèrent.

Jessie éprouvait un sentiment bizarre à être assise là dans ce train qui s'enfonçait dans la nuit. Les yeux de John McNally luisaient dans la lumière mourante. Son visage torturé révélait à quel point ses doutes, ses peurs et ses souvenirs effilochés le harcelaient. Elle sentait qu'il était à deux doigts de craquer — peut-être même était-il mûr pour une vraie dépression — et qu'elle était sa seule sécurité. Elle ressentit un curieux tiraillement au fond de sa poitrine. Comme une décharge. Qu'elle soit damnée ! Que les Grands Anciens Détectives la dégradent et l'envoient au Goulag des Crétins Irrécupérables ! Elle s'en fichait, désormais. L'important, c'est qu'elle en pinçait pour ce pauvre type. Qu'elle était *bel et bien* en train de tomber amoureuse de lui ! Et plus tôt elle l'admettrait, plus tôt elle serait capable d'affronter ce nouveau problème. John devait avoir deviné quelque chose, car il sentit sa gorge se serrer, tout à coup, et détourna les yeux avec embarras.

— Comment pourrai-je un jour vous rembourser tout cela ? marmonna-t-il, comme pour lui-même.

— Nous aborderons plus tard la question finances, répliqua Jessie. Ne vous inquiétez pas pour ça. (Elle lui montra le cartable posé sur l'accoudoir, entre eux.) Maintenant, vous allez prendre le calepin, et nous allons commencer à noter les bribes de souvenirs qui vous sont revenues, là-bas, dans le tunnel du métro.

John obtempéra. Ils se mirent au travail, alors que le train commençait sa course vers l'est, vers les ténèbres de plus en plus profondes du nord de l'Indiana. Une demi-douzaine de wagons roulaient derrière eux, occupés par des voyageurs fatigués qui somnolaient, lisaient le journal ou regardaient le ciel nocturne se refermer sur eux comme un linceul.

Soixante dix-sept passagers en tout, en comptant Jessie et John.

Et parmi eux, une femme qui ignorait qu'elle faisait son dernier voyage.

QUATRIÈME PARTIE

Une boîte pleine de serpents

Pour moi, ni tranquillité, ni cesse, ni repos. C'est le tourment qui vient.

Livre de Job, 3:26

39

En déterrant les squelettes

— Il m'appelait Doc, dans sa lettre... Ce Billy Marsten. Alors disons que je suis docteur...

— Il y a quelque chose dans le journal, à ce sujet ?

— C'est important ?

— Ouais, en fait, je pense que c'est très important. Même si nous sommes presque sûrs que vous n'êtes pas l'auteur de ce journal, il s'agit tout de même de votre écriture. On devrait au moins y trouver d'autres indices.

John médita cette remarque. Il n'avait pas encore lu le journal en entier — plus de cent pages —, et il n'avait ni l'envie ni le courage de le faire. Dans les vingt-cinq ou trente pages dont il s'était infligé la lecture, il ne se rappelait pas avoir vu la moindre allusion au fait qu'il aurait pu être docteur. Mais il était question de greffes, et d'autres techniques chirurgicales. Est-ce que cela indiquait que le narrateur était chirurgien ?

Il y avait pourtant un autre indice — une pièce du puzzle que John avait mise de côté. Cela avait à voir avec son propre comportement pendant ces deux derniers jours. Depuis le moment où il avait échappé au flic dans les bois, près de la clinique Reinhardt, jusqu'à une époque très récente, il avait vu défiler un certain nombre d'horreurs. Les photos au Wagon Inn, le massacre de la réceptionniste à l'hôtel Blue Island, les réminiscences de Billy Marsten dans le tunnel du métro. Certes, il avait été horrifié. Mais il avait accepté tout cela, apparemment, à un niveau plus profond, presque *clinique*, comme s'il s'agissait de simples données abstraites. Serait-ce parce qu'il pratiquait lui-même la médecine ? Ou cela venait-il d'une tendance sombre, pathologique, inhérente à sa nature ?

John revit le moment où il s'était regardé dans la glace.

Les yeux de la Bête.

— Bon, attendez, dit-il soudain, en sortant du cartable le cahier déchiré. Il y a un passage, ici, au milieu, qui pourrait avoir quelque chose...

Il se mit à feuilleter le journal.

Dehors, la nuit aussi noire que de la poix ondulait comme un drapeau, tandis que le train fonçait dans la campagne désolée, quelque part entre Hammond et Michigan City. À intervalles irréguliers, un signal lumineux passait en un éclair. Ou bien la lueur d'une ferme éloignée. Mais la plupart du temps, il n'y avait que les bruits de voix des passagers, le battement sourd des roues sur les rails d'acier, et le sifflement occasionnel de la motrice, qui s'enroulait autour du train comme un aria dément, au gré des courants de la brise. Ils étaient partis depuis moins d'une heure, mais John avait l'impression de se trouver dans un tout autre univers, une sorte de néant où ni dieu ni diable ne pouvaient les rattraper, et où ils n'avaient qu'une chose à faire : trier les filaments brisés de sa mémoire jusqu'à ce que la lumière se fasse et que tout prenne sens.

Tu parles...

— Voici quelque chose, dit-il, en faisant courir son index au bas d'une page.

Sa vue était légèrement brouillée. Il venait d'avaler trois tasses de café noir et un sandwich au poulet caoutchouteux, mais il était toujours aussi épuisé. Il n'avait pas dormi depuis qu'il avait perdu connaissance, la nuit précédente, à l'hôtel Blue Island. Et pourtant, il se rappelait parfaitement avoir lu, avant de s'évanouir, un extrait de ces souvenirs bizarres.

Il lut à voix haute :

— « *Ils connaissent mon histoire maintenant, ils ont déterré les squelettes, ils ont remonté jusqu'à l'âge des ténèbres, jusqu'à l'époque où j'entamais ma deuxième année d'internat, et que j'étais chargé de filer le train à ce vieux cocker de Morrisey dans cette horrible petite clinique de traumatologie. J'étais un bleu à tous points de vue, débordant d'énergie naïve et d'idées grandioses sur la manière de révolutionner le secteur, de me faire un nom par moi-même, de m'enrichir, etc., etc., etc. Hélas, les spécialistes en chirurgie esthétique sont une race infatigable, ils ne se limitent pas à une partie du corps ou du système physiologique, ils sont enclins à l'improvisation, à l'innovation, à travailler pour la galerie. J'étais comme les autres. Et je n'étais pas prêt à laisser quelques problèmes d'intoxication mineure — amphétamines et alcool, surtout — se mettre en travers de mes rêves... »*

John marqua une pause.

— Ainsi Marsten savait que vous étiez censé être spécialiste de la chirurgie plastique, dit Jessie, après un silence embarrassé.

— Peut-être. Ou peut-être pas. (John avait les yeux fixés sur le journal. Le train passa devant un signal lumineux dont la lueur jaune virevolta comme un spectre à travers le wagon.) Le problème, c'est que nous ne savons pas vraiment si le « Doc » du journal existe.

Jessie le regarda d'un air pensif.

— Qu'entendez-vous par là ? Que le journal serait imaginaire ?

— Je ne sais vraiment pas, Jessie.

— Que faites-vous de ces images de viande ? Des allusions au *bacon*, dans les dossiers ?

John secoua la tête, complètement dépassé. Il lui avoua qu'il n'en avait aucune idée.

Jessie prit encore quelques notes dans son carnet.

— Il va falloir se mettre à la recherche de ce docteur Morrisey, et peut-être vérifier les cliniques de traumatologie de la région. (Elle leva les yeux vers John.) Concentrez-vous là-dessus une minute.

— Que voulez-vous dire ?

Il la regarda. Il devinait où elle voulait en venir, et ça le mettait fort mal à l'aise.

— Essayez de vous imaginer dans la peau d'un chirurgien-plasticien, comme un acteur. Réfléchissez-y et voyez si cela déclenche quelque chose.

John secoua la tête.

— Inutile, Jessie, cela n'évoque rien. Rien du tout.

— Mais vous avez dit que vous vous rappeliez le collège et vos professeurs, et votre travail acharné...

John essaya de contrôler son irritation.

— Écoutez. Tout ce que j'ai dit, c'est que j'avais des images très nettes de moi à la bibliothèque de la MSU[1], soir après soir. Mais quand j'essaie d'aller plus loin, de savoir ce que j'étudiais, j'ai l'impression que les lentilles deviennent floues. Vous voyez ce que je veux dire ?

Jessie hocha la tête. Mais avant qu'elle ait le temps d'ajouter un mot, John explosa :

— Je peux vous prouver que ce type, ce n'est pas moi, Jessie... Je ne suis pas un dingue qui enregistre ses idées de cinglé pour la postérité. Je ne parle pas comme ce type, ma syntaxe est différente... Je ne *pense* même pas comme ce type. Et ça, ce sont des choses que l'amnésie ne peut effacer.

— John, je n'ai jamais dit...

— Laissez-moi vous lire un autre passage : « *Morrisey et ce petit groupe d'imbéciles savaient que j'étais en train de devenir quelqu'un de spécial, un prodige, un homme avec des idées, un homme qui voit loin, et cela leur faisait peur. Ils ont fait en sorte que cette pute maigrichonne des quartiers chics me*

_____

1. Michigan State University.

tombe dessus pendant mon premier mois d'internat...
Comment s'appelait-elle, déjà ? Ah oui, Speakman. Oui, c'est
ça... Gloria Speakman. Un spécimen de cette saleté de jet-set,
avec des culottes fantaisie, une rose tatouée, et un petit caniche
hargneux. Si je la rencontrais aujourd'hui, je prendrais un
spéculum chauffé à blanc et je lui arracherais les ovaires.
Hélas, cette salope s'est envolée. Stupéfiant. Je me contente de
lui faire une remarque de bon aloi sur la qualité de son entre-
jambe, et elle me balance une plainte pour viol. Elle ruine la
carrière du meilleur spécialiste de chirurgie plastique (poten-
tiel) qui ait jamais exercé... »

John marqua une pause pour juger de son effet, puis
conclut :

— Vous voyez, ce n'est pas moi. Ça ne me ressemble
ni de près ni de loin, amnésie ou pas.

Jessie réfléchit, en se frottant délicatement la lèvre inférieure.

— Il y a un autre petit détail que nous pourrons utiliser.

— Lequel ?

— Ce type a été arrêté pendant son internat. Cela suppose qu'il existe vraiment.

John soupira.

— C'est là toute la question. Car si ce démon existe
vraiment, alors quel est le rapport avec moi ?

— Pour l'instant, nous ne pouvons exclure aucune
hypothèse.

John plongea son regard dans le sien.

— Je ne souffre pas de dédoublement de la personnalité, Jessie.

Un autre silence. Le train fonçait toujours dans la nuit.

Jessie se replongea dans ses notes, puis leva les yeux
vers John.

— Retour dans le tunnel du métro, quand des images
de votre enfance vous sont revenues.

— Oui, je me souviens.

265

— On dirait que plus vous remontez en arrière, plus vos souvenirs sont clairs.

— Je ne sais pas. Sans doute.

John regarda dehors, dans la nuit, les taches indistinctes des lampes fluorescentes qui défilaient à la vitesse de l'éclair. Tout à coup, il se rappela autre chose sur son enfance. Comme si ses sinus s'étaient ouverts brusquement, il sentit les odeurs de son enfance, les aiguilles de pin, le fumier, la graisse. Et il revit l'image tremblante des doubles grilles de Fess Parker.

— J'ai grandi dans un village à côté d'East Lansing, dit-il. Haslett, ça s'appelait. Oh, rien qu'un point dans la campagne. Des fermes, des camps de caravaning. Et je me souviens de notre logement, une longue caravane étroite sous les arbres, au fond d'un cul-de-sac. Mon père en avait fait un vrai palais — vous voyez, avec une tapisserie imitation bambou et des meubles en bois de tiki, et le téléviseur dans un coin — un petit Muntz de cinquante-trois centimètres. Je regardais souvent la télévision, dans cette caravane. Mes émissions préférées, c'était *Daniel Boone* et *Bonanza*. Plus tard, je regardais religieusement *The Man from UNCLE*.

Jessie lui adressa un bref sourire.

— J'adorais *The Man from UNCLE*, moi aussi. (Elle regarda ses notes.) Vous vous rappelez autre chose sur vos parents ? Mère au foyer. Père agent d'assurances. Ils vous traitaient bien ? C'étaient de bons parents ?

— Pour autant que je me souvienne, ils étaient parfaits. Jamais de mauvais traitements.

— Vous étiez un enfant studieux, c'est exact ? Pas beaucoup d'amis ?

— C'est ce dont je me souviens, répondit-il en haussant les épaules.

— À l'époque du collège, vous étiez totalement absorbé par les livres, sauvage. Pas de copines...

— On pourrait dire ça.

— Et lorsque vous entrez à l'université, vous êtes toujours aussi solitaire. Un authentique rat de bibliothèque ?

John hocha la tête. Il se sentait à nouveau nauséeux, comme si on lui écorchait l'estomac de l'intérieur. Quelque chose d'important forçait l'enveloppe de son amnésie.

— Comment vous en sortiez-vous, John ?

Jessie retournait le couteau dans la plaie, essayant de tirer sur ce qui dépassait.

— Que voulez-vous dire ?

— Comment vous en arrangiez-vous ? La solitude, le manque d'affection. Vous savez bien. Les gens ont des mécanismes de survie, des trucs pour jouer les cartes que la vie leur a données.

John se concentra là-dessus. Mais c'était inutile. Même le patient le plus introspectif, non amnésique, et assisté du plus grand thérapeute du monde aurait un mal infini à mettre le doigt sur un lien direct avec son enfance. Et pourtant... Quelque chose rampait dans son subconscient et menaçait d'éclater à travers la membrane. Quelque chose d'important. Son cœur commençait à cogner dans sa poitrine, et il avait la bouche sèche. Il avait une folle envie de boire un verre. Il voulait retourner à cette voiture-bar pour descendre une pinte de Tanqueray et noyer le ver, tuer la sorcière et faire cesser ce bruit qui résonnait dans sa tête. Au lieu de quoi, il regarda Jessie et lui dit :

— Je n'ai aucune idée de ce qui façonne le destin d'un individu.

— Il y a quelque chose là, bon sang, entre les lignes, insista-t-elle, en plantant son doigt sur les notes. Quelque chose qui n'est pas énoncé clairement, qui est sous-entendu. J'en suis sûre.

— Je ne peux pas vous aider, Jessie.

— Qu'avez-vous étudié à l'université ?

John continua à secouer la tête.

— C'est juste... c'est très vague.

— Concentrez-vous. Faites un effort.

267

John était incapable de tenir en place. Ses plantes de pied le démangeaient, comme si le sol était traversé d'un courant électrique. Comment un homme peut-il *se concentrer*, de toute façon ? S'agit-il d'un exercice de pure force cérébrale, comme dans les dessins animés ? Popeye arpentant le pont de son bateau tel un forcené, serrant les poings et grimaçant jusqu'à ce que la fumée lui sorte par les oreilles ? John avait l'impression que sa peau allait s'enflammer, que son crâne était trop petit de trois tailles pour contenir son cerveau. Finalement, il se leva.

— Je suis désolé. Il faut que je sorte...

Il passa devant elle en la frôlant, puis s'engagea dans l'allée.

— Où diable allez-vous ?

Prise de court, Jessie tripotait son carnet avec embarras.

John se trouvait déjà à mi-chemin de la porte de communication arrière. Jessie le suivit. Devant la porte, il marqua une pause. Son cœur battait dans ses oreilles, il avait la gorge comme pleine de sciure de bois, et ses articulations lui faisaient mal. Il essaya d'avancer, mais il fut pris de vertiges et se retint au dossier d'un siège.

— John, que se passe-t-il... ?

Jessie se trouvait juste derrière lui. Elle tendit le bras. Il fit un geste vers la porte et essaya de l'ouvrir, mais le train cahota brusquement.

Le sifflement du train retentit, très fort, tandis qu'une série de panneaux lumineux défilaient sur le quai. La voix du conducteur grésilla dans un haut-parleur : « Nous arrivons à Michigan City. Michigan City, Indiana. Nous invitons les voyageurs qui descendent à vérifier qu'ils n'oublient rien dans le train... »

Sifflements des freins à air comprimé. Le train avançait par à-coups. John s'effondra contre la vitre.

Jessie se précipita vers lui.

— Qu'est-ce qui se passe, John ?

Il essaya de parler, mais son cerveau était un piston qui

s'était bloqué à mi-course. Dehors, quelque part, un bruit de percussions s'élevait dans l'air. Des baguettes sur du métal. Peut-être des congas. Une sorte de musique afro-cubaine dérivant dans la nuit. Une lumière blanc argenté devant la fenêtre.

Le train s'arrêta.

— John... ?

La voix de Jessie lui parvenait comme un lointain murmure, à peine audible au milieu de toute cette musique.

John se tourna vers la fenêtre au moment où un rayon de lumière blanche balayait l'intérieur du wagon. Il cligna des yeux. Dehors, sous un auvent métallique, des silhouettes s'agitaient dans une flaque de lumière vaporeuse, leurs ombres tressautant sur le sol dallé de briques de la gare. Une demi-douzaine de gamins de différentes origines ethniques, vêtus de survêtements trop larges et arborant les couleurs de leur bande, dansaient le hip-hop, au rythme des percussions. L'un d'eux, juché sur une poubelle renversée, scandait un rap, tandis qu'un autre faisait des moulinets un peu théâtraux avec une lampe de camping halogène.

— John... ?

Le faisceau de la lampe balaya le train et frappa le visage de John.

Quelque chose explosa au fond de son cerveau comme une conduite d'eau qui se rompt. D'un seul coup, les souvenirs le submergèrent, portés par des vagues de lumière aux couleurs chatoyantes et de longues rafales sonores... *L'écho des applaudissements, le grincement des poulies, des câbles et des contrepoids en mouvement, les immenses rideaux qui s'ouvrent, le claquement des projecteurs qui s'allument, la vive lumière magenta illuminant les décors surchargés, le feu des projecteurs sur son visage, l'odeur du maquillage, la clameur des voix, l'impression d'avoir de la toile sur la peau, la montée, la ruée d'adrénaline — FLASH ! —, une femme qui crie, les orchestres qui enflent — FLASH ! FLASH ! FLASH ! —, l'éclat aveuglant et soudain de la LUMIÈRE BLANCHE, si incroyablement vive !!!*

Le train s'ébranla soudain, et John trébucha en arrière contre un siège.

— John, dites-moi quelque chose ! (Jessie le secouait, maintenant.) Que se passe-t-il ?

Il la regarda, clignant des yeux pour faire le point sur son visage, tandis que le train s'éloignait des jeunes danseurs et de la lampe halogène. Le wagon oscillait à nouveau doucement, et la gare de Michigan City disparaissait dans la nuit derrière eux. John avala sa salive au goût de cuivre.

— Je me rappelle ce que *ça* veut dire, Jessie. Je me rappelle, maintenant.

— Ce que *quoi* veut dire ? demanda-t-elle, déroutée.

Il la regarda, puis répondit d'un ton neutre :

— La méthode.

40

Un jouet brisé

Tout avait commencé en Russie, au siècle dernier.

En 1898, un célèbre acteur de théâtre, Constantin Stanislavski, travaillant au Théâtre d'Art de Moscou, mit au point une technique de jeu d'acteur qui séduisit l'intelligentsia bolchevique après la Révolution. Le système était basé sur la nécessité de « ressentir » les émotions présentes dans le texte d'une pièce. Stanislavski appliqua cette technique ingénieuse aux œuvres de Tchekhov et Gorki. Interprète de grandes pièces comme *Oncle Vania* et *La Cerisaie*, il devint bientôt professeur émérite d'art dramatique. Son livre, *La Formation de l'acteur*, fut la référence absolue pour les adeptes de sa méthode. Dans les années vingt, il voyagea en Europe et aux États-Unis, enseignant sa philosophie de Broadway à Stratford-on-Avon. Stanislavski obtint un succès tel qu'à sa mort, en 1938, sa technique de jeu était la plus répandue au monde.

Les Américains poursuivirent son travail pendant les années quarante et cinquante et créèrent des troupes de théâtre aussi influentes que le Group Theater et l'Actors Studio. Les metteurs en scène Elia Kazan et Lee Strasberg enseignèrent des techniques inspirées de Stanislavski : se souvenir de ses expériences passées, revivre des traumatismes, déterrer des souvenirs sensitifs depuis longtemps oubliés pour mieux entrer dans la peau d'un personnage et recréer des émotions authentiques afin de transmettre le message d'une pièce ou d'un film. Ces méthodes de travail furent à l'origine d'une nouvelle génération d'acteurs : Marlon Brando, James Dean, Paul Newman. Le monde de l'art dramatique s'est trouvé radicalement et définitivement transformé par cette nouvelle approche, intense et influente.

On l'appela la Méthode.

Voilà ce que John expliqua à Jessie dans le wagon-restaurant de l'Amtrak International en route pour East Lansing.

— Attendez, attendez... Un peu moins vite, s'il vous plaît.

Elle leva la main pour interrompre son exposé un peu décousu. Derrière eux, l'espace cuisine était aussi désert qu'un Fotomat un soir de réveillon. Le steward, un petit homme corpulent en veste blanche, était perché sur un tabouret. Il écoutait la retransmission d'un match des Cubs sur un transistor, et ne leur accordait pas la moindre attention. Les douze banquettes — six de chaque côté de l'allée — étaient pour la plupart inoccupées, à l'exception de la dernière à droite, près de la porte avant. Une femme seule s'éternisait sur sa bière sans alcool en lisant un numéro du *National Enquirer* qu'elle avait soigneusement déplié devant elle. Un chignon de cheveux mal teints était tiré sur le sommet de sa tête, telle une grosse boule de glace au caramel.

— Je vais trop vite ? demanda John.

— Pas exactement. Je connais cette histoire de Méthode, mais j'ignorais l'origine du mot. Cela dit, ce que j'aimerais vraiment savoir, c'est en quoi tout cela vous concerne.

— Tout est là ! Écoutez. En dernière année de lycée, j'étais déprimé. Terriblement déprimé. Mon père se mourait du cancer, et Maman travaillait en équipe de nuit aux aciéries de Lansing pour payer les honoraires du médecin. Je me disais parfois qu'il me suffirait de foncer jusqu'au bord du monde, faire le grand plongeon dans le Red Cedar, et que tout serait plus facile pour tout le monde.

Jessie hocha la tête lentement, d'un air entendu.

— Je connais cela.

— Oui, eh bien, vous savez comment sont les adolescents. Très sentimentaux. J'avais de terribles insomnies, à l'époque. Alors je passait des nuits entières éveillé, à lire ou à regarder la télévision. Un soir, j'ai revu *Sur les quais*.

— Avec Brando.

— Précisément.

— Et vous vous êtes identifié à lui ?

— Non, pas exactement. Pas tout de suite. Ce que j'ai vu, ce fut cette incroyable liberté avec laquelle il incarnait ce personnage de docker. Je n'avais jamais rien vu de pareil, ni au cinéma ni dans la vie. Je me rappelle que je me suis dit : *Ce mec est absolument pitoyable, indigent, c'est un vrai perdant, et pourtant Eva Marie Saint est toujours amoureuse de lui.*

Jessie hocha la tête.

— La scène dans le taxi... Qu'est-ce qu'il dit, déjà ? « *J'pourrais être un battant.* »

John ferma les yeux, pour mieux se remémorer cette belle scène entre Marlon Brando et Rod Steiger, et récita :

— « *Charlie, ah, Charlie, tu comprends pas, j'pourrais avoir de la classe. J'pourrais être un battant. Au lieu du minable que je suis en réalité.* »

— Oui, c'est ça.

— Le lendemain, à l'école, je suis allé m'inscrire pour jouer dans la pièce de fin d'année. J'ai oublié ce que c'était, sans doute une farce quelconque, mais j'ai obtenu un petit rôle. J'étais surexcité.

— Vous aviez décidé d'être acteur.

— Bien plus que cela... Je veux dire, je me suis *immergé* dans le rôle, je m'y suis lancé à corps perdu, et je... je... Je lisais tout ce qui me tombait sous la main, surtout les livres de Stanislavski et ceux qu'on avait écrits sur lui. Je pense que c'était une manière de transformer mes défauts à mon avantage — tous mes doutes, ma solitude —, une manière de transformer ma douleur en quelque chose de positif.

— Alors vous avez étudié l'art dramatique à l'université ?

— Ouais, j'étais dans ces... commença-t-il, puis il s'interrompit.

La lumière des plafonniers vacilla, et la voiture-bar sembla flotter. Un roulement assourdi monta de sous leurs pieds alors que le train franchissait à toute allure une plate-forme d'aiguillage au milieu de nulle part. John fut parcouru de frissons. Qu'est-ce qui se passait ? Quelque chose était bloqué au fond de son cerveau, quelque chose en rapport avec l'université et ses études d'art dramatique, quelque chose qui appartenait à son passé. C'était comme si les souvenirs s'épanouissaient telle une fleur empoisonnée, qu'ils s'ouvraient à partir de l'enfance et dévoilaient une tache noire, cancéreuse, vers les années d'université. À ce point, tout s'assombrissait à nouveau. Que diable s'était-il passé, à cette époque ?

— Qu'est-ce qui ne va pas ?

Jessie l'observait.

— Euh, rien... Tout va bien, c'est juste que... Les choses me reviennent par étapes, et c'est parfois déconcertant...

Il respira profondément, fouilla dans sa poche et en sortit ses clés. Il les contempla, les étudia, s'interrogea à leur sujet. Certaines étaient des doubles bon marché, argentées, avec un anneau carré. Il y en avait une un peu plus grosse que les autres, dont l'anneau était protégé par un morceau de plastique — sans doute sa clé de voiture —, et une autre plus petite, couleur de cuivre mat, avec un anneau rond. Celle-là avait une découpe plus soignée. John l'examina, en se demandant ce qu'elle pouvait bien ouvrir. Il replia les doigts sur la clé et serra fort, comme s'il s'agissait d'un talisman.

La lumière vacilla de nouveau. John regarda par-dessus son épaule. La femme au *National Enquirer* n'était plus là. Elle avait laissé son journal et sa bouteille de bière vide sur la table. John et Jessie étaient seuls maintenant dans le bar, avec le steward qui sommeillait. Il se tourna vers elle.

— Désolé, murmura-t-il. Je ne me sens pas encore très solide...

— Parlez-moi de l'université.

— J'ai été admis à l'École de théâtre du Michigan. Le programme n'était pas vraiment prestigieux, mais ce n'était pas loin de chez moi, ce qui me permettait de rester en contact avec ma famille. Jouer devint une véritable obsession pour moi. Je me produisais dans tout ce que je trouvais, des clubs de théâtre d'étudiants aux répertoires d'été et au café-théâtre local, et j'ai étudié sous le...

Il s'interrompit à nouveau.

— Que se passe-t-il, John ? s'inquiéta-t-elle.

Au fond de son crâne, le bruit était revenu. Une pulsation liquide, comme un battement de cœur fœtal dans ses oreilles. Les flammes blanches étincelant devant ses yeux, ponctuant la montée de la panique. Ses tempes lui faisaient horriblement mal, il avait la bouche sèche, et il serrait toujours cette petite clé couleur de cuivre au rythme erratique de ses pensées. C'était comme si ses souvenirs de l'université avaient provoqué quelque réaction chimique au fond de son cerveau... Et sa vision s'obscurcissait...

... et il serrait la clé de plus en plus fort.

— Nom de Dieu !

La voix de Jessie le sortit brusquement de son égarement. Il regarda sa main. Elle était poisseuse de sang. Une tache rouge s'élargissait déjà sur la nappe blanche.

275

John fit un bond en arrière. Il avait serré si fort que la clé lui avait déchiré la paume de la main. Il essaya de se lever, mais ses jambes s'emmêlèrent dans le support métallique de la table.

— Rien de grave, lâcha-t-il d'un air penaud.

— Qu'est-ce qui vous arrive ?

Jessie l'aida à se relever. La lumière vacillait.

— Je vais bien... je... vais... très bien.

— John, que se passe-t-il ?

— Je dois aller... aux toilettes... murmura-t-il.

Il remit les clés dans sa poche et s'écarta de la table. Il descendit l'allée en titubant comme un ivrogne, dépassa les cadres des fenêtres qui ondulaient de façon sinistre, puis passa devant le siège désormais inoccupé de la blonde au chignon, avant d'atteindre la porte. Le panneau à ouverture automatique s'écarta quand il le toucha de l'épaule.

Jessie le suivait.

John traversa le compartiment vide en chancelant et se dirigea vers la rampe métallique. Il tenait sa paume meurtrie dans son autre main comme un oiseau blessé. Il parvint à l'escalier et descendit rapidement les marches. Au niveau inférieur, un brusque mouvement de tangage le projeta contre le porte-bagages.

— Attendez une seconde, John, bon Dieu ! Dites-moi au moins quelque chose ! cria Jessie en le rattrapant en bas des marches.

— Ne vous inquiétez pas. Je reviens tout de suite.

Puis il trouva le moyen de se glisser derrière la porte marquée HOMMES.

Les lieux étaient étonnamment vastes — aux dimensions d'un petit salon, plutôt que de toilettes. Sol en tôle ondulée, cagibi central équipé de deux lavabos en inox, produits de toilette rangés sur des étagères métalliques. Trois portes de cabinets s'alignaient sur la paroi de gauche. Le train tangua à nouveau. John tituba, parvint à ne pas glisser sur le sol. Il se dirigea vers le premier cabinet et ouvrit la porte d'un coup sec.

Tout d'abord, il lui sembla que le cadavre affalé sur le siège était trempé jusqu'aux os.

Il eut un brusque mouvement de recul. La femme au chignon blond doré gisait, couverte de sang et mutilée, sur le siège des toilettes. Son visage livide était tourné vers le plafond et convulsé comme si elle avait crié à l'adresse de Dieu dans ses derniers instants. La mare de sang sur le sol s'étirait en minces filets. Quelqu'un avait tranché les mains et les pieds de cette pauvre femme. Ses moignons luisaient, encore sanguinolents. Elle ressemblait à un triste petit jouet brisé.

— Oh... non... mon Dieu...

John bégayait. Il passa sa paume entaillée sur ses lèvres, reculant devant ce spectacle d'horreur, puis pivota tout à coup, cherchant des yeux le coupable. S'attendant à ce que Jack l'Éventreur lui saute dessus à tout moment.

Le bruit assourdi d'un coup sur la porte le fit tressauter.

— John... *John*, pour l'amour du ciel !

Il parvint à mobiliser ses jambes amollies par la terreur et se dirigea vers la porte en titubant.

— John !

D'un mouvement désespéré, il ouvrit la porte à toute volée, attrapa Jessie et la tira à l'intérieur des toilettes. Il claqua la porte si violemment que ses oreilles tintèrent. Mais il le remarqua à peine, parce que le sang collait à ses semelles, le battement de cœur fœtal résonnait sans fin dans ses oreilles, et la voix frénétique de Jessie — elle l'avait pris par les épaules et le secouait — semblait à contretemps du mouvement de ses lèvres.

— Que se passe-t-il ? criait-elle.

Il la prit par le bras et la fit pivoter vers le cabinet numéro un. Il regarda son expression se figer, ses yeux s'écarquiller, ses lèvres s'affaisser quand elle découvrit le

277

cadavre sans mains ni pieds. Puis elle se retourna machinalement, et parcourut la pièce du regard, hagarde.

— C'est impensable... Mon Dieu... Celui qui a fait cela... *Il est dans le train*... Il nous observe... Il est ici... Il est...

John lui plaqua une main sur la bouche.

Ils entendirent un bruit derrière la porte du cabinet de toilette.

— Monsieur ?

La voix râpeuse du steward du wagon-restaurant.

— Tout va bien, là-dedans ?

John regarda Jessie. Il comprit, en voyant la panique flamboyer au fond de ses yeux, qu'elle était à court d'idées sensées.

41

Une seule issue

— Monsieur ? Vous m'entendez ?

Le steward avait une de ces voix de stentor qu'on prête souvent aux sergents instructeurs et aux agents de la circulation. Un baryton ample, entretenu par la fumée de cigare, avec un soupçon de rage qui, même étouffée par la porte verrouillée, donna la chair de poule à John. Il ôta sa main de la bouche de Jessie. Celle-ci restait immobile, les yeux écarquillés, frappée de stupeur. Malgré le choc, malgré l'indécision générale, John parvint à se glisser jusqu'à la porte pour s'assurer que le verrou était bien en place. Puis il revint vers Jessie et faillit perdre l'équilibre en glissant sur le sol métallique poisseux.

Lorsqu'il baissa les yeux, la panique s'ajouta à l'horreur.

Noir comme de la résine de pin dans la lumière tamisée, le sang s'écoulait en un mince ruisseau qui avançait lentement vers la porte. Il n'était plus qu'à trente centimètres. John leva les yeux vers Jessie. Elle regardait la flaque de sang. Elle pensait sans doute comme lui. Ils firent tous les deux un bond lorsque les coups étouffés reprirent.

— Monsieur ? J'ai entendu du bruit... Vous allez bien ?

Au prix d'un effort quasi surhumain, John répondit :

— Oui, oui, ça va, juste un peu nauséeux... le mal des transports, sans doute.

— Puis-je faire quelque chose pour vous, monsieur ?

— Non, merci. Je me sens déjà mieux.

John se tourna vers les lavabos. Jessie agrippait déjà un distributeur, d'où elle arracha un paquet de serviettes de papier brun. Elle se précipita vers la porte, s'agenouilla et se mit à éponger le sang. Mais trop tard. Un filet de sang avait déjà suinté sous la porte.

— *Il faut foutre le camp d'ici*, murmura-t-elle.

John passa les lieux en revue, à la recherche d'une fenêtre. Il n'y en avait pas.

— Monsieur !

La voix tonnait, maintenant, de l'autre côté de la porte, et l'on secouait la poignée.

— C'est du sang... ? Vous êtes sûr que vous n'avez pas de problème ?

— J'ai presque fini !

Puis les choses se précipitèrent. Le steward essayait d'enfoncer la porte. Chaque coup ébranlait un peu plus le petit verrou. Jessie s'était relevée pour prendre d'autres serviettes en papier, mais John l'empoigna et la poussa contre la porte, lui montra le verrou et lui fit signe de s'appuyer de toutes ses forces contre le battant. Mais le steward cognait de plus en plus fort, inlassablement, mettant les gonds à rude épreuve. John s'apprêtait à éponger à son tour le sol quand le bruit du verrou qui lâchait le fit sursauter.

La porte s'ouvrit à la volée.

Le steward entra dans les toilettes en trébuchant, il glissa sur les serviettes imbibées de sang et le métal poisseux, les bras battant l'air, et il s'affala dans un bruit sourd. Il vit le sang tout autour de lui, et quelque chose se brisa dans sa tête. Le train flotta soudain, la lumière des plafonniers crachota, et toute la pièce bascula... tandis que John et Jessie passaient devant lui, pour franchir la porte.

Le steward se cramponna à la jambe de pantalon de John, le tirant vers l'intérieur des toilettes.

John parvint à rester debout.

Jessie décida d'intervenir. Elle entreprit d'éloigner le steward d'un coup de pied, mais le type — ce damné fils de pute trapu — était un dur à cuire et il esquiva. Il roula sur le sol en tordant la jambe de John, qui perdit l'équilibre et tomba. John heurta violemment le métal. Ses poumons se vidèrent. Il commença à suffoquer, sa vue se troublait. Jessie s'efforçait maintenant d'agripper la chemise du steward. Mais celui-ci était rapide — trop rapide pour un homme de sa corpulence — et la poussait vers les toilettes. Jessie heurta la cabine du fond, dont la porte s'ouvrit sous la pression, et elle atterrit directement sur la lunette du WC, paralysée, sonnée, le souffle court.

Le steward découvrit le carnage dans le premier cabinet.

— Seigneur tout-puissant, murmura-t-il.

Il se tourna vers John. Une lueur d'héroïsme insensé s'alluma dans son œil.

Il passa à l'attaque au moment même où John se relevait.

Il fondit sur lui comme un raz-de-marée et le roua de coups, n'épargnant aucun point sensible. John essaya de riposter, mais le steward était enragé, fort du paquet de muscles qu'il avait développé en soulevant des piles d'assiettes sales des années durant. John ne pouvait que se protéger le visage et préparer sa sortie en reculant vers la porte. Mais, comme s'il lisait dans ses pensées, le steward l'empoigna par les épaules et le cogna brutalement contre le mur.

Le premier coup secoua le crâne de John et fit apparaître une rafale d'étincelles dans son champ de vision. Les deux suivants électrisèrent son épine dorsale. La douleur se déchaîna entre ses omoplates. Puis John se débattit, réussit à agripper son uniforme, lui griffa le visage, donna des coups de pieds, des coups de poings, hurlant des fragments de phrases inarticulés : « Arrêtez ! Je n'ai pas... Merde ! *Ce n'est pas moi...* Elle était là quand je suis arrivé... »

Tout à coup, l'attaque faiblit. Son agresseur s'immobilisa. Se retourna.

Jessie se tenait derrière lui. Elle lui tapait sur l'épaule comme si elle avait une mauvaise nouvelle à lui annoncer.

Ce qui se passa ensuite ne dura qu'une fraction de seconde. Mais pour le cerveau anesthésié de John, cela sembla se dérouler au ralenti, comme dans ces étonnants documentaires de Leni Riefenstahl où l'on voit les athlètes de l'Allemagne nazie effectuer des plongeons de haut vol, suspendus en l'air pendant un temps infini... Les formes splendides du buste de Jessie en rotation, la ligne de son bras droit projeté en arrière comme pour un lancer au base-ball, la grimace sur son ravissant visage anguleux, dents luisantes et yeux enflammés... Et, enfin, son poing, tel un brûlant météorite, s'écrasant sur le visage du steward...

Le bruit du choc sur la chair et les os claqua comme une détonation.

Lorsque ses cartilages éclatèrent, le gros homme sembla soulevé de terre. Sa tête partit en arrière, et il resta complètement sonné par la force, la précision et la conviction du crochet de Jessie. Quand son dos heurta le mur, ses narines produisirent un son qui rappelait celui d'un vieux klaxon rouillé. Il s'affaissa sur le sol, le regard vague. À moins d'un mètre de lui, Jessie vacillait. Elle grimaçait en se tenant la main.

— Fils de pute ! Ça fait mal ! siffla-t-elle, les dents serrées.

— Ça va ? demanda John, s'approchant d'elle pour examiner sa main.

— Oui... Je crois...

— Encore une fois, merci.

— Ce n'est rien, vraiment.

— Je crois que nous devrions...

John s'interrompit brusquement. Par la porte des toilettes grande ouverte, qui battait contre le montant, il venait d'apercevoir dans l'escalier des silhouettes portant l'uniforme bleu marine de l'Amtrak. John se précipita, voulut claquer la porte. Mais le verrou avait sauté et il ne restait plus qu'une boucle de métal brisée, qui pendait de son support. Il se tourna vers Jessie.

— Nous sommes coincés.

— Peut-être pas.

Elle le prit par sa chemise. Elle le traîna vers le troisième cabinet — celui où elle s'était si peu élégamment étalée —, le tira à l'intérieur, referma la porte et la verrouilla. Puis elle lui montra la paroi du fond. John leva les yeux et vit la belle, la magnifique fenêtre, la charmante fenêtre, la parfaite fenêtre panoramique, d'un mètre de large — ça suffisait pour laisser passer un demi de mêlée —, et avant qu'il ait le temps de comprendre ce qui se passait, Jessie était en train de tripoter les bords métalliques du châssis — des bruits de pas résonnaient maintenant dans les toilettes, derrière eux, mais Jessie ne relâchait pas ses efforts, le vieux joint de la fenêtre commençait à céder, et John, pantelant, subissait une des plus fortes poussées d'adrénaline qu'il ait jamais eues...

— Il y a quelqu'un là-dedans ! L'autre cabinet ! vociféra un homme, à l'extérieur.

Enfin, la fenêtre se détacha et tomba bruyamment sur le sol.

Une tempête de bruit et de vent s'engouffra dans le cabinet. John et Jessie furent plaqués contre la porte. Le vent sentait la cendre, le diesel et la pluie, et portait l'odeur acide de l'humidité des terrains vagues. John réalisa soudain que le train fonçait dans la nuit, à cent vingt ou cent trente kilomètres à l'heure, et il sut ce qu'ils avaient à faire. Pas d'alternative. Pas de solution de rechange. Il n'y avait qu'une sortie.

— Passez le premier, intima Jessie d'une voix brusque.

Elle avait son air professionnel. Son œil gauche se contractait convulsivement. Dehors, un gémissement de métal. Les freins ? Est-ce que le train ralentissait ?

— Appelle la sécurité, au dépôt ! grogna une autre voix de l'autre côté de la porte du cabinet.

John saisit le rebord de la fenêtre de ses mains souillées de sang, se hissa et balança sa jambe dans le vide — et se retrouva assis comme un idiot sur un poney de manège. Le vent le ballottait, s'enroulait autour de lui, lui frappait le visage. Le rugissement du monstre de métal noyait tout le reste maintenant. John regarda, en bas, les pentes raides, le remblai de gravier défilant comme des vagues d'écume se brisant dans la nuit de l'Indiana. Il tressaillit sous les coups de boutoir dans sa poitrine. Le train ralentissait. Plus loin devant, la voie s'infléchissait, contournait une mosaïque sombre de champs cultivés. John savait ce qu'il devait faire — il savait *exactement* ce qu'il devait faire —, mais son corps s'y refusait. Il était cloué à ce nom de Dieu de rebord de fenêtre comme une statue rouillée...

Jessie le poussa.

Il n'eut pas le temps de crier, de réagir ni de réfléchir. Il n'eut même pas le temps de remarquer que le vent lui arrachait le sommet du crâne, le poussait sur le côté. Car le vent était une véritable *banshee* hurlante.

Il atterrit brutalement sur une bande de terre boueuse au-delà du remblai. Sa fesse droite absorba la plus grande partie du choc. La force de gravité le projeta en avant. Cul par-dessus tête, il dévala un talus herbeux humide. Il reçut au visage, comme un rugissement de fauve, les odeurs de fumier, de poussière et de terreau. Puis il heurta violemment un piquet de clôture abîmé par les intempéries.

Son corps vibra, secoué par la chute et l'arrêt brutal.

Un instant plus tard, il parvint à lever les yeux vers le train qui s'éloignait à toute vapeur dans la nuit.

Tout d'abord, il ne vit que les feux arrière du wagon-restaurant — double rougeoiement criard de pomme d'api — qui disparaissaient dans l'immensité noire, sans lune, comme pour le narguer. Il s'agenouilla péniblement dans les mauvaises herbes et essuya ses larmes et la sueur qui lui coulaient sur le visage, le cœur cognant dans sa poitrine. Il essaya de repérer la fenêtre par laquelle il s'était échappé. Où était Jessie ? Il voulut se lever, mais ses jambes étaient encore faibles. Il avait l'impression que ses poumons étaient pleins de ciment, sa colonne vertébrale l'élançait, ses yeux le brûlaient, mais il se concentrait sur l'arrière de ce wagon, et sur cette fenêtre ouverte... Il ne vit rien.

Jessie, pour l'amour du ciel, qu'est-ce que vous fichez ? Ne me laissez pas tomber maintenant, Jessie, je vous en prie...

Soudain, il se figea.

À une centaine de mètres, les lumières mouvantes du train s'estompaient. Un peu en retrait, là où la voie dessinait une courbe, une forme brisait la ligne d'horizon régulière. Une silhouette ratatinée gisant face contre terre, bras et jambes repliés, près des rails. On eût dit que quelqu'un l'avait balancée du train comme un paquet de linge sale.

— Oh, mon Dieu, lâcha-t-il.

Il se leva, puis se dirigea d'un pas chancelant dans cette direction.

Le corps était toujours étendu, inerte.

42

Dans la nuit, vers l'est

En approchant, la peur au ventre, de la forme indistincte couchée dans l'herbe, John essayait de rester calme, concentré. Jessie gisait, immobile, le visage tourné dans la direction opposée aux voies, la peau noire de suie.

Il avança un peu plus près, craignant le pire. Il avait l'impression que Jessie grimaçait, les yeux fermés, mais c'était difficile à dire, dans l'obscurité. Après tout ce qu'ils avaient traversé, John ne pouvait pas croire que Jessie était peut-être blessée, alors qu'il était sain et sauf. Surmontant son angoisse, il s'agenouilla à hauteur de son visage. Il avait peur de la toucher, peur de prononcer un mot... Mais il parvint tout de même à murmurer :

— Jessie, vous m'entendez ?

Les yeux de Jessie battirent faiblement, puis se fixèrent sur lui. Elle avait le souffle court.

— Jessie !

Paralysé par l'émotion, John s'efforçait de la regarder, malgré ses yeux humides.

Elle essaya de parler. Un gémissement haletant, à peine audible par-dessus le bourdonnement des grillons.

— Saloperie de tennis... murmura-t-elle.

— *Pardon ?*

John entendait son propre sang affluer dans ses oreilles. Elle déglutit péniblement, en grimaçant.

— Phyllis Strickland et moi, on y jouait, il y a deux-trois ans... dirait que je suis une sacrée sportive... *Bon Dieu...* à quoi ai-je bien pu penser ?

— Je ne com...

— Mon foutu *dos*, voilà de quoi je parle. Il a fallu que je me prenne pour Miss Coupe Davis, et que je plonge pour rattraper ce revers...

John essayait de se ressaisir. Il essayait de respirer normalement. Il eut envie de la prendre dans ses bras. Au lieu de quoi, il lui caressa le front et lui demanda :

— Vous pouvez bouger ?

— Je suppose. Je ne sais pas.

Elle essaya. Un tiraillement la fit grimacer.

— Doucement, dit John.

Il l'aida à se rallonger sur le sol.

— Deux disques démis pour une minute merdique de gloire.

Elle fixait le ciel, l'air agacée.

— Allez-y doucement, lui dit John. Nous allons vous trouver de l'aide.

— Ça ira. Donnez-moi seulement une minute.

Elle inspira profondément, plusieurs fois. Ses bronches émettaient un bruit rauque. John la regardait. Il regardait sa chevelure couleur d'amande grillée, ses lèvres de pin-up et ses incroyables pommettes — *bon Dieu, ces pommettes avaient l'air si exquises dans le noir, on eût dit du marbre sculpté* —, et tout à coup le bruit dans sa tête commença à diminuer, le hurlement de sirène de la terreur, le choc de la découverte de cette pauvre femme dans les toilettes, tout cela commençait à s'estomper légèrement, tandis qu'il se concentrait sur cet ange gardien si mal en point.

— Que s'est-il passé, Jessie ? demanda-t-il finalement, lorsqu'il se fut suffisamment calmé pour penser.

— Le contrôleur m'est tombé dessus au moment où j'allais sauter. Il a bousillé mon timing, c'est tout.

Elle parvint à s'asseoir. John l'aida à se maintenir, à se détendre.

— Ça ira, répéta-t-elle.

— Vous pouvez vous tenir debout ?

— Accordez-moi encore une seconde.

Jessie avait la gorge serrée. Elle inspira à fond, puis se leva à grand-peine.

John se leva à son tour et se tint à côté d'elle, le bras passé autour de ses épaules.

— Vous m'avez fichu la frousse, chère madame.

Elle le regarda avec un sourire las.

— J'ignorais que vous vous inquiétiez de mon sort.

S'il n'avait été si désorienté, si terrifié, John aurait peut-être rougi.

Il tourna la tête, et regarda de l'autre côté du champ. Ils se trouvaient à la limite d'une grande exploitation agricole de soja. Le ciel nocturne formait une voûte de nuages noirs menaçants, la terre était si sombre, si plate, qu'elle ressemblait à un océan par grand calme. Et cette odeur pure, riche et féconde portée par le vent... John s'en souvenait, elle appartenait à son enfance. C'était bizarre la façon dont les odeurs, plus que tout le reste, excitaient sa mémoire. L'odorat était le plus évocateur des cinq sens.

John se tourna vers Jessie.

— Vous pensez pouvoir marcher ?

Elle haussa les épaules.

— Il est clair qu'on ne va pas passer la nuit ici.

Ils suivirent la voie ferrée jusqu'au premier croisement. Puis ils prirent la route. Ils marchèrent pendant une vingtaine de minutes. La campagne était aussi calme et silencieuse que l'intérieur d'une église, ce qui mettait John mal à l'aise. Le silence semblait vivant, palpable. Alors il entama une conversation, dans le seul but de meubler ce silence. Ils parlèrent de cette pauvre femme, assassinée

288

dans les toilettes. Le meurtrier avait dû se dissimuler quelque part, attendant son heure. Mais comment ce monstre s'était-il débrouillé pour s'introduire dans le train ? Ils parlèrent des souvenirs de John, de son goût pour l'art dramatique et pour la Méthode. Ils parlèrent de l'étrange trou noir qui s'ouvrait dans sa mémoire dès qu'on se penchait sur sa dernière année d'université. Jessie déplora leur maladresse : ils avaient abandonné le cartable dans le train, avec, bien sûr, leurs empreintes digitales. En revanche, elle avait pensé à récupérer le Beretta ; elle l'avait fourré sous sa ceinture, dans son dos, avant de sauter du train, mais il avait fallu qu'elle tombe dessus, et cette saleté avait esquinté son dos déjà fragile. Du moins avaient-ils une arme. À part cela, ils ne possédaient rien d'autre que les vêtements qu'ils portaient, un peu d'argent liquide, et les souvenirs en train de se reconstituer dans la mémoire de John.

Quand ils atteignirent la Highway 20, ils étaient trop exténués pour continuer à parler.

Ils décidèrent de faire de l'auto-stop.

Ils durent attendre quelque temps avant de voir arriver le bon véhicule. Au moment où ils allaient renoncer et reprendre leur marche, un mince rayon lumineux apparut derrière eux. Il perçait la brume printanière comme une balise, précédé du grondement lointain d'un poids lourd. Bientôt, le bruit et la lumière s'amplifièrent. Le chauffeur du camion actionna ses feux de route et fit hurler sa trompe. Il les dépassa dans un rugissement, puis freina dans un chuintement d'air comprimé. John et Jessie le rattrapèrent en claudiquant, et en remerciant leur bonne étoile.

John monta les marches de métal et ouvrit la portière côté passager. Il découvrit une cabine pleine à craquer et, derrière le volant, un petit bonhomme lépreux portant une chemise de flanelle graisseuse et une casquette Caterpillar. L'homme observait John par-dessus le siège du passager encombré de boîtes en carton. Les voyants du tableau de bord teintaient de jaune son visage desséché.

— Au plaisir de vous rendre service, fit-il d'une voix traînante. Mais z'allez devoir voyager derrière, dans la remorque.

— À l'arrière ?

John jeta un coup d'œil par-dessus son épaule. L'énorme remorque portait le logo du thé Bigelow.

— Ouais, m'sieur, acquiesça le chauffeur, en lui montrant les boîtes entassées à côté de lui. J'crache pas sur la compagnie, mais c'est bien trop à l'étroit ici pour des passagers. La porte n'est pas fermée, à l'arrière. Z'avez qu'à sauter là-dedans et vous mettre à l'aise.

— C'est parfait, monsieur, merci beaucoup, dit Jessie, qui se dirigea sans attendre vers la remorque.

— Au fait, jeunes gens, vous allez à Detroit ?

— Lansing, dit John.

Il descendit les marches à reculons, en essayant de dissimuler sa nervosité.

— Eh bien, c'est sur mon chemin, l'ami. Je donnerai un coup de corne quand on y sera.

John le remercia, claqua la portière et se dirigea vers l'arrière. Mais la voix du routier l'arrêta net :

— Hé, l'ami !

Il remonta les marches et regarda le troll.

— Z'allez être tranquille, là derrière... (Son sourire mit en évidence une dent en or qui étincela dans la pénombre.) Z'aurez l'temps de profiter de cette fille. Elle a de jolies jambes.

John hocha la tête, l'air timide.

— Vous avez raison. Merci.

Il retourna vers l'arrière, en secouant la tête. *Ouais, c'est sûr, quelle nuit magnifique pour la bagatelle.* Les portes de la remorque étaient ouvertes, et Jessie l'attendait. Elle l'aida à se hisser à l'intérieur, puis tira la double porte.

Le camion s'ébranla et reprit tranquillement sa route.

La remorque de dix mètres de long était pleine jusqu'à la gueule de cartons de thé Bigelow entassés sur des palettes, de part et d'autre d'une étroite allée centrale. Le thé s'élevait jusqu'au plafond. Il y en avait de tous les parfums, de tous les mélanges imaginables, du pekoe en vrac aux goûts les plus exotiques. La remorque sentait la boîte à cigares et la cannelle, le tabac et la menthe. Un seul plafonnier tremblotant éclairait faiblement les lieux. John dut se retenir à une caisse d'Earl Grey quand la remorque franchit une série de bosses sur la route.

— Venez vous asseoir, dit Jessie d'un ton las, du bout de l'allée.

John s'approcha de la pile de sachets de camomille emballés sous plastique, plus basse que les autres, sur laquelle elle était assise. Elle avait étendu une couverture sur les cartons. Quand John s'installa à son tour, les boîtes firent entendre quelques craquements en guise de protestation. L'arôme des fleurs séchées flottait dans l'air.

— Je ne peux me sortir de la tête l'image de cette femme, dit John au bout d'un moment.

— Il est beaucoup question de têtes, dans cette affaire.

Elle fouilla dans la poche de sa chemise et en sortit son paquet de Carlton tout écrasé. Il ne restait qu'une cigarette cassée en deux. Jessie renonça à la fumer. Elle la jeta.

— Comment cela ?

— Des têtes... Des photos de têtes déformées dans le dossier, la tête coupée dans le tunnel du métro, le contenu de votre propre tête pratiquement effacé, et cette histoire de malade mental en liberté... Je me demande...

— Je ne me rappelle pas avoir lu quoi que ce soit dans le...

John soudain sursauta et jeta un regard inquiet vers l'arrière du camion. Une pierre venait de frapper un essieu avec un claquement sec.

— Hé, du calme, capitaine ! plaisanta Jessie, posant une main amicale sur son épaule.

John inspira profondément, et s'apaisa.

— Excusez-moi... Je suis encore un peu nerveux, sans doute.

— Le contraire serait inquiétant.

Jessie avait laissé sa main sur son épaule. Elle serra les doigts, doucement, pour le réconforter. John sentit une incroyable bouffée de chaleur irradier tout son corps, des picotements dans ses terminaisons nerveuses. Il essaya de trouver une phrase sensée. Mais il était incapable d'émettre le moindre son.

— Il y a au moins une bonne chose, dit finalement Jessie.

— Quoi ?

— Nous savons que vous n'avez pas tué cette femme, dans le train.

John hocha la tête.

— Je tiens à vous remercier, Jessie.

— Pourquoi ?

— De ne pas m'avoir laissé tomber.

Elle haussa les épaules.

— Je ne fais que mon boulot.

John esquissa un sourire.

— Quand je pense que je commençais à m'en faire à votre sujet...

— Comment cela, vous en faire à mon sujet ?

— Je craignais que tôt ou tard vous n'essayiez *sur moi* ce fameux Persuasif.

— Persuasif ? (Elle lui jeta un regard intrigué.) Qu'est-ce que c'est que ça ?

— Ce truc que vous avez fait dans le salon de tatouage, à ce gros lard vêtu de cuir et puant la sueur.

— Oh, *ça*... dit-elle, amusée.

John hocha la tête. Il regarda ses yeux vert émeraude. Il vit la pénombre tomber sur son visage et en accentuer les angles — *Merci, mon Dieu, pour votre infinie sagesse et votre génie à dessiner ces pommettes fabuleuses* —, et tout à coup il sentit ses muscles se relâcher, des images de son passé dansèrent dans sa tête, les nuits solitaires, les heures solitaires à la bibliothèque, le désir, le désir d'avoir une amie, une compagne... Pourquoi avait-il été si seul ?... Et maintenant, cette femme superbe, avec son

292

punch digne de Mike Tyson, qui l'acceptait, lui faisait confiance... *Pourquoi ?*

— Jessie, j'espère que vous ne croyez pas...

Elle se pencha et l'embrassa sur la joue.

Cela fut totalement inattendu — un simple baiser, rien de provocant —, mais ça lui ôta tous ses moyens. Ils restèrent silencieux un long moment, en se regardant, simplement. John mit la main à sa joue comme s'il avait été piqué. Il voulut dire quelque chose mais ne trouva pas les mots. Son cœur s'emballait. Il se demanda si Jessie avait les mêmes pensées, ressentait la même affection d'adolescent.

— Pardonnez-moi, John... commença-t-elle. Je n'aurais peut-être pas dû...

Cette fois, ce fut John qui l'interrompit. Il se pencha vers elle et la serra doucement dans ses bras. Il fut surpris en sentant qu'elle avait le dos moite — elle devait avoir transpiré abondamment — et le tremblement imperceptible de son corps, et son parfum — Dieu, même sous l'odeur de l'eau du fossé, son parfum enchanta John, la légère trace d'eau de toilette, et la menthe du chewing-gum, et la crème pour la peau, et la chaleur —, il avait l'impression qu'on venait de lui faire une piqûre d'héroïne. Il chercha ses lèvres, et l'embrassa. Elle lui répondit sans mot dire, pressa sa bouche contre la sienne. Puis ils se cramponnèrent l'un à l'autre, ils se cramponnèrent désespérément dans le silence assourdissant de la remorque instable, ils se cramponnèrent et s'embrassèrent et se caressèrent, leurs battements de cœur mêlés faisant un vrai tintamarre, l'air embaumant un mélange de feuilles de thé, de moisissure et d'huiles parfumées — merveilleuses, merveilleuses senteurs —, et ils restèrent ainsi dans les bras l'un de l'autre jusqu'à la fin du voyage — trop perturbés pour faire l'amour, trop terrifiés pour se séparer.

Et John oublia le froid qui régnait derrière la coquille protectrice de la remorque. Il oublia ce qui se trouvait devant eux dans la nuit, à l'est.

43

Des rides dans un trou noir

Dans les minutes précédant l'aube, le ciel de Lansing était semblable à du verre laiteux. Son éclat fragile évoquait la faible lueur d'une vieille lampe Tiffany. En fait, toute la ville était quelque peu antique et démodée, comme un petit bec de gaz anachronique posé au carrefour de deux rues animées. Fondée au milieu du dix-neuvième siècle, la capitale du Michigan était un vestige bizarre de l'ère de la production en série, un avant-poste subalterne, tout de brique et de mortier, de l'industrie automobile et des manufactures. Mais contrairement à Flint au nord, avec ses cimetières de voitures pleins de carcasses préhistoriques, contrairement à Detroit à l'est, avec ses quartiers mal famés et ses fonderies en aval du fleuve, Lansing était encore un petit univers clos, planté au beau milieu de riches terres arables. Un mélange de cultures si variées qu'on avait l'impression qu'elles pouvaient faire craquer cette communauté aux coutures.

Et la raison de cet amalgame invraisemblable tenait sans aucun doute à son université.

Fondée en 1855, la Michigan State University avait été une des premières universités américaines à bénéficier d'une donation foncière du gouvernement fédéral. Elle s'était établie à l'est de la ville, et les bons esprits de la région ne tardèrent pas à la surnommer « Meuh U ». Avec le temps, le campus s'étendit comme du *kudzu* le long des berges du Red Cedar et envahit les champs de soja au sud du mont Hope et de Forest Akers. À la fin des années soixante-dix, la MSU était devenue la plus grande université du pays. Ses bâtiments de salles de classe de brique rouge recouverts de lierre, ses résidences d'étudiants, ses laboratoires et ses champs expérimentaux occupent plus de mille hectares.

Le coin nord-est du campus, parsemé de pavillons victoriens et de bosquets d'arbres centenaires, est le plus ancien. La plupart des vieilles résidences et des salles d'études gothiques disparaissent sous le feuillage, les moulures et les gouttières de cuivre sont tachées par le vert-de-gris, et les anciens toits mansardés s'affaissent comme de vieux chevaux sous le poids de leur selle. L'usure a donné à l'endroit une patine un peu fanée. Et chaque matin, à l'aube, ce sont ces bâtiments que le soleil pâle frappe en premier, leur conférant une phosphorescence un peu sinistre. L'air sent le pin humide et l'asphalte, et le ciel a la couleur du granit.

C'est à cet instant du jour naissant que John et Jessie arrivèrent.

Ils venaient de l'est, de l'autre côté de Hagadorn Road. Depuis l'endroit où le transporteur de thé les avait déposés, près de la vieille Highway 69, ils avaient dû parcourir trois ou quatre kilomètres à pied. Ils étaient morts de fatigue, leurs habits étaient trempés de sueur et de crasse, et leurs pieds les mettaient au supplice. John, surtout, était éreinté. Ses blessures s'étaient réveillées au petit matin, dans cette remorque impitoyable, et ses articulations semblaient bourrées de verre pilé. Mais il sentait à peine la douleur. Il sentait à peine la fatigue. Il vibrait littéralement d'impatience.

Devant eux, les vieilles résidences universitaires se découpaient sur le ciel du matin comme autant de phares. Leur vue activait des synapses dans l'encéphale de John, et faisait surgir des éclairs de mémoire brute, des étincelles de son passé. Il se trouvait enfin au point zéro.

— C'est incroyable... Je me souviens de ce bâtiment... Bon Dieu... murmura-t-il, en montrant les fenêtres en voûte de la résidence, à cinquante mètres de là.

Ils traversèrent le parking circulaire et s'engagèrent sur la pelouse. En approchant du bâtiment, ils découvrirent la frise placée au-dessus de la porte. On y lisait ABBOTT HALL en grandes lettres romanes. Au-dessus, au premier étage, quelqu'un avait collé sur une fenêtre des bandes de papier adhésif formant le mot SALUT !

— Tu te rappelles avoir vécu ici ? demanda Jessie en s'arrêtant près des marches de pierre.

Elle parlait doucement. Elle ne voulait pas réveiller les étudiants encore endormis.

— Je me rappelle avoir passé beaucoup de temps ici. Mais je ne me souviens pas si j'étais pensionnaire.

Jessie le regarda.

— Une petite amie ?

— Mon Dieu, non, je n'ai jamais eu de temps à consacrer à cela. Trop occupé par l'art dramatique — tu sais bien —, un vrai *jeune homme* révolté...

— Ça m'a tout l'air d'une blague.

John sourit.

— Très bien, inspecteur, tu m'as eu. J'étais un sinistre raseur, je l'avoue.

Jessie lui donna un coup sur l'épaule.

— C'est toi qui le dis, mon vieux, pas moi.

— Le bâtiment administratif, annonça John après un silence embarrassé. C'est par là que nous devrions commencer. Dans leur base de données, ils ont les dossiers de tous les étudiants.

Jessie lui montra la résidence.

— Tu ne veux pas entrer là-dedans, pour essayer de glaner quelques bribes de souvenirs ?

John lui répondit qu'il aimerait autant dans le bâtiment administratif.

— Est-ce qu'on ne peut pas prendre un café, avant ?

— Allons-y, dit John en la tirant vers la rue. Nous nous arrêterons à l'association des étudiants, et nous nous offrirons un peu de cette délicieuse pitance universitaire.

La traversée du campus fut comme une promenade sur un vaisseau fantôme. Les jardins formaient une véritable nature morte de pelouses ombragées et de bâtiments obscurs. Seuls le système d'arrosage automatique ou le pépiement des oiseaux brisaient occasionnellement le silence. En chemin, Jessie ressentit un certain malaise. Cela s'était produit à intervalles réguliers depuis qu'ils avaient embarqué dans le train, l'après-midi précédent. Elle était persuadée qu'une présence obscure s'attachait à leurs pas. Tout d'abord, sur la Stevenson Expressway, lorsqu'une petite conduite intérieure de marque japonaise rôdait derrière elle, à trois voitures de distance. Et puis dans la ruelle devant le poste de police, et dans le métro, et à nouveau pendant qu'ils faisaient de l'auto-stop sur l'autoroute, la nuit précédente. Même à l'abri dans l'obscurité du semi-remorque, Jessie n'avait pas pu se libérer de cette impression. Était-ce cette présence énigmatique qui était responsable des meurtres épouvantables dans le métro et dans le train ? Jessie n'en avait pas parlé à John. Et maintenant encore, elle négligea de lui en faire part.

Cinq minutes plus tard, ils arrivèrent au bâtiment de l'association universitaire et se mirent en quête de ce qu'ils cherchaient. La cafétéria n'était pas encore ouverte, mais Jessie persuada un des marmitons de leur préparer du café et des œufs sur le plat. Ils passèrent presque une heure dans la salle déserte. Ils discutèrent de ce qu'ils allaient faire, évoquèrent le passé de John à l'école, et envisagèrent divers scénarios, du meilleur au pire. À neuf heures, ils avaient assez de caféine dans les veines pour monter à l'assaut du bâtiment administratif.

Il leur fallut dix minutes pour retraverser le campus.

Lorsqu'ils arrivèrent à l'énorme bloc de verre et d'acier connu sous le nom de Centre administratif Hannah, l'agitation matinale battait déjà son plein. Ils se présentèrent au service des inscriptions. Une femme sympathique vêtue d'un ensemble tailleur-pantalon bleu pétrole tapotait sur un terminal d'ordinateur. Lorsqu'ils lui eurent raconté une histoire abracadabrante à propos de leur enfant qui avait envie de s'inscrire à l'école de théâtre, la dame finit par hocher la tête et se leva avec raideur de son fauteuil pivotant.

Elle les conduisit à un petit cagibi, où il y avait un terminal d'ordinateur et un clavier. La femme introduisit le mot de passe approprié. L'écran tremblota, des graphiques apparurent.

— Il vous suffira de taper les mots clés, dit-elle.

Puis elle tourna les talons et quitta la pièce, laissant Jessie et John seuls avec l'histoire de la MSU.

Tout d'abord leurs recherches ne les menèrent nulle part. Jessie était assise devant l'écran. Elle introduisait fiévreusement les données, faisait défiler des listes interminables de productions estudiantines et de propositions de cours. John se tenait derrière elle. Il regardait par-dessus son épaule, et marmonnait des fragments de noms et de dates à demi oubliés. La banque de données ne contenait que des inventaires de classes inconnues, anonymes, et des pièces de théâtre obscures. Soudain, venu de nulle part, apparut le titre de la farce de Tom Stoppard, *Rosencrantz et Guildenstern sont morts*.

Quelques secondes plus tard, la distribution s'afficha sur l'écran en lettres vertes.

— Oh, mon Dieu... oui, murmura John, en rongeant un de ses ongles déjà passablement abîmés.

Le nom *Jonathon McNally* scintillait au beau milieu de la liste. Ce fut comme une surdose d'amphétamines, une rafale d'adrénaline qui fit se dresser l'épine dorsale de John. Les répliques tournoyaient dans son esprit (« *La mort n'est rien... c'est l'absence de présence...* »), puis les souvenirs — le théâtre, la lumière drue, argentée, dans ses yeux, les procédés mnémotechniques, la mémorisation des répliques, les petits trucs mentaux — « Le prince est éclairé quand il rentre côté jardin »... Puis d'autres rôles s'affichèrent sur l'écran de l'ordinateur. John en Layevsky dans *Le Duel* de Tchekhov, John en Max dans *Bent*, John en Eddie dans *Hurly Burly*, John en Mick dans *Plenty*, John en Gibbs dans *La Serre*, etc., etc.

Puis, tout à coup, plus rien.

John tressaillit, comme s'il avait reçu une décharge électrique. L'écran continuait d'afficher des listes de pièces avec leur distribution, mais son nom avait disparu de la troupe. Et sa disparition avait coïncidé avec une commotion violente au fond de son cerveau, une ride soudaine dans le trou noir de sa mémoire. Il avait quitté le théâtre. Ce devait être pour une raison importante.

— Où es-tu parti ? demanda Jessie, les yeux fixés sur l'écran.

— Je ne suis pas sûr...

— Tu avais peut-être reçu ton diplôme.

— Non, non, ce n'est pas ça, dit John, une sensation aiguë au fond du crâne. Attends... Là... Qu'est-ce que c'est que ça ?

Il lui montra un petit encadré au bas de l'écran. L'ensemble de la saison théâtrale était dédiée à un professeur d'art dramatique nommé Stanley Brunner. Jessie interrompit le défilement du texte, cliqua deux fois et l'encadré s'afficha plein écran. John regarda, ébahi, les majuscules scintillantes DOCTEUR STANLEY BRUNNER, il tendit la main et toucha l'écran du bout du doigt...

Il fit un bond en arrière avec l'impression, une fois de plus, d'avoir reçu une décharge. Il heurta le bureau derrière lui et fit tomber à terre une pile de documents.

Jessie se tourna vivement.

299

— Ça va ? Que s'est-il passé ?

— Ça va... Excuse-moi... Ça va bien, je t'assure.

John ramassa les feuilles éparses, en essayant de ne pas entendre les récepteurs radio, au fond de son crâne, qui étaient réglés sur des dizaines de fréquences différentes. *Le docteur Brunner ?* Soudain, il eut une intuition. Une idée qui n'avait pas fait son chemin jusqu'alors. La raison pour laquelle il avait disparu des listes de comédiens.

— Jessie, rends-moi un service, veux-tu ? Introduis les mots-clés pour d'autres départements.

— Lesquels, par exemple ?

— Psychologie. Les listes de professeurs assistants, des candidats à la maîtrise... ce genre de choses.

Jessie fit plusieurs tentatives. Mais cela finit par payer. Évidemment, au moment où le jeune Jonathon McNally disparaissait du cours de théâtre, il réapparaissait dans un autre département comme diplômé en *psychologie*.

— On dirait que quelqu'un a changé de matière principale.

L'en-tête Collège des Sciences sociales s'afficha sur l'écran. Le nom de John se trouvait vers le bas, dans une liste de candidats à la maîtrise.

Son cerveau se noyait sous l'afflux des souvenirs morcelés et des bourdonnements de voix.

— Je me rappelle avoir quitté l'école de théâtre... Oui, je m'en souviens... Je ne sais pas pourquoi... Mais je me rappelle que j'ai tout laissé tomber, pour passer en psycho...

Jessie gardait les yeux fixés sur l'écran. Elle réfléchissait, tandis que John continuait de se ronger les sangs.

— Mais pourquoi la psychologie ? Qu'est-ce qui a pu me détourner du théâtre ? La mort de ce docteur Brunner ? Il doit y avoir quelque chose dans cette direction, mais c'est... encore si vague... je ne sais pas, c'est déformé par ce trou noir dans ma mémoire. Je me rappelle très précisément le programme des cours, pourtant. Psychologie comportementale, psychologie clinique... J'avais un

conseiller de thèse... Comment s'appelait-il ? Kane ?
Non, pas Kane... *Cohen !* C'est ça. Shelly Cohen. Un
vieux monsieur adorable.

Jessie tapa quelque chose sur son clavier.

— Jessie ? (John la regarda. L'écran scintillait.) Que
fais-tu ?

— Une idée, simplement. Comment s'appelait-il, ce
conseiller en psychologie ?

— Cohen.

Elle rentra encore quelques mots-clés et attendit que
l'ordinateur fasse ses recherches.

— Je ne sais pas pourquoi je n'y ai pas pensé plus tôt...
Bon Dieu, il m'arrive d'être vraiment lente, parfois !

Un nom et une adresse clignotaient sur l'écran.

Jessie les recopia.

Puis elle se leva et entraîna John vers la sortie. Elle lui
expliqua exactement ce qu'ils allaient faire.

44

Le chemin de la mémoire

— Vous êtes sûr que vous ne voulez rien boire, ni l'un ni l'autre ? Du jus de fruit ? Du vin ?

Le vieil homme était assis derrière une table encombrée, au centre d'un petit bureau en pagaïe, au quatrième étage du bâtiment de psychologie. La pièce débordait de livres, de bibelots et de souvenirs. Le vieil homme était le maître des lieux. Il était chauve comme un melon tout fripé et portait d'épaisses lunettes cerclées de métal. Sa chemise hawaiienne entrouverte dévoilait quelques poils grisonnants.

— Mademoiselle Bales ? insista-t-il gentiment.

— Non, merci, Doc, dit-elle avec un sourire. Il faut bien que quelqu'un tienne le volant.

— Et vous, Jonathon ?

— J'en prendrai volontiers un peu.

Jessie remarqua qu'il avait les poings serrés sur ses genoux.

Le vieil homme extirpa d'un tiroir une bouteille de porto. De ses mains tremblantes, il en emplit deux tasses à café. Il en tendit une à John, puis approcha la sienne de ses lèvres. Il en but une petite gorgée, prit le temps de la savourer. John, quant à lui, avala son porto cul sec, puis poussa sa tasse vide sur le bureau.

— Vous permettez que j'en prenne un autre ?

Jessie couvrit la tasse de la main.

— Peut-être devrions-nous y aller doucement... Nous n'avons pas dormi plus de deux ou trois heures cette nuit.

Elle jeta un regard à John, qui hocha la tête d'un air penaud, puis elle fit un clin d'œil au professeur. Ce petit bureau la rendait un peu claustrophobe, bien qu'elle occupât une chaise de bois près de la fenêtre, à côté de John. C'était un cagibi classique d'intellectuel, bourré de rayonnages pleins de livres et de documents jaunis, protégés par la poussière et les souvenirs qui s'y attachaient. L'air sentait le papier moisi, le café froid et la lotion mentholée, et partout où l'on posait le regard, il y avait des photographies. Des photos du professeur avec des huiles de l'université et des personnalités en visite, d'innombrables clichés de feu son épouse, de ses enfants, petits-enfants et parents plus éloignés. Une pièce imprégnée de son passé. Jessie espérait que le professeur émérite Sheldon L. Cohen, docteur en philosophie, les aiderait à s'introduire dans celui de John.

Elle savait que cela avait peu de chances d'aboutir. Mais depuis sa première rencontre avec John McNally, elle attendait que cette occasion se présente. Et maintenant qu'ils avaient enfin mis la main sur quelqu'un qui avait non seulement la possibilité d'agir mais aussi la volonté d'aller jusqu'au bout, elle était sur des charbons ardents. Le vieux Shelly Cohen était leur meilleur atout.

— Le vin est bon pour la circulation, fit-il remarquer d'un ton un peu pédant, en avalant le fond de son porto. (Il se tourna vers John.) Je dois avouer, Jonathon, que je ne pensais pas vous revoir.

— Je vais être honnête avec vous, dit John. Je n'ai aucune idée de l'état... de la disposition d'esprit dans laquelle je me trouvais quand j'ai quitté l'école.

— Vous n'étiez pas en état de faire quoi que ce soit.

303

— Vous pouvez nous en dire plus ? demanda John avec inquiétude.

Jessie observait le vieil homme, qui inspira profondément avant de répondre.

— Vous étiez toujours d'humeur sombre, dit-il en pesant ses mots. Toujours à broyer du noir, toujours de mauvaise humeur. J'ai travaillé avec vous pendant presque deux ans, et je ne vous ai jamais vu sourire. Pas une seule fois. Quel genre de type faut-il être pour ne jamais sourire ? J'en étais désolé pour vous, mais par ailleurs vous étiez un étudiant irréprochable. Surmené. « Prenez un peu de repos de temps en temps », vous disais-je, mais non, pas Jonathon. Toujours le nez dans le manuel d'études cliniques, de jour comme de nuit.

Le professeur marqua une pause, et déglutit avec difficulté. Jessie se demanda si le vieux bonhomme était malade. Il avait cet air lessivé, amer, que les gens âgés montrent parfois après une opération chirurgicale.

— Vous disiez que John n'était pas en état de faire quoi que ce soit, reprit-elle. Qu'entendiez-vous par là ?

— Jonathon achevait sa thèse... Si j'ai bonne mémoire, elle traitait des *« effets du stress post-traumatique sur les troubles liés au dédoublement de la personnalité »*... Et j'étais de plus en plus inquiet à son sujet. Obsédé par son diplôme, il passait ses jours et ses nuits à la bibliothèque. J'avais peur qu'il n'en fasse trop. Peut-être se droguait-il. Sa santé déclinait, il était d'une humeur de plus en plus sombre. Il était complètement déboussolé.

Le professeur haussa les épaules, puis regarda John.

— Vous ne m'avez même pas dit au revoir, Jonathon. Après la remise des diplômes, vous n'êtes même pas passé pour dire adieu. Vous étiez comme... un moteur en sur-régime... Et je craignais de vous voir couler une bielle.

Il y eut un silence gêné. Jessie sauta sur l'occasion.

— Dites-moi, professeur Cohen, vous comprenez la raison de notre présence ici, n'est-ce pas ?

Il haussa à nouveau les épaules.

— Si ce que vous m'avez dit est vrai, alors Jonathon a subi quelque chose qui dépasse ma compréhension. L'amnésie est la maladie du silence. Je ne peux imaginer à quel point ce doit être déroutant.

— Allez-vous nous aider ? demanda Jessie.

— Je vous dirai tout ce que je sais.

— Non, vous ne comprenez pas, nous avons besoin que vous fassiez plus que cela.

— Comment serait-ce possible ?

Elle plongea son regard dans les yeux du vieil homme.

— Nous voulons essayer l'hypnose.

Les sourcils du professeur Cohen s'arquèrent, comme deux grosses chenilles.

Jessie opina.

— Oui. Je suis persuadée que c'est la meilleure méthode pour libérer ses souvenirs *récents*, ceux qui semblent les plus difficiles à débloquer.

Il y eut un bref silence. Jessie sentit peser sur elle le regard de John, un regard brûlant de peur. Elle observa le professeur et, un bref instant, il lui sembla voir une étincelle de fierté au fond des yeux du vieil homme.

— Les enfants, vous avez frappé à la bonne porte. (Il se leva avec un grognement.) Il nous faut simplement trouver un endroit plus confortable.

John leva les yeux vers le professeur.

— Vous voulez faire cela *maintenant* ?

— Pourquoi remettre au lendemain... murmura le vieil homme, en fourrageant dans ses tiroirs.

John semblait mal à l'aise, tout à coup.

— Vous ne pensez pas que j'ai besoin de... *préparation* ?

— Pas besoin, dit le professeur, qui sortit une boîte à chaussures du tiroir inférieur de son bureau. Vous en éprouvez le désir, l'urgence. Ce ne devrait pas être trop difficile.

Jessie posa la main sur le bras de John.

— Je serai à côté de toi, mon vieux.

Il la regarda dans les yeux. Elle lut à nouveau sur son visage une expression de pure terreur, une angoisse absolue à l'idée d'ouvrir le panier plein de serpents logé au fond de son crâne, et d'y plonger la main. Elle lui caressa doucement le bras et hocha la tête. John, enfin, se tourna vers le professeur.

— D'accord... Finissons-en une bonne fois pour toutes...

Le vieil homme avait déjà ouvert sa boîte à chaussures. Il en sortit un petit objet de la taille d'un radio-réveil.

— Pour vous aider, nous allons nous servir de cette petite merveille, dit-il. (C'était un métronome en noyer, avec un long balancier de cuivre fixé au sommet, et un cadran dans sa partie inférieure.) La salle des professeurs doit être déserte, à cette heure-ci, ajouta-t-il. Si vous n'avez rien contre le fait de monter quelques marches...

John hocha la tête, d'un air déterminé.

— Allons-y.

Le bâtiment de psychologie n'avait rien à envier aux autres départements les plus anciens du campus. Construit dans ce style sans imagination qu'on qualifie de géorgien, c'était un immeuble délabré de quatre étages de brique et mortier envahi par le lierre, miné par des décennies d'intempéries façon Michigan. Les couloirs étaient étroits et les parquets si usés qu'ils grinçaient continuellement sous le pas des étudiants. Les escaliers sentaient le moisi, la pénombre se faisait plus profonde au fur et à mesure qu'on approchait du dernier étage. La salle des professeurs était la seule pièce du quatrième étage. C'était un petit grenier entouré d'antiques fenêtres à claire-voie, et empestant la fumée de cigare froide. Jessie n'aurait pas été surprise de voir Quasimodo y faire son apparition, tant l'endroit était gothique et vieillot. Côté nord, la paroi n'était qu'une immense fenêtre pivotante avec des meneaux de cuivre terni, et les aiguilles d'une grande horloge qui n'avait sans doute pas donné l'heure depuis la Seconde Guerre mondiale.

— Qu'est-ce que c'est... Le beffroi ? demanda-t-elle.

— Notre petit lieu de perdition, dit le professeur en allumant quelques plafonniers.

Il y avait un divan de cuir, disposé contre un des murs, et une table basse en bois où s'entassaient des livres, des cendriers sales et les pièces dispersées d'un jeu d'échecs. Le professeur désigna la fenêtre du coin.

— Asseyez-vous, Jonathon.

John s'avança, l'air soumis, et s'assit sur un canapé défraichi, près d'une grande fenêtre cintrée. Les vitres, biseautées et ébréchées aux coins, n'avaient pas dû être remplacées depuis des lustres. Le soleil pâle de l'après-midi filtrait au travers comme s'il s'agissait d'un vieux cristal de Waterford, projetant des reflets sur le plâtre fissuré des murs. Au loin, les flèches des résidences universitaires se détachaient contre les cimes des arbres. Jessie s'assit dans une chaise pliante en face de John.

— Jonathon, avant de commencer, nous allons procéder à un test pour savoir si vous réagirez bien quand vous serez sous hypnose...

Le professeur posa le métronome sur le rebord de la fenêtre. Puis il se pencha, si près du visage de John qu'il aurait pu lui embrasser les lèvres.

— Fermez les yeux un instant, et faites le vide dans votre esprit. Quand vous ouvrirez les yeux, je veux que vous imaginiez un point éloigné, au-delà des murs de cette pièce, et que vous le fixiez du regard. Prêt ? (Il posa ses mains en coupe sur les paupières de John.) Bien... Ouvrez.

Jessie vit le professeur éloigner sa main. John ouvrit les yeux en battant des paupières.

— Très bien, c'est parfait, Jonathon. C'est très bien... (Le professeur en rajoutait.) Vous pouvez vous détendre. Nous allons entamer notre petit voyage et remonter le chemin de la mémoire.

Puis il s'employa à amener John à l'état de transe.

Jessie fut surprise de découvrir combien c'était simple et direct. Elle avait vu les vieux films de Bela Lugosi, où l'on agitait une montre de gousset en guise de pendule. « *Vous êtes las, vous êtes trèèèèèès laaaaaaaas...* » La méthode du docteur Cohen était beaucoup moins spectaculaire. Il prit le poignet de John, chercha son pouls, puis régla le métronome au rythme de son cœur. L'instrument fit entendre son tic-tac. Le professeur demanda à John de fermer les yeux et de penser à un ascenseur. Pas un ascenseur ordinaire. Un ascenseur magique. John se retrouva dans son ascenseur, c'était la sensation la plus paisible qu'il ait jamais ressentie, le professeur le fit descendre, de plus en plus profondément, dans une sorte d'ennui lénifiant — et il dit à John que ses doigts le picotaient, que son avant-bras devenait plus léger, et la main de John commença en effet à se lever au-dessus du bras du fauteuil.

Tic — tic — tic — tic...

Jessie regardait le professeur qui continuait à guider John de plus en plus profondément dans sa transe, l'ascenseur descendait de plus en plus bas, et pendant tout ce temps la main de John s'élevait toujours, jusqu'à hauteur de son épaule. Et c'est alors que le professeur commença à lui suggérer que l'ascenseur remontait le temps — plus il descendait, plus il remontait le temps —, puis lui posa quelques questions, lui demandant s'il était détendu, s'il était à l'aise dans l'ascenseur, et s'il était prêt à en sortir pour jeter un coup d'œil sur son passé. John acquiesça dans un murmure.

Tic — tic...

Tout d'abord, le professeur procéda doucement, lentement, en ouvrant les portes de l'ascenseur aux différents étages de l'adolescence de John. Les yeux toujours fermés, John décrivait ce qu'il ressentait en franchissant les portes, en émergeant dans les paysages de son enfance, la main toujours levée devant lui, comme s'il témoignait devant une cour de justice. Il parlait bas, d'un ton uni, de son père et de sa mère, du lycée, et la voix du pauvre homme était si pleine de chagrin et de solitude que Jessie en eut soudain le cœur brisé, parce qu'elle se rappelait les tourments de sa propre enfance...

Tic — tic — tic...

— Écoutez-moi attentivement, John, dit doucement le professeur. Je vais vous ramener dans l'ascenseur, d'accord ?

— Oui répondit John, l'air perdu, tout à fait catatonique.

— Nous sommes à nouveau dans l'ascenseur, maintenant, continua le professeur d'un ton monocorde. Et nous allons à un autre étage, d'accord ?

— Oui.

— Nous dépassons la lingerie féminine, les articles de ménage, le matériel pour jardins et pelouses. Nous approchons d'une année récente, d'accord ? L'ascenseur s'arrête, les portes vont bientôt s'ouvrir, Jonathon, et vous allez pouvoir regarder votre passé récent. Nous allons avoir une idée de ce que vous avez fait, il y a peu. D'accord, Jonathon ?

— Oui.

— Parfait, allons-y, les portes s'ouvrent... *Nous y sommes.*

John sursauta, comme s'il avait reçu une décharge électrique. Il faillit basculer en arrière et passer par-dessus le canapé.

— Tout va bien, Jonathon. Vous êtes en sécurité. Vous n'êtes là que pour regarder. D'accord ?

— Non... non... non... *Mon Dieu !*

John avait les yeux fermés, les paupières contractées, et grimaçait comme s'il regardait le soleil en face. Le cœur de Jessie bondit dans sa poitrine. John frissonnait, et il avait le souffle rapide.

— Que se passe-t-il, John ?

Elle s'entendit prononcer ces mots, d'une voix faible et lointaine.

— Nous sommes avec vous, Jonathon, disait le professeur d'une voix rassurante.

— Non, *mon Dieu*, je vous en prie !

John avait l'air d'un enfant abandonné dans une forêt obscure.

La voix apaisante du professeur, de nouveau :

— Que voyez-vous, Jonathon ?

— Je... je... je suis... non !

C'était le hurlement d'un animal blessé. Jessie sentit que son sang se glaçait. Les choses n'étaient pas supposées se passer de cette façon.

— Jonathon ?

— Je... je... *je chasse !*

Il avait le visage tordu, le front plissé, les lèvres relevées sur les dents en un rictus rageur qui, en cette horrible seconde, rappela à Jessie celui d'un loup. D'un loup acculé. Quelque chose de terrible était en train de se démêler derrière ces paupières closes.

— Je chasse... Je... je... *je chasse un être humain.*

Le professeur jeta un coup d'œil à Jessie, qui lui retourna son regard. Il reprit :

— Vous cherchez un être humain, Jonathon ? Qui cherchez-vous ?

— Je ne le cherche pas ! Je le chasse... Je le chasse... JE LE CHASSE ! Je le chasse comme un animal, et je le désire au point d'en sentir le goût, je suis si près... Je rampe à plat ventre derrière un immeuble... C'est une ruelle, l'odeur de désinfectant, une ampoule nue jaune à l'intérieur, et, et, et... je peux voir la pénombre, devant moi... je suis si près... je le traque depuis si longtemps...

Jessie était paralysée. Malgré sa gorge serrée, elle parvint à articuler :

— Qui, John ? Qui traquez-vous ?

Les paupières closes, les narines palpitantes, John dit :

— Le tueur, nom de Dieu !

Jessie et le professeur échangèrent un regard. Elle parla
à nouveau à John :

— Le tueur ? Qui est le tueur ?

John lâcha le mot dans un sifflement :

— Glass.

45

Arthur Glass

La vérité s'épanouit comme une flamme à l'instant où John posa les yeux sur le reflet déformé dans la vitre brisée, derrière l'immeuble d'habitation. Sous l'effet du miroitement de la lune, déformé par le verre fêlé et crasseux, il avait le visage hanté, les yeux caves et assombris par des années d'idées noires, les favoris teintant ses joues de gris, les cheveux blond clair ébouriffés. Comment était-il arrivé là ? Dans cette ruelle paumée, derrière cet immeuble délabré au milieu de nulle part...

(la méthode)

Tout lui revint d'un seul coup. Les événements qui l'avaient mené là, rampant au fond de cette ruelle sombre des faubourgs de Joliet, s'approchant du repaire d'un tueur, traquant un monstre dont personne ne voulait admettre l'existence. C'est en cet instant terrifiant, en apercevant son propre visage — son visage hagard dans cette vitre brisée —, que John McNally comprit exactement qui il était. Il revit les années passées à étudier les comportements criminels, à ingurgiter des tonnes de documentation sur le sujet, à étudier les cas recensés, à alimenter son obsession pour les tueurs en série modernes. À apprendre comment fonctionne la pensée de ces prédateurs...

Il essaya de bouger, mais son corps était bloqué comme un ressort rouillé. Il savait qu'il ne s'agissait que d'un souvenir, d'une simple vision suscitée par l'hypnose, mais il était prisonnier de la réalité de la situation. Il était terrifié par le goût de métal sur sa langue, les odeurs de poubelles et de pollution venant des usines proches, et par le fait qu'il voyait enfin son véritable moi (c'est ce qu'il venait de comprendre). Il se baissa. Il se mit à ramper. Il contourna l'immeuble, avança jusqu'à un grillage. Il observa le bas de l'immeuble à travers la barrière. Une faible lueur jaune brillait derrière la fenêtre du sous-sol. Une silhouette se déplaçait, là-bas, dans la cave, une silhouette qui faisait subir des choses horribles à une pauvre femme étendue sans connaissance sur une table métallique.

— *Arthur Glass est le tueur ?*

La voix déchira la membrane du souvenir, comme si elle était portée par un mégaphone. C'était la voix de Jessie. Elle eut sur John un effet apaisant. Il réalisa qu'elle était toute proche, qu'elle l'écoutait et l'observait, aux côtés du professeur Cohen. Et John avait le devoir de leur dire ce qu'il savait.

— Oui, murmura-t-il, et sa voix sonnait faux dans ses oreilles, comme s'il avait un casque invisible.

La voix de Jessie :

— *Et tu l'as poursuivi durant tout ce temps ?*

— Oui.

— *C'est donc ça, ton travail ? Tu es flic ?*

— Non.

— *Dans ce cas, qui es-tu, John ?*

Accroupi sur le gravier froid et dur, près du grillage, le cœur battant à tout rompre et parcouru de frissons, John essaya de formuler sa réponse. Mais ce n'était pas simple. Il n'était pas flic — ça, au moins, c'était évident —, mais il était un peu plus qu'un simple psychologue. Il se souvenait d'avoir été expulsé de l'Association pour l'étude de la psychologie criminelle parce qu'il s'était opposé au comité directeur sur la question des techniques reconnues pour établir un profil type. Il se souvenait d'avoir entretenu une correspondance fiévreuse avec deux services du FBI (les Sciences du comportement et le Soutien aux enquêtes) pendant ses années de jeunesse, en qualité de criminologiste et chercheur auprès de l'Institut américain de psychiatrie. Il se souvenait du jour où il avait perdu sa licence. La honte, le ressentiment. Tout cela parce qu'il s'était saoulé pendant un dîner et qu'il s'était querellé avec l'orateur au sujet de la méthode scientifique. Tout cela parce que personne ne voulait admettre ses nouvelles méthodes radicales pour pénétrer l'esprit des tueurs en série.

Après un moment d'attente et de tension au pied de cette barrière spectrale, John répondit :

— Je suis psychologue. J'étudie les serial killers. J'essaie de les capturer.

La voix désincarnée demanda :

— *C'est ainsi que tu gagnes ta vie ?*

— Oui.

Il y eut un autre silence tendu. Puis la voix du professeur Cohen, aussi sonore que des grandes orgues :

— *Et c'est ce que vous faisiez quand vous avez eu votre accident ?*

John réfléchit. Il allait répondre, lorsqu'un bruit attira son attention vers la fenêtre de la cave. La lueur jaune brillait toujours derrière la vitre sale, mais la silhouette avait disparu.

— *John ? Ça va ?*

Il se dirigea vers le coin en se dandinant, toujours accroupi, sans quitter des yeux l'étroite fenêtre. Il se glissa derrière le portail, puis traversa la petite cour jonchée de détritus et de bouteilles cassées. Des morceaux de verre étincelaient dans la lumière des lampes à vapeur de sodium. John s'approcha de la fenêtre, le cœur battant. Il était venu trop près, cette fois. Le FBI l'avait pourtant prévenu : *Tenez-vous à l'écart*. Mais il y était bel et bien, blotti dans la froide obscurité devant cette ignoble fenêtre de sous-sol, baignant dans la puanteur douce-amère de la pollution. Il avança encore d'un pas et vit soudain, dans la pénombre du laboratoire de fortune, la table d'opération en acier inox. Une femme était allongée dessus, le corps à demi nu enveloppé dans un drap d'hôpital. Des instruments chirurgicaux scintillaient sur un plateau, dans la faible lumière... La femme se redressa.

John fit un bond en arrière, trébucha et tomba dans la saleté. La femme à moitié nue hurlait, maintenant. Elle était tournée vers John et essayait de griffer la vitre, comme un animal acculé, les yeux fous, la bouche édentée tordue dans une grimace, les cheveux brûlés, la chair ruisselante de sang. Son hurlement silencieux franchissait la vitre. John essaya de retrouver ses moyens. Il se remit sur pied, mais la terreur faisait flamboyer le regard de la femme, derrière la vitre crasseuse, et son cœur cognait si fort qu'il avait l'impression d'avoir un marteau-pilon dans la poitrine.

— Bravo ! fit une voix dans la nuit de cauchemar, derrière lui.

— Que... ?

John pivota. À la lueur froide d'un réverbère, il vit le visage d'un assassin.

— Tu m'as trouvé, John, mon frère, dit l'homme qui s'appelait Arthur Glass.

Celui-là même qui viendrait un jour dans une clinique pour le tuer. Il souriait, et ses yeux bleus glacés brillaient. Ce visage nordique. Ce visage buriné, à la Willem Dafoe. Le visage d'une machine à tuer. Sa blouse blanche de toubib était tachée de sang. Il sortit de sa poche un objet qui scintilla à la lueur de la lune.

— Non !

John esquiva le premier coup in extremis, l'instrument

315

chromé décrivant un arc de cercle au-dessus de sa tête. Il tourna les talons et partit en courant.

Le temps sembla soudain se déformer, et le souvenir prit la forme bizarre, saccadée, du rêve. John remonta en courant l'étroite ruelle pavée derrière l'immeuble, puis il traversa à toute allure un terrain vague jonché d'ordures et zébré de traces de pneus, il voyait la forêt au loin, devinait la présence du prédateur sur ses talons — les pas de Glass étaient légers comme ceux d'un chacal —, sentait sur sa nuque le frôlement d'un rasoir effilé.

— *John, ton souffle est trop rapide, tu dois revenir avec nous...*

John courait maintenant sous le couvert des arbres, avalé par le néant de la forêt, il courait pour sa vie, il courait, il courait, et la lune était à un million d'années-lumière, et il n'y avait plus rien d'autre que John et la Bête lancée à ses trousses, et il se maudissait à chacun de ses pas douloureux — il aurait dû écouter le conseil de discipline, le FBI, le type des sciences du comportement, les flics... Il n'aurait jamais dû venir si près !

— *John, qu'est-ce qui t'arrive ? Que se passe-t-il ?*

Puis il aperçut les rais de lumière droit devant, de plus en plus larges, bandes lumineuses qui balayaient les arbres puis se dissipaient. Il entendit dans le lointain les bruits de la circulation, les gémissements des poids lourds, le klaxon d'un camion. John comprit qu'il se dirigeait vers l'autoroute. Derrière lui, les pas du tueur étaient toujours plus proches. John regarda par-dessus son épaule. Glass n'était qu'à quelques pas de lui, son visage pâle déformé par la démence, les yeux fous — *c'est une grosse partie, cette fois, un très gros jeu, hourra, hourra, hourra !* —, puis il brandit sa lame, et...

John se précipita sur l'autoroute, comme une flèche...

... le camion qui fonçait sur lui, dans un ouragan de tonnerre et de lumière...

— *John... Que se passe-t-il ?*

La voix du professeur, à un million d'années-lumière.

316

Les freins du camion hurlèrent, et la scène tout entière sembla imploser.

L'image de l'autoroute nocturne se replia sur elle-même comme une immense couverture gonflée par le vent, puis dévoila une petite salle des professeurs, au dernier étage d'un vieil immeuble victorien. John fut projeté en arrière dans son siège, le silence soudain résonna comme un coup de cymbales, l'air se chargea d'électricité statique. John resta un moment sans bouger, sonné, paralysé, tandis que Jessie venait à côté de lui — ses mains comme un baume sur les muscles noués de son cou.

— Que s'est-il passé ? Qu'est-ce que tu as vu, John ?

— Je... J'ai vu... J'ai...

John avait à nouveau du mal à s'exprimer, ses cordes vocales étaient tendues et douloureuses, sa tête tournoyait, il était complètement désorienté par le silence. Il venait de voir sa vie tout entière résumée en une unique scène. La raison pour laquelle la police le pourchassait, la raison pour laquelle le FBI le soupçonnait, la raison pour laquelle il était si perturbé par les journaux et les photographies, les objets et les souvenirs. *John était allé trop près.* Ses théories, ses hypothèses avaient été trop précises. Qui pouvait en savoir autant sur la méthode d'un assassin ? Qui, sinon le tueur lui-même ?

(ou un homme obsédé par le crime)

— C'est bien, John. Reprends ton souffle, lui dit Jessie en lui donnant une petite tape sur l'épaule.

— Je... ça va, murmura-t-il.

Il parcourut du regard la pièce silencieuse. La nuit tombait, au-dehors. Dans les coins de la pièce, la pénombre s'épaississait. L'air avait une teinte dorée. Le professeur était assis à l'autre bout de la salle. Il était pris d'un léger tremblement et, sous la lumière déclinante, son visage gris ressemblait à un parchemin décoloré.

— Tu peux nous dire ce que tu as vu ?

Jessie n'aurait ôté sa main de l'épaule de John pour rien au monde. Elle avait les yeux humides, et son expression

317

trahissait un mélange de panique, d'angoisse, et d'exubérance. Elle avait l'air d'un enfant.

— Je crois que j'ai vu... mon accident, dit John. Le tueur... *Glass*... Je l'ai retrouvé... mais il m'a repéré, m'a menacé avec un couteau, et il m'a poursuivi jusqu'à l'autoroute...

Jessie parvint à lui adresser un demi-sourire.

— Vous êtes un vrai héros, McNally, vous le saviez ?

— Je ne crois vraiment pas...

John frissonna.

De l'autre côté de la pièce : un craquement.

Tous trois tournèrent la tête vers le fond de la salle, dans le coin droit, où la lumière traversait en oblique les aiguilles de l'horloge et projetait de longues ombres sur les étagères. Pendant un instant, John crut qu'il avait entendu craquer le plancher. Mais son ouïe s'adapta, et il comprit que ce n'était pas un craquement. C'était un bruit d'origine humaine. *Un claquement de mains.*

L'air sembla se tendre soudain, comme si c'était un organisme vivant. John se releva d'un bond, projetant son siège en arrière sur le sol, Jessie concentra toute son attention sur la source du bruit et le professeur s'avança vers la porte comme si un animal sauvage venait de se faufiler dans la pièce par une fenêtre ouverte. John s'immobilisa. Il fixait la pénombre d'où venaient les applaudissements. Son esprit anesthésié prit conscience de deux choses, presque simultanément. Primo, la porte qui se trouvait à l'autre bout de la pièce était entrouverte. Secundo, celui qui se trouvait là, tapi dans le coin sombre, s'était introduit dans la salle pendant la séance d'hypnose.

Une silhouette émergea de l'ombre.

La scène était si irréelle, si inattendue, si stupéfiante qu'on eût dit que la pièce prenait la transparence du cristal. Comme un diorama peuplé de figurines de porcelaine. Puis John se plaça devant Jessie, en partie par instinct, en partie sous l'effet du choc. Il voulut dire

318

quelque chose, mais sa bouche était reliée à ses synapses surchargées. Il ne pouvait rien faire, sauf regarder l'intrus aux épaules massives avancer dans la lumière dorée comme s'il exécutait un numéro de magie.

John entendit Jessie prendre une profonde inspiration.

Le temps s'arrêta.

— Bravo ! s'exclama le costaud avec enthousiasme, en applaudissant de bon cœur.

Il s'avança nonchalamment dans la pièce.

Il semblait plus grand que lorsqu'il était venu à la clinique en se faisant passer pour le frère de John. Il faisait bien plus d'un mètre quatre-vingt-cinq, portait de coûteux vêtements de grande marque et sa coupe de cheveux était très soignée. Tout à coup, ses traits anguleux furent visibles, et la lumière du crépuscule fit scintiller ses yeux bleu acier. Sa peau était comme polie, peut-être même avait-elle été lissée par la chirurgie esthétique. Il était légèrement essoufflé.

— Cette ravissante personne a raison, dit-il enfin. Mon frère John est un vrai héros.

Personne n'osait bouger. Chacun retint sa respiration.

L'univers tout entier semblait suspendu dans un curieux arrêt sur image, comme un film qui se serait coincé dans le projecteur.

Et l'intrus semblait apprécier la situation.

C'était un grand moment, en effet. Et cela n'avait pas été une sinécure.

Depuis l'instant où Glass avait fait son apparition à la clinique Reinhardt — dans le rôle du frère, puis du flic adepte de l'autodéfense —, la poursuite impitoyable n'avait pas été de tout repos. Surtout la nuit précédente. Il avait failli perdre ses proies après qu'elles eurent sauté du train. Dix minutes plus tard, le train s'était arrêté dans une petite gare, et la police avait fait une descente en bonne et due forme. Glass était parvenu à se faufiler hors du dernier wagon et à se glisser dans la foule. Puis, presque au désespoir, il avait traversé un champ et fait signe à un automobiliste. Tuer le conducteur n'avait pas posé de problèmes. Pour la suite, il lui avait fallu une chance inouïe. Alors qu'il roulait vers l'est dans la voiture volée, sur l'Interstate 94, il était tombé sur deux infortunés auto-stoppeurs perdus dans la nuit... Et, *hallelujah*, ce n'était autre que McNally et la détective ! La suite avait été assez simple. Les doubler, roder alentour jusqu'à ce qu'un camion s'arrête et les embarque... Il avait l'impression que le Destin avait conspiré pour rapprocher Death et McNally.

— J'adore les héros, ajouta Arthur Glass en avançant encore d'un pas.

— Attendez... Attendez une minute, lâcha John.

On eût dit que c'étaient les seuls mots qu'il était capable de prononcer.

— Désolé, frère John, mais j'ai assez attendu.

Glass glissa la main sous sa ceinture et en sortit un instrument pointu.

Quand le scalpel s'éleva dans la lumière jaune, il avait l'air incandescent.

L'attente était finie, en effet.

CINQUIÈME PARTIE

Le temps infini
d'où personne ne revient jamais

*Les morts gardent leurs secrets. Bientôt
nous serons aussi sages qu'eux... et aussi
taciturnes.*

Alexander Smith, *Dreamthorp*

46

L'écoulement d'évier

Dans la terrible fraction de seconde qui suivit l'apparition du scalpel, John eut vaguement conscience d'un mouvement derrière lui — un mouvement nerveux —, mais il ne fut pas assez rapide pour le saisir dans son champ de vision. Et il n'avait pas envie de tourner le dos à la Bête, la Bête aux cheveux blonds coupés au rasoir, au visage buriné et aux yeux d'un bleu glacial, qui se dirigeait vers lui, lentement mais inexorablement, avec l'assurance et la désinvolture d'un chirurgien qui se lave les mains avant la dernière opération de la journée.

— Plus un geste, Glass. (La voix de Jessie retentit derrière John, comme une corde de piano accordée plusieurs octaves trop haut.) Ou je vous étends sur place, raide mort...

John savait maintenant que Jessie avait sorti son revolver, et qu'elle avait sans doute l'intention de tirer d'abord et de poser des questions ensuite.

Mais les choses se déclenchèrent trop vite pour que son cerveau surexcité ait le temps de les enregistrer.

Le scalpel traversa les deux mètres qui les séparaient de Glass. John pivota in extremis vers le mur, la lame siffla à un doigt de sa nuque, ses jambes s'emmêlèrent et il bascula par-dessus le dossier du canapé. Il heurta violemment le sol. Derrière lui, le revolver cracha. La détonation lui frappa le crâne comme un marteau de tapissier, il heurta la plinthe, ses oreilles tintaient et l'odeur de cordite le fit suffoquer, mais il savait que la balle avait manqué Glass, il le savait, il le savait parce que le hublot avait volé en éclats et que Jessie hurlait, et John essaya de se lever, se contorsionnait pour mieux voir, grimaçant dans la vapeur bleue et la lumière agonisante, et il vit le vieil homme s'agrippant à la porte, et la masse sombre fondit sur le professeur comme un oiseau de proie, John se levait avec peine, braillant d'une voix aiguë, comme s'il s'adressait à un chien sauvage — « *Laisse-les en dehors de ça, Glass !* » —, mais le sifflement dans ses oreilles et l'étourdissement le firent trébucher une nouvelle fois, et il s'écroula en se disant : *Où est Jessie, nom de Dieu, où est-elle ?* La masse sombre avait dû se déplacer entre-temps parce que Jessie hurla derrière John, le revolver cracha de nouveau, *Pan ! Pan ! Pan ! Pan !* quatre fois, très haut, fit les trous dans l'amiante du plafond et arracha le plâtre, les tubes au néon volèrent en éclats, projetant une fine poussière scintillante...

... John se retourna, juste à temps pour recevoir un coup violent au visage.

Il crut tout d'abord qu'un poing lui avait frappé l'arête du nez. Le choc fut si brutal qu'il occulta tous les bruits de la pièce pour ne laisser qu'un faible bourdonnement dans ses oreilles. Pendant un instant surréaliste, John resta là, les genoux tremblants, les yeux fixés sur le morceau de bois d'un mètre de long dans les mains de Glass — une planche qui semblait provenir du vieux chambranle. Puis il essaya de dire quelque chose, mais ses mâchoires étaient comme coulées dans du béton. Il sentit quelque chose de chaud se répandre le long de sa jambe : sa vessie se relâchait.

Puis il défaillit.

Il eut l'impression que le plancher se soulevait et lui sautait au visage, et que la salle des professeurs tout entière pivotait sur son axe. Autour de lui, les formes des meubles massifs, le papier mural antédiluvien et les dessins géométriques du plancher devenaient de plus en plus flous, noyés dans les larmes, et les coins se relevaient et noircissaient comme les bords d'un vieux journal qui prend feu. Il essaya de repérer Jessie dans son champ de vision obscurci. Il ne vit rien d'autre que d'énormes mocassins noirs qui se dirigeaient vers lui dans un angle bizarre, les souliers d'un géant dont chaque pas monstrueux faisait un bruit de tonnerre...

... BOUM... BOUM... BOUM...

John s'en allait peu à peu... La lumière déclinait, le plancher prenait la consistance du sable mouvant...

... BOUM... BOUM...

Les mocassins géants n'étaient plus qu'à quelques centimètres de son visage maintenant. John pouvait sentir l'odeur crayeuse du plancher. Il essaya de garder la tête hors de l'eau, il essaya de parler, il essaya de hurler, mais le sol s'était transformé en un écoulement d'évier, et la lumière avait presque tout à fait disparu, et il sombrait de plus en plus profondément, dans un néant tiède et obscur...

... sa dernière pensée consciente fut un regret. Le regret d'avoir entraîné dans cette affaire une femme aussi merveilleuse que Jessie Bales.

Il coula.

Et il n'y eut plus rien.

... l'obscurité...

... des fragments de verre multicolores...

... une pièce de viande pâle...

... et les yeux, comme la flamme d'une bougie qui oscille, deux minuscules étincelles au centre des iris s'affaiblissant, se contractant, diminuant jusqu'à ce qu'il n'y ait plus rien, sauf un ultime aiguillon de vie. Et deux mains qui se

ferment lentement, se replient vers l'intérieur comme les pétales d'une jolie fleur au crépuscule, la chair passant du rose au gris terreux...

... mort...

47

En lettres de sang

... un faible halo de lumière...
(viande)
... un son rappelant celui d'un train qui arrive au loin, le fanal miroitant dans les rayons de chaleur, le bruit des roues d'acier de plus en plus fort...
(verre brisé)
— *Non !*
Les paupières de John se mirent à battre. Une faible lueur vacillait au fond de son cerveau. Il était comme paralysé, prostré sur la surface fraîche d'un sol carrelé. Il clignait des yeux frénétiquement, maintenant. Combien de temps était-il resté sans connaissance ? Combien de temps ? Il n'avait aucune idée de l'endroit où il se trouvait, ni de la raison pour laquelle on l'avait assommé. Il parvint à soulever sa tête. La douleur, telle une pointe rouillée, lui traversa l'arête du nez. Il accommoda son regard. Tout lui revint d'un seul coup. Il vit le hublot défoncé de la salle des professeurs de la faculté de psychologie et, à l'extérieur, le ciel nocturne agité de nuages noirs. De l'autre côté de la pièce, le canapé était renversé, poussé contre le mur, et la porte était entrouverte.
— Jessie ?

Il y avait un corps étendu sur le sol, près de l'entrée.

— *Jessie !*

Le cœur cognant dans ses oreilles, un goût de sang, dans la bouche, John força son corps à bouger. D'abord, en hurlant de douleur, ses bras. Puis ses jambes, raides et sensibles. Il se mit sur pied au prix d'un effort démesuré, puis se dirigea vers la porte d'une démarche chancelante.

Le professeur gisait, sur le carrelage vert décoloré, dans une flaque de sang qui formait comme un dessin de Rorschach.

John s'agenouilla près du corps, les mains agitées de tremblements convulsifs, la tête encore pleine de bruits et d'images incohérentes. Au premier regard, on aurait pu penser que le professeur Cohen — le visage froid et pâle comme de la chaux — portait une chemise de smoking froissée dont les rayures rouges couraient le long de son gros ventre. Puis John réalisa que ces rayures luisaient d'humidité et que le filigrane était gravé dans la chair du professeur. Le sang suintait encore sur les flancs du vieil homme. Il comprit que le professeur avait été étripé.

Pris de haut-le-cœur, John se détourna de l'œuvre du monstre. *Dieu tout-puissant... Pas Shelly... Bon Dieu... Pourquoi ? Pourquoi, pourquoi, pourquoi... ?*

Il lutta contre sa répulsion et regarda le vieil homme. Dans la mort, celui-ci avait l'air étrangement calme, peu différent de ce qu'il avait été dans la vie : très à l'aise dans son corps bedonnant. Tout à coup, John s'abandonna au chagrin. Il se souvenait, maintenant. Il savait que le professeur lui avait sans doute plus d'une fois sauvé la mise. Sheldon Cohen avait offert au jeune John McNally ses conseils, son soutien, parfois un endroit où il trouvait un repas maison, l'amour des *big bands* de jazz, un stock inépuisable d'excellentes galettes de pommes de terre, peut-être même *l'espoir*. Plus que tout, Shelly Cohen avait été un ami.

Et maintenant, regardez-le...

La pièce se mit à tournoyer, carrousel d'images cruelles brûlant derrière les rétines de John, manège de cauchemar déformé par la poussée de l'adrénaline dans ses vaisseaux. L'air était chargé de l'odeur écœurante du sang. John s'écarta du corps du professeur en se retournant lentement, embrassa du regard l'ensemble de la pièce, le cerveau soudain bombardé par la question qui s'imposait : pourquoi la Bête l'avait-elle laissé en vie, *lui* ? Le hurlement des sirènes lui parvint. Sans doute les flics de la sécurité appelés par un professeur qui faisait des heures supplémentaires. Qu'avaient-ils entendu ? Qu'était-il arrivé, exactement ? Et quand ?

John essaya de respirer profondément, de rassembler ses esprits, de faire fonctionner son cerveau.

Lorsque enfin il comprit, ce fut comme une explosion au fond de son crâne.

Jessie.

A part le corps du professeur et quelques témoignages de lutte, la pièce était vide. Jessie n'était plus là. Il n'y avait aucune trace d'elle. Rien. John se rua vers la fenêtre. À travers la vitre fracassée, il scruta le campus obscur, le clair de lune filtrant à travers les ormes, les allées désertes, le paysage nocturne silencieux et impassible qui lui rendait son regard. Son sang coulait maintenant dans ses veines comme du mercure, il sentait qu'il aurait pu jaillir de sa peau, tant il était électrisé par la terreur.

Les sirènes lui perforaient la tête.

John regarda par terre. La terreur se transforma en une rage incontrôlable.

L'inscription prenait naissance dans la mare de sang sous le corps du professeur Cohen. C'étaient d'abord de minces filets écarlates, qui tournoyaient sur le sol décoloré en coups de pinceau délicats. La « peinture digitale » d'un artiste dément. John dut se concentrer un certain temps avant que son cerveau fragmenté soit capable d'enregistrer le moindre mot. Bientôt, il fut évident qu'il s'agissait de vers — d'un poème ignoble, obscène —, *un indice* griffonné à la hâte sur le sol de la salle des professeurs, à l'intention exclusive de John.

Il le déchiffra.

Le hurlement des sirènes se rapprochait toujours plus. John entendait le rugissement des moteurs et le crissement des pneus. Il comprit tout à coup qu'il devait quitter cet endroit, car la démence le menaçait à son tour, son esprit était assailli par les souvenirs, la douleur et une colère noire, et ce terrible poème écrit en lettres de sang sur le vieux plancher de la salle des professeurs bourdonnait dans sa tête au point de lui brouiller la vue, tandis qu'il trébuchait sur le cadavre du professeur Cohen.

À mi-chemin de la porte, le reflet du métal bleu attira son regard.

Il était par terre, derrière une des chaises renversées, coincé contre la plinthe. John se précipita et ramassa le Beretta, en se demandant s'il était encore chargé. Jessie avait tiré plusieurs fois, mais il était pratiquement certain que le chargeur contenait encore deux ou trois balles. Il ne connaissait rien aux armes, et cependant, il était prêt à s'en servir. Maintenant que la Bête était en fuite. Maintenant que John connaissait son identité. Maintenant que l'ultime défi était lancé. Il fourra le revolver sous sa ceinture. Un geste qui, un peu plus tôt, lui aurait semblé ridicule, mais qui servait maintenant à soutenir sa bouillonnante résolution. Puis il sortit en courant.

Il dévala les marches de l'escalier étroit, le cœur haletant, le cerveau chauffé à blanc par la panique.

Quand il fut au rez-de-chaussée, il prit un couloir qui menait à l'arrière de l'immeuble et s'échappa par le portique nord. L'air de la nuit fit l'effet d'un cataplasme sur sa peau moite et ses blessures superficielles. Le vent lui griffait le visage. Les sirènes déchiraient l'air.

Il traversa à toute allure un quai de chargement désert, franchit une barrière et se faufila sous un bouquet d'érables. Il entendait des voix dans sa tête — des voix

de son passé, mais aussi la voix de Jessie qui lui disait :
« *Laisse tomber, John, n'essaie pas de jouer les foutus héros...
Ça n'en vaut pas la peine... Tu ferais mieux d'appeler la
police pour qu'elle s'empare de ce type...* » — mais il était
déchaîné maintenant, flamboyant de rage, et il n'avait pas
l'intention d'abandonner la seule femme qui lui ait jamais
fait confiance. Il savait exactement ce qu'il avait à faire.
Si la Bête avait pris Jessie, c'était strictement en guise de
défi, comme appât, comme un moyen de contraindre
John à livrer la dernière bataille. John le savait, pour de
multiples raisons. Il le savait, parce que c'est ainsi que
la Bête opérait. Parce qu'il avait joué le rôle de la Bête,
mentalement, à de multiples reprises. Mais surtout, il le
savait grâce à ce poème obscène écrit en lettres de sang
sur le sol de la salle des professeurs du département de
psychologie.

Et tandis qu'il allait vers le nord, vers les limites du
campus, les mots se répétaient sans fin dans sa tête...

Mon frère unique et fidèle,
Mon amour pour toi est toujours sincère,
Pour partager le goût,
Le péché originel,
À « H » ta blonde amie t'attend.
À « H », notre ultime rendez-vous.

48

Macrochirurgie

Derrière lui, le spécimen émit un gémissement, la voix déformée par le ruban adhésif qui lui recouvrait la bouche.

— Calmez-vous, je vous en prie !

Glass parlait du ton légèrement distrait du spécialiste qui consulte la feuille de température au pied du lit d'un patient. Il ne se donna même pas la peine de regarder par-dessus son épaule, vers l'ombre mouvante du siège arrière où gisait le spécimen. Il n'avait pas le temps de s'attendrir. Il était en mission. Une mission qui pouvait sembler cruelle à première vue, mais qui était bel et bien motivée par l'amour et la tendresse. Ses mains gantées de caoutchouc posées sur le volant, il roulait toujours à soixante-cinq kilomètres à l'heure, tout en expliquant :

— Nous serons arrivés dans quelques minutes. Vous serez plus à l'aise là-bas, je vous le promets. Alors, pour le moment, vous seriez bien avisée de ne pas gigoter ni d'essayer de vous échapper, parce que ça ne ferait qu'empirer les choses.

Le sujet était silencieux, maintenant. Les cent milligrammes de Nembutal l'avaient rendue docile. Consciente, mais docile. En général, Glass préférait que ses spécimens soient inconscients, du moins pendant les opérations. Mais cette fois, le sujet devait être conscient. *Cette fois-ci*, l'opération exigeait une certaine... dialectique. La patiente *devait* être totalement éveillée. Lucide. Vivante et capable de se rebiffer.

C'est ainsi que Glass considérait son chef-d'œuvre, sa Grande Expérience : comme une opération chirurgicale. De la *macrochirurgie*, peut-être, mais de la chirurgie tout de même. Tout ce qu'il avait accompli jusqu'à ce jour — chacun de ses projets, qu'il fût ou non couronné de succès, qu'il fût habile ou bâclé — ne constituait qu'un simple préambule à cette magnifique opération. Il se fichait totalement que les milieux médicaux considèrent cette expérience comme une aberration et un coup de veine, il se fichait qu'aucune revue du pays ne rende compte de ses découvertes, ou que son noble effort reste ignoré du monde. Il ne faisait pas cela pour plaire à une quelconque autorité reconnue.

L'homme qui s'était baptisé Death faisait tout cela par amour.

Il avait les yeux fixés sur les lignes blanches qui défilaient dans le faisceau lumineux de ses phares. Grand River Avenue était un vrai cimetière à cette heure de la nuit — parkings sombres et silencieux où scintillait le verre brisé, voitures vides alignées comme des tombes et baignant dans la lumière de vapeur de sodium. Il se dirigeait vers l'est, vers le point zéro. Sa poitrine se consumait de l'intérieur, comme si quelqu'un cautérisait sa rage et son chagrin en retournant dans son sein un poignard chauffé à blanc. C'était terrible et sublime à la fois, comme un suicide rituel exécuté par un moine bouddhiste. Son univers allait bientôt être bouleversé. Il serait transformé par la Grande Expérience, et l'attente était presque insupportable. Une fois pour toutes — si le Destin en décidait ainsi —, il allait enfin mettre un terme à ses souffrances et se trouver face à face avec son véritable...

333

Des griffes d'acier s'enfoncèrent dans son épaule.

— Aïe !

La voiture fit une embardée. Glass se retourna et jeta un coup d'œil à son agresseur. On ne sait trop comment, la rouquine avait fait passer ses mains liées sous ses jambes. Elle se cramponnait stupidement à l'épaule de Glass pour essayer de lui faire perdre le contrôle de la voiture, ses yeux humides scintillant dans le noir. Glass se libéra d'une secousse.

Il se rangea au bord du trottoir, se retourna et considéra son spécimen.

Une dur à cuire. Aucun doute là-dessus. Malgré le brouillard du Nembutal, ses vêtements trempés par les suées de peur, ses cheveux teints au henné collés sur son visage moite, elle était encore prête à renâcler. Glass avait le sentiment qu'elle cherchait moins à s'échapper qu'à simplement le blesser.

Il lui donna un coup de poing au visage.

La tête de Jessie valsa avec une incroyable brutalité contre le dossier du siège arrière. Son corps était en proie à des spasmes violents.

— Mademoiselle, vous devez admettre que les choses vont être un peu désagréables jusqu'à notre arrivée, lui dit Glass d'un ton uni.

Il regarda ses bras attachés battre l'air comme ceux d'un bébé, ses paupières qui papillotaient. Les yeux de Jessie semblèrent se fixer à nouveau sur lui. Elle essaya de le griffer de ses ongles manucurés, mais le Nembutal l'empêchait de coordonner les mouvements de ses mains. Glass la frappa encore une fois, brutalement, sur l'arête du nez. Et de nouveau elle fit un bond en arrière. Le papier collant s'était détaché et pendait à un coin de sa bouche. Glass lui adressa un sourire triste.

— Ce sera bientôt fini, je vous le promets.

Jessie le dévisagea longuement, les narines palpitant de rage, le souffle court. Une larme brilla sur sa joue. Elle essaya de parler :

— Pauff... ti...

— Comment ?

Glass, cette fois, avait l'air sincèrement intéressé.

— Pau... Paufff... tiiiip...

Il fronça les sourcils, puis comprit ce qu'elle essayait de lui dire.

— Vous me traitez de pauvre type, c'est ça ? (Il hocha la tête.) Je pense que vous avez raison.

Il la frappa encore une fois. Assez fort pour s'esquinter les jointures.

Jessie s'écroula une fois de plus, les jambes et les poignets toujours étroitement liés, les yeux révulsés. Puis elle se ramollit et s'immobilisa soudain, en tas, au fond du siège.

Alors Death enclencha une vitesse, décolla du trottoir et reprit sa route.

49

Le théâtre du Grand Guignol

John découvrit qu'il se rappelait l'adresse précise de son bureau. Mais il lui fallut fourrager dans ses clés pendant près d'une minute et les introduire l'une après l'autre dans la serrure avant de trouver la bonne. Il était rageant de voir à quel point sa mémoire était morcelée et imparfaite — il se rappelait l'adresse, mais pas la clé. Et, ironie du sort, ce fut un des doubles des quincailleries Ace qui ouvrit finalement la porte, et non la clé magique en cuivre.

La porte s'ouvrit avec un craquement, comme un sceau protégeant un vieux document.

Un mince rayon de lumière découpa l'obscurité, éclairant le tapis oriental décoloré, le coin d'une table en pin et l'arête d'un classeur de bureau éraflé. Le cœur de John bondit lorsqu'il se glissa dans le studio sombre au-dessus de la teinturerie. Il alluma la lumière.

Les souvenirs l'assaillirent de toutes parts.

Ils étaient dans les photos et les diplômes poussiéreux encadrés aux murs. Sur les étagères, et dans le bac en plastique débordant de cassettes de jazz rangées méticuleusement par ordre alphabétique, d'Albert Ammons à Lester Young. Ils étaient sur les tableaux d'affichage couverts de croquis de lieux du crime, de plans, de photos de victimes, de notes et de gribouillis compliqués. Ils étaient dans les tiroirs du bureau — dans les articles qu'il avait publiés, dans les innombrables lettres qu'il avait adressées à divers services chargés de faire appliquer la loi, dans les obscurs petits objets qu'il avait recueillis tout au long des années. Il les retrouva dans le clown sculpté par John Wayne Gacy, les caleçons de soie élimés que Richard Speck lui avait envoyés de prison, le « rayon audiovisuel » où s'entassaient en bon ordre les cassettes vidéo... C'étaient pour la plupart des films sadomasochistes violents et non simulés — femmes torturées, battues, fouettées — aux titres évocateurs tels que *Pénétrée de force* ou *Dominatrice impitoyable*, autant de vidéos que John s'était forcé à regarder et à assimiler, se masturbant parfois en les visionnant, s'enfonçant aussi loin que possible dans l'état d'esprit qu'elles reflétaient.

Les souvenirs émergeaient aussi de la bibliothèque en pin, qui abritait des boîtes à chaussures pleines de lettres de Billy Marsten, classées et rangées. Les premières lui avaient semblé plutôt anodines. Des racontars diffusés sur Internet. Un collégien qui s'intéressait à l'aspect « marginal » de ses méthodes de travail. À part le fait qu'il était légèrement antisocial (et profondément morbide), Billy Marsten semblait donc inoffensif. Au début. Mais plus il suivait la carrière de John, plus ce dernier nourrissait de soupçons. Les lettres divaguaient sans fin, dans leur griffonnage immature, sur la capacité de John à « se fondre » dans l'âme d'un psychopathe... Et lorsque le FBI avait commencé à tourmenter John et à le considérer comme suspect, l'obsession de Billy était devenue encore plus forte. Au bout d'un moment, John reçut jusqu'à deux ou trois lettres par semaine, et il commença à suspecter Billy lui-même.

Du moins jusqu'aux événements récents.

Mais ses souvenirs l'interpellaient surtout du mur de droite, transformé en mur d'exposition... La plupart des images étaient des planches couleur découpées dans des livres d'art, des lithographies encadrées, ou bien des copies sommaires de dessins au crayon — silhouettes hurlantes assises dans des décors austères, têtes déformées, bouches béantes, peintures étranges et voluptueuses de bestiaux abattus, de pièces de bœuf et de personnages avec des blessures grotesques à la tête. Tout cela restitué dans le style particulier du peintre britannique Francis Bacon.

Francis Bacon.

John s'approcha pour regarder une des peintures d'un peu plus près. Le portrait sombre, à l'aspect velouté, d'un homme terrifié assis sur un trône — le visage indistinct, la bouche grande ouverte, exprimant une terreur primitive. Deux énormes pièces de bœuf étaient visibles derrière lui. Au bas du cadre, une légende : FIGURE AVEC VIANDE, 1954. John contempla le tableau, les yeux brûlants, et se souvint comme il s'était immergé dans l'esthétique de Francis Bacon. Il avait pensé qu'Arthur Glass était obsédé par ce dernier, au point d'abandonner plusieurs de ses victimes dans des poses rappelant certaines compositions du peintre. Et c'est en cherchant à comprendre la fascination que l'art de Francis Bacon pouvait exercer sur un psychopathe que John lui-même s'était laissé envoûter par l'œuvre de l'artiste.

C'est en cela que consistait la « méthode » de John en tant que criminologiste. C'est la raison pour laquelle tout le monde l'avait rejeté, pendant toutes ces années — la police et le milieu médical —, et qu'il avait été contraint d'arrondir ses fins de mois en tant qu'expert anonyme installé dans ce bureau minable au-dessus de la teinturerie du Key Club, à Okemos, Michigan. Trois ou quatre fois l'an, il publiait un article dans le *Journal de psychologie criminelle appliquée.* Ou bien il proposait son aide, par courrier ou via Internet, à quelque agence de la région. Mais la plupart du temps il se consacrait à ses propres « projets », travaillait des nuits entières, rédigeait des journaux imaginaires, pcignait des tableaux, s'enregistrait alors qu'il imitait la voix de meurtriers, parlait des langues imaginaires... Il « *jouait* », *selon la Méthode*. C'était inquiétant, macabre, et cela déconcertait les gens qu'il rencontrait, y compris les professionnels de l'identification psychologique. Mais John n'en avait cure. C'était pour la bonne cause : arrêter un tueur en série.

Et pas n'importe lequel. Un homme dont John étudiait la technique depuis une éternité. Son obsession. *Le Chirurgien*. Les flics fédéraux continuaient de l'appeler « Sujet Inconnu » (ou « SUJIN n° 2033B »). John était persuadé qu'il s'agissait d'Arthur Trenton Glass — un nom qu'il avait vu sur l'enveloppe-réponse d'une lettre qui lui avait été adressée. Il avait eu des tas de raisons de se passionner pour l'affaire. Glass était aussi néfaste qu'une plaie d'Égypte. Son *modus operandi* réapparaissait régulièrement — deux ou trois corps horriblement mutilés qui déroutaient le FBI —, et puis plus rien. Le calme plat. John s'était senti bizarrement lié à cette affaire. Elle le fascinait depuis le début. Un beau jour, il avait commencé à recevoir des messages énigmatiques inscrits au dos de cartes postales anonymes. « Cruelle est la querelle entre frères », disait l'un d'eux, citant Aristote. « Frère, frère, où tes cellules vont-elles donc jouer ? » disait un autre. Il était convaincu que ces cartes lui venaient de Glass.

Il continuait de fixer la peinture de Francis Bacon. Tout à coup, son corps tout entier fut parcouru de frissons.

Le dossier.

Il se souvenait. Il avait fait parvenir au FBI un dossier plein de preuves — cartes postales, dessins de Bacon, photographies, extraits de faux journal, nombreux messages —, et il se rappelait leur réaction. Ils l'avaient pris pour un cinglé, l'avaient soupçonné, et n'avaient tenu aucun compte de ce qui se trouvait dans le dossier. Ils l'avaient interrogé sans relâche et l'avaient placé sous surveillance. John savait maintenant ce qui était arrivé à ce dossier. Jessie était tombée dessus au bureau des homicides de la police de Chicago (les mêmes photographies de Glass, les mêmes dessins de Francis Bacon, les mêmes extraits de journaux intimes), et maintenant les autorités savaient que John et Jessie travaillaient ensemble.

Si seulement il avait mis un peu moins de zèle à traquer le Chirurgien... Si seulement il avait reçu de l'aide après avoir déchiffré la méthode de Glass et localisé son repaire... Peut-être Jessie Bales serait-elle aux trousses de quelque chien perdu, en ce moment même... Ou bien prendrait-elle tranquillement des instantanés de quelque mari infidèle, au lieu de... Dieu sait quoi.

Si seulement, si seulement, si seulement...

John se retourna, traversa la pièce et s'assit derrière le bureau encombré.

— C'est simple, j'adore les héros, annonça-t-il à la pièce vide, d'une voix de baryton un peu fausse.

Il essayait d'imiter le langage de Glass, de s'introduire dans l'esprit de Glass, d'accéder à la partie de lui-même qui était « semblable à Glass ». Le plus triste était que John McNally s'apprêtait à agir d'une manière qu'on pourrait qualifier d'héroïque, et que cela le rendait malade. Il fut pris d'un tremblement incontrôlable, au point qu'il avait du mal à feuilleter les vieux documents entassés sur son bureau. Il était déjà assez désastreux que l'essentiel de sa mémoire lui soit revenue dans des accès de douleur et de terreur, que le dernier voile de son amnésie se soit détaché comme le dernier acte du Théâtre du Grand Guignol. Il fallait en plus que son seul allié en ce monde — la grande, la magnifique, la terrible Jessie Bales, célèbre pour ses pommettes hautes — lui eût été enlevé par celui-là même qui faisait l'objet de son obsession morbide. Comme si les fantômes de sa vie intérieure avaient fini par se retourner contre lui. Il fallait qu'il boive un verre. C'était indispensable. Il sortit le Beretta de sa ceinture et le posa sur le bureau. Il se rappelait vaguement avoir gardé quelque chose dans un des tiroirs du bureau. Il les ouvrit l'un après l'autre, les mains toujours tremblantes. Il finit par trouver ce qu'il cherchait dans le tiroir du bas, à droite.

La bouteille noire de Tanqueray, à moitié pleine, dissimulée sous un tas de papiers.

John la posa sur le buvard. Il la regarda fixement, l'examina. Il avait la gorge si sèche qu'elle le picotait, les lèvres craquelées, les narines brûlantes. L'arête de son nez l'élançait encore, là où Glass lui avait flanqué un coup. Mais tout cela n'était rien comparé à la peur et à la rage qui l'habitaient. Rien qu'une ou deux gorgées. Juste pour se calmer et s'armer de courage. *Qu'est-ce que tu attends ?* Il continuait de fixer la bouteille. Il réalisa qu'autre chose le tracassait. Sous la couche de souvenirs amers, sous la triste vérité de sa vie pathétique, quelque chose rôdait comme un squale. Une chose importante. Un ultime souvenir qu'il lui fallait encore décoder...

... la chair comme une pièce de viande pâle, les yeux comme des flammes de bougie qui oscillent, deux minuscules étincelles au centre des iris s'affaiblissant, deux mains qui se ferment lentement, se replient vers l'intérieur comme les pétales d'une jolie fleur au crépuscule, la chair passant du rose au gris terreux...

— Bon Dieu, que j'aime les héros !

John ferma les yeux et essaya de se détendre. Il lui fallait comprendre ce dernier lambeau de mort qui traînait dans son esprit, ce souvenir qui le hantait depuis qu'il avait commencé à retrouver la mémoire. La mort d'un autre être humain, qu'il avait vécue de près, intimement. Ce n'était pas un de ces « souvenirs virtuels » empruntés à l'analyse de telle ou telle affaire, ni un souvenir qu'il se serait forgé pour mieux comprendre l'esprit du tueur. C'était de l'expérience brute, le produit d'un événement de sa vie réelle. Et ça, c'était le plus terrifiant.

— J'aime vraiment les héros, grommela-t-il. Vraiment...

341

John avança le bras, dévissa la capsule, la posa à côté de la bouteille.

Il attendit un peu avant de se servir. Il commençait à penser comme Glass, et Glass ne se mettrait jamais en chasse avec une haleine chargée de gin... Non, monsieur, Glass était sobre comme un enfant de chœur lorsqu'il se lançait dans un de ses kidnappings déments. Mais la bouteille scintillait devant lui. Le liquide magique lui faisait signe, promesse de bien-être lénifiant dans son ventre, capable d'annihiler comme par magie sa terreur. Il se retourna et son regard se porta vers le fond du studio, vers le paravent chinois derrière lequel un petit espace avait été aménagé : un lit de camp, une petite kitchenette avec un évier, un réchaud à deux feux et un mini-frigo d'occasion. Il y avait également une table de nuit où trônaient quelques photos encadrées. À l'instant où il les vit, John eut un pincement au cœur.

Il alla s'asseoir sur le lit de camp pour les regarder de plus près.

Pas de grande surprise. Deux ou trois clichés montraient John et son ancienne petite amie, appuyés contre le bastingage d'un grand voilier à quai sur le lac Michigan. Gail était une petite femme aux cheveux châtains, intelligente et vindicative. Sur les photos, ses yeux d'agate semblaient le fixer, et il se souvint de sa tendance à se comporter de manière « passive agressive ». Elle l'appelait le « Prince des Ténèbres », jusqu'au jour où elle le plaqua. Il y avait d'autres photos de John. Petit garçon, avec sa mère, dans la cour derrière leur caravane, en train de construire un bonhomme de neige tout de guingois. Des années plus tard, John au chevet de son père dans une chambre d'hôpital anonyme. John, encore, avec le cadavre d'un animal...

— Hé, une minute... murmura-t-il à la pièce silencieuse.

La photo avec le bonhomme de neige était un instantané noir et blanc, datant du début des années soixante.

John devait avoir sept ou huit ans. Sa mère était partiellement visible sur le bord droit de la photo, silhouette emmitouflée dans un manteau râpé, visage fatigué illuminé d'un sourire. Derrière le bonhomme de neige, on voyait l'arrière délabré de la caravane. Flou, mais plein cadre. Onze mètres de revêtement aluminium bleu marine et de fenêtres étroites, et les grosses bouteilles de propane rouillées, alignées comme des ballasts.

— Dieu du ciel... murmura John. Comme j'admire ces pauvres esprits minables qui se prennent pour des héros...

Mais bien sûr !

Il se releva d'un bond, faillit renverser le minuscule lit de camp et se précipita vers le bureau. Lorsqu'il prit le Beretta pour vérifier le chargeur, il tremblait encore. Mais cette fois, c'était d'excitation. Car il savait, maintenant. Il savait où la Bête avait emmené Jessie. Il savait où la Bête l'attendait, lui. *À « H » ta blonde amie t'attend. À « H », notre ultime rendez-vous.* John était stupéfait de n'avoir pas compris sur-le-champ ce que « H » signifiait. C'était l'initiale de Haslett, Michigan. Le village où John était né et où il avait grandi. La caravane s'y trouvait encore, dans un minable petit entrepôt de ferrailleur, près de Marsh Road, qui appartenait à une grand-tante bourrue nommée Joanne Prescott. Il se souvenait de Tante Jo, une râleuse qui avait toujours gardé au fond du cœur une tendresse inexplicable pour le petit John-John et pour la caravane dans laquelle sa nièce avait élevé le garçon.

Le chargeur tomba de la crosse du Beretta et heurta bruyamment le dessus du bureau.

John sursauta. Il contempla les balles de neuf millimètres qui roulaient sur le buvard. Il prit conscience que le moment de vérité était arrivé. Voilà ce que sa vie était devenue. Ses obsessions maniaques, le jeu d'acteur selon la Méthode, la chasse à l'homme télépathique se résumaient finalement à cela : quelques balles de revolver roulant au bord de ses répugnants schémas, notes et journaux intimes. Il rassembla les balles et les introduisit dans le chargeur, comme il avait vu Jessie le faire. Il fut surpris de découvrir combien c'était simple. Il réinséra le chargeur dans la crosse du revolver.

Puis il prit la bouteille de gin.

Avant d'en boire une gorgée, il marqua encore une pause. Il pensait à son vieux mobile home. Il ne l'avait pas vu depuis près de vingt ans. Mais il se trouvait toujours, telle une perle noire, dans quelque compartiment protégé au fond de sa mémoire. Il voyait encore les marches en parpaings, les pétunias informes que sa mère plantait le long de l'allée, l'auvent métallique qui produisait toujours un grincement strident lorsqu'il était agité par le vent. Aujourd'hui, ce n'était sans doute plus qu'un tas de ferraille rouillée. L'endroit parfait pour un règlement de comptes. La Bête le savait, et John le savait, car John lui-même était un peu la Bête, et le moment était venu d'arracher cette tumeur qui le rongeait de l'intérieur.

Il balança la bouteille contre le mur du fond. Elle explosa en une gerbe d'éclats vert sombre. Puis il remit le revolver en place dans sa ceinture et sortit du bureau.

50

Des fragments de verre multicolores

Homestead Fer & Métaux se trouvait dans un coin bourbeux, à quelque cinq cents mètres à l'est du lac Lansing, juste à l'écart de Marsh Road. John avait décidé de se déplacer en taxi. Il en avait trouvé un plus tôt dans la soirée, alors qu'il fuyait le décor sanglant du département de psychologie. Il avait généreusement payé le chauffeur pour qu'il le conduise à son bureau, à Okemos, et l'attende à l'extérieur. Puis il s'était fait déposer sur le bas-côté de l'obscure route à deux voies, à deux kilomètres de l'entrepôt. Il fit le reste du chemin à pied, en se dissimulant derrière les arbres. À un certain moment, deux voitures de la police l'avaient dépassé dans un rugissement, tous phares allumés, sirènes hurlantes. Fort heureusement, personne ne l'avait repéré. Mais qui aurait pu imaginer qu'un homme était en train de se déplacer dans ce bois de pins boueux, puant et envahi par les ronces, les souliers s'enfonçant dans la vase et le cœur battant furieusement ?

John ne savait pas encore ce qu'il ferait quand il serait face à la Bête. Arthur Glass était plus que brillant. Il était intelligent. John s'attendait à ce que Glass prenne l'avantage. Au début. Car John se trouvait *à l'intérieur* de cette affaire, désormais, et il disposait d'une singulière réserve d'énergie, d'une mémoire sensorielle longtemps enfouie. Des images étranges crépitaient dans son cerveau, comme si la pénombre lourde et humide qui l'entourait était un signal de télévision défectueux — *du verre multicolore volant en éclats comme des diamants, le bruit d'un crâne qui craque...* Bientôt, une fois encore, John devint quelqu'un d'autre. Se transforma. Silencieux, concentré, enflammé. Il se sentait léger, exalté. L'air de la nuit excitait son épiderme.

Il allait battre Glass à son propre jeu.

Quand John arriva à l'entrepôt, le ciel était un linceul mortuaire. L'air, du verre filé. C'était l'heure la plus morte de la nuit, celle où l'obscurité est la plus profonde, où tout semble s'être cristallisé. La porte d'entrée de Homestead Fer & Métaux était constituée d'une grille métallique peinte en blanc, flanquée de remparts de ciment avec de grandes lettres capitales délavées par le soleil. HOM TEAD FE & ÉTAUX. L'ensemble était éclairé par deux projecteurs posés au ras du sol et assiégés par les insectes. John contourna les faisceaux lumineux, s'efforçant de rester dans la pénombre, et se dirigea vers la haute barrière qui entourait les lieux. À une cinquantaine de mètres environ, au-delà d'un espace dégagé, il aperçut le bureau du gardien. Les murs de la petite cabane étaient tapissés d'enjoliveurs. Sa fenêtre de façade était si crasseuse et si sombre qu'elle paraissait opaque. John se dit que sa grand-tante avait dû confier la gestion de l'entreprise à quelqu'un de plus jeune qu'elle. La tante Jo devait avoir plus de soixante-dix ans, maintenant.

John jeta un coup d'œil circulaire sur le terrain. Il ne vit rien d'autre que des carcasses d'autos et de vieux appareils ménagers alignés dans la pénombre comme des squelettes préhistoriques dans un site archéologique. Pas de caravane. Il contourna le flanc de la propriété sans s'éloigner de la barrière. Il dépassa les épaves de vieilles Buick et Plymouth rongées par la rouille et dont les pare-brise étaient si fissurés qu'on eût dit de la dentelle de Bruges. L'odeur de caoutchouc brûlé et de vieux goudron lui monta à la tête. Il glissa la main derrière lui et sentit la crosse du Beretta fourré sous sa ceinture. Il eut l'impression de toucher un objet dur, écailleux, vivant.

Reste à l'intérieur du personnage, reste concentré, tu es le Chirurgien, ressens la démence. Ressens-la. La voix était celle d'un vieux professeur d'art dramatique... Comment s'appelait-il, déjà ? Les mots se répétaient, comme un mantra.

John avait atteint l'extrémité de la barrière. Il n'y avait aucune caravane de ce côté de l'entrepôt. Il s'approcha et pressa son visage contre le grillage. Il essaya de voir au-delà des gigantesques amoncellements d'épaves et de métal qui se découpaient contre le ciel sans lune. L'obscurité l'empêchait de voir plus loin que le milieu de la cour. En revanche, il entendit un bruit bizarre quelque part à l'intérieur, *tout près de lui*. Un halètement, comme le souffle produit par un tuyau de gaz, ou une cocotte-minute. Un sifflement qui approchait, approchait...

... John se tourna sur sa droite.

Les aboiements lui explosèrent au visage, dans un délire de crocs et de poils. Le furieux petit pitbull n'était qu'à quelques centimètres de lui. Il hurlait, se jetait contre la barrière et fit valser John, qui tomba en arrière et s'étala sur le sol. Il leva les yeux, abasourdi. Le chien était comme un derviche enragé. Ses yeux jaunes flamboyaient, et il cognait violemment la barrière de son museau coriace. John sentait la chaleur humide de son souffle.

— Bon... Bon Dieu !

John essaya de faire taire le bourdonnement dans sa tête. L'adrénaline lui donnait la nausée et faisait tinter ses oreilles. Il se releva, s'éloigna de l'animal, avala sa salive. Elle avait le goût douceâtre et métallique du sang. Il s'était sans doute mordu la langue.

Il se tourna de l'autre côté et aperçut enfin la caravane.

John s'immobilisa, l'air autour de lui s'immobilisa, et le bruit des grillons et le vent nocturne semblèrent s'arrêter tout à coup, comme sur l'ordre d'un metteur en scène invisible. La caravane était là, dissimulée dans la pénombre. Elle était posée dans un terrain vague à l'arrière de l'entrepôt, aussi pâle qu'un immense cercueil d'albâtre. La végétation avait englouti son assise, sous la forme d'un enchevêtrement de mauvaises herbes et de genévriers sauvages. Plusieurs fenêtres avaient été recouvertes de vieux panneaux d'aggloméré, et le temps avait donné au revêtement d'aluminium un ton gris terne. Le porche de parpaings avait disparu, tout comme les pétunias de Maman et les bouteilles de propane, dont le petit John-John croyait qu'il s'agissait de charges de fusées capables de l'emmener loin de sa triste existence solitaire.

Il sortit le revolver de sa ceinture et se dirigea vers la caravane.

Alors qu'il se glissait vers le petit mobile home marqué par la rouille, les battements de son cœur prirent le dessus sur les aboiements du pitbull. Il se demanda si Glass se dissimulait à l'intérieur de la caravane, aux aguets, jouissant de chaque seconde, Jessie ligotée sur le lit à côté de lui, groggy et ensanglantée. John se souvint que Jessie armait le Beretta en tirant sur le mécanisme de la partie supérieure. Il fit de même. Le revolver émit un claquement sec rassurant. Il s'approcha de la porte doublée de carton et toute délabrée — cette porte d'entrée que le petit John-John avait claquée tant de fois, en entrant et en sortant, rempli d'angoisse enfantine et d'énergie refoulée — et leva le Beretta, bien serré dans sa main gauche.

... *tu es le prédateur, maintenant...*

De sa main droite, il tourna la poignée rouillée.

Comme il s'y attendait, la porte n'était pas fermée à clé. Elle bâilla de quelques centimètres en faisant grincer ses gonds branlants. John fit une pause, juste un instant, pour reprendre son souffle, pour se préparer. Puis il ouvrit la porte toute grande, balaya l'espace de son Beretta, les muscles tendus, le bras tremblant, les yeux écarquillés comme des soucoupes. Il pénétra dans l'âcre obscurité de la caravane.

Personne ne lui sauta dessus.

Il ne vit rien d'autre que des ombres, les ombres familières de son passé oublié. Ombres de la petite kitchenette à gauche, du réchaud miniature, de la hotte crasseuse, du petit couloir qui desservait les chambres oppressantes. Ombres du petit salon à droite. Le sofa convertible usé jusqu'à la corde, toujours poussé contre les fenêtres de devant, le support du téléviseur renversé sur le radiateur (le récepteur lui-même avait disparu depuis longtemps), les câbles dénudés sortant du mur comme des touffes de poils. Mais pas de Bête, pas de comité d'accueil, pas de serial killer diabolique surgissant de l'obscurité en poussant un cri effrayant. Rien que les ombres tristes de son enfance. Et l'odeur tenace de gras toujours accrochée aux rideaux de polyester, qui conjurait une vague de souvenirs comme un défilé de spectres que personne n'avait invités.

Enfin, John relâcha la tension dans son bras, et laissa le Beretta retomber sur sa hanche.

Il s'était trompé en pensant que Glass lui tendrait un piège ici. Et pourtant, John McNally se trompait rarement pour ce genre de choses.

Dans la kitchenette, il essaya d'allumer le plafonnier. À sa grande surprise, il y avait encore un zeste de courant dans les batteries sèches. Une lueur jaune terne éclaira les parois de la caravane. John se tourna lentement. Il embrassa du regard le foyer de son enfance, et une vague de tristesse le submergea. À peu de choses près, Tante Jo avait laissé la caravane en l'état. La plupart des bibelots se trouvaient encore au mur, le bric-à-brac s'entassait toujours sur les étagères, les photos de famille décolorées pendaient toujours aux attaches jaunies, sur le panneau de contre-plaqué. John revit tout cela, les yeux noyés de larmes — son médiocre petit univers résumé à quelques figurines brisées, du faux cristal, des moulures écaillées et des fleurs en plastique —, et le chagrin lui coupa presque le souffle. Il battit soudain des paupières. Les larmes lui brûlaient les yeux et coulaient sur ses joues. Il se dit qu'il avait certainement perdu Jessie pour de bon, qu'il était condamné à rester seul avec ces malheureux souvenirs pour le reste de sa misérable vie. Il se dit que durant son enfance, pourtant, il n'avait jamais souhaité faire autre chose que ce qui était bien...

... quelque chose crépita soudain au fond de son cerveau, une image inattendue.

Des fragments de verre multicolores.

Il se tourna vers le mur opposé, de l'autre côté de la cuisine. Un petit rayonnage d'aluminium était fixé à la cloison, au-dessus de la table pliante. Quelques vieux albums de photos et des recueils de coupures de presse étaient encore là, au milieu des livres de cuisine déchirés et des fiches de recettes jaunies. (La spécialité de sa mère était le *bread pudding*, à base de restes et de pain rassis. Bien chaud, farci de raisins et trempé dans le lait, John avait toujours trouvé cela délicieux.) Les mains moites, il se dirigea vers les étagères. Il se demanda s'il trouverait quelque chose dans ces albums, un autre indice peut-être, *quelque chose*. Depuis la minute où il avait émergé de son sommeil comateux, plus d'une semaine auparavant, il était tourmenté par cette image récurrente de mort enfouie dans sa tête, si personnelle, si précise...

(la chair passant du rose au gris terreux)

... mais il avait le sentiment, maintenant, que la fin du voyage n'était plus très loin.

Il prit un album de photos sur l'étagère et commença à le feuilleter. La plupart des photos dataient des années soixante. Pique-niques en famille, repas de Thanksgiving, Noël 1962, le premier vélo de John-John. Les pages défilèrent de plus en plus vite. Des photos glissèrent de l'album et tombèrent en voletant comme des feuilles mortes.

Le bourdonnement bien connu était de retour dans ses oreilles. Il passait les photos en revue avec frénésie, à la recherche de la moindre petite preuve, du moindre petit indice montrant qu'il n'était pas devenu fou à lier. Il saisit un des recueils de coupures de journaux et le parcourut à toute allure. Les extraits de presse défilaient dans un flou nostalgique. Le premier insigne de scout de John. L'équipe d'athlétisme de John remportant les finales de l'État. La remise de diplôme de fins d'études secondaires de John... Il prit un autre album. D'autres coupures jaunies, d'autres souvenirs douloureux. Collège, théâtre d'été, comptes rendus de pièces dans lesquelles John s'était produit, instantanés de John en costume de scène, John en Puck dans *Le Songe d'une nuit d'été*, John en Nathan Detroit dans *Blanches Colombes et Vilains Messieurs*, John en...

Un fin papier jaune glissa à terre.

Le silence pesait comme une chape de plomb.

John ramassa l'article et l'approcha de ses yeux. Il lut le titre, sans pouvoir saisir le sens des mots, comme s'il était victime d'une mystérieuse crise de dyslexie. Puis, peu à peu, comme un filigrane apparaissant en clair sur une toile, le titre pénétra son esprit, les mots bondirent de la page et transpercèrent son lobe frontal. Il avait la chair de poule.

La dernière porte s'ouvrait enfin.

51

Tony Giddings

La dépêche venait de Haslett, Michigan, et elle était signée par Mike Hughes, envoyé spécial du *Lansing State Journal*. Elle devait dater de 1974 (bien qu'il fût impossible de le dire avec précision, car le haut de la page manquait). D'après la taille du titre et la largeur de la colonne, il devait s'agir d'un article de première ou de deuxième page...

MORT D'UN PROFESSEUR
D'ART DRAMATIQUE DE LA RÉGION

Un professeur d'art dramatique de notre région, Stanley Brunner, 59 ans, domicilié au 1226 Kensington Drive, Okemos, a été retrouvé mort samedi matin tôt dans les locaux du théâtre de la Petite Grange Rouge, à Haslett. Professeur titulaire à la Michigan State University, Brunner était connu pour avoir apporté à notre communauté le goût du théâtre classique. Il a aussi formé certaines des futures vedettes de la scène théâtrale locale...

... John tremblait, maintenant, tenant la coupure de journal sous la faible lumière du réchaud, et son cœur cognait si fort qu'il semblait résonner dans la caravane silencieuse. Les événements qui s'étaient déroulés cette nuit-là, près de vingt ans auparavant, revinrent en flot dans sa conscience.

C'est une soirée pluvieuse de fin avril. John et son meilleur ami, Tony Giddings, répètent en vue d'une représentation de Rosencrantz et Guildenstern sont morts, *sous la direction de leur sergent instructeur, le docteur Brunner. John et Tony sont tous les deux étudiants de deuxième année, et ils travaillent à la Petite Grange Rouge pour gagner un peu d'argent. John tient le rôle de Rosencrantz, Tony celui de Guildenstern.*

Le problème, c'est Brunner. Ce type est un vrai tyran, un monstre à l'humeur changeante. Il a la triste réputation, tant à l'université que chez les gens de théâtre, d'être un bourreau de travail sadique capable de frapper un élève à la première erreur. Brunner, qui ne dépasse guère le mètre soixante-dix, a l'habitude de compenser sa petite taille en se livrant à des humiliations verbales d'une extrême cruauté.

Ce soir-là, il en veut particulièrement à Tony Giddings. Cet adolescent dégingandé aux cheveux rebelles noirs de jais est d'un tempérament nerveux et réagit mal aux menaces. C'est un des rares amis de John, qui lui fait une confiance aveugle. Plus Brunner fait pression sur lui, plus il s'embrouille. Au bout d'un moment, Brunner se met à le frapper. Il lui flanque une claque à chaque réplique manquée. Il le traite de pédé, de gonzesse, de honte pour l'art dramatique. À la fin, Tony craque et commence à rendre les coups...

... dans la caravane faiblement éclairée, John s'efforçait de refouler ses larmes.

Il était à peine capable de poursuivre sa lecture :

Le corps de Brunner a été découvert peu après une heure du matin, dans la nuit de vendredi à samedi, par un gardien de nuit, Bernard Saulkin, 67 ans, de Haslett, et deux élèves de l'école de théâtre, Tony Giddings, 18 ans, de Grand Ledge, et Jonathon McNally, 19 ans, de Haslett. La police a été appelée sur les lieux quelques minutes plus tard. « Nous ne serons sûrs de rien avant de connaître les conclusions du médecin légiste, a déclaré le sergent Edward Miller, samedi, sur les lieux de l'accident. Mais si l'on en croit le récit des témoins, il semble que la victime a été tuée par la chute d'une colonne de projecteurs. »

... mais cela ne s'était pas passé ainsi, non, ce n'était pas du tout cela... Le film de cette horrible nuit revenait à la mémoire de John...

... quand Tony se met à rendre les coups, le professeur devient fou furieux. Il jette le pauvre garçon au sol et commence à l'étrangler. Cloué sur place, John hurle, le supplie d'arrêter. Mais Brunner serre de plus en plus fort la gorge de Tony, et risque de le tuer, et John réagit instinctivement. Il se précipite, agrippe Brunner et tente de l'écarter de Tony. Mais Brunner ne se contrôle plus. Il se retourne, frappe brutalement John au visage. Celui-ci bascule en arrière et s'écroule. Il pousse un rugissement d'animal blessé, se remet sur pied et renverse avec rage un pylône d'éclairage. La colonne, qui supporte plusieurs lourds projecteurs et des câbles emmêlés, s'abat sur la nuque de Brunner.

Le choc produit un bruit sourd affreux, suivi d'un fracas de verre brisé. Brunner suffoque sous l'effet de cette agression surprise, il se dégage du garçon, ses bras battent l'air. Tony halète, lui aussi, il a porté les mains à sa gorge. Mais John est incapable de quitter des yeux le professeur encore à terre, et tous ces fragments de verre multicolores éparpillés sur la scène comme autant de pierres gemmes scintillantes. Le regard fixé sur le kaléidoscope des débris des filtres colorés, John se sent prêt à se libérer de toutes les années de colère, d'émotion et de rancœur refoulées.

Quelque chose se brise en lui.

(fragments de verre multicolores)

John bondit sur le professeur à la crinière argentée, ses doigts se referment sur sa gorge. Groggy, Brunner essaie de riposter, mais John l'étrangle, maintenant, et rien ne l'arrêtera. Le visage de Brunner change de couleur, sa chair devient gris terreux, ses yeux fous divaguent, ses cheveux argentés volent en tous sens, John continue de lui serrer le cou, il lui cogne le crâne contre le sol de la scène, encore et encore, longtemps après que Brunner a perdu connaissance. John continue de cogner la tête de ce vieux salaud sadique sur le plancher de bois, et la voix de Tony perce l'épais brouillard de la haine :

— Vas-y, Johnny ! Tue cet enculé ! Tue-le ! TUE-LE, JOHNNY ! TUE-LE !

Quand John réalise enfin que les yeux du professeur sont tout laiteux et troubles — et que le vieux salaud, peut-être bien, a cessé de respirer —, il s'arrête, il le lâche, et il regarde la tête aux cheveux argentés retomber sur le sol.

— Tu l'as fait, Johnny, tu l'as fait, mon pote ! marmonne Tony en reculant vers les coulisses.

Il se frotte nerveusement les mains et essaie de décider s'il doit s'enfuir, ou se mettre à hurler, ou éclater de rire.

John se contente de rester assis, cloué sur place, les yeux fixés sur le visage du vieux con fasciste recroquevillé sur son tapis d'éclats de verre multicolores.

Puis une voix s'élève à côté de lui :

— Bon... Je sais ce qu'on va faire. Écoute-moi bien. (Seulement quelques minutes ont passé, peut-être quelques secondes — John n'en est pas sûr —, mais Tony parle d'une voix calme.) On va dire que c'était un accident. Ouais. Voilà ce qu'on va faire. Tu restes ici, Johnny, je vais chercher de l'aide, et on dira que c'était un accident. Tu m'entends, Johnny ?

— Ouais, pourquoi pas ? murmure John, les yeux toujours rivés à l'homme agonisant.

Tony quitte le théâtre en courant.

Un des témoins oculaires, Giddings, a confirmé les soupçons du sergent Miller. « Ce bâtiment est tellement vieux... a déclaré Giddings, très ému, au quartier général de la police de Lansing dans la matinée. Il fallait que ça arrive un jour ou l'autre. » Nous n'avons pas pu joindre le propriétaire du théâtre de la Petite Grange Rouge, Myron Korngold, pour lui demander son avis.

John est seul avec Brunner maintenant, seul dans le théâtre silencieux, avec les fragments de verre multicolores et l'odeur de diluant, et il attend l'arrivée de la police. Le plus étrange, c'est qu'il n'a plus peur. Il ne ressent aucun dégoût. Il n'est même pas inquiet, tandis qu'il regarde la vie quitter le corps du professeur. Il ne ressent rien d'autre qu'une sorte de fascination abjecte.

De la fascination.

John voit la lumière quitter les yeux de Brunner comme la flamme d'une bougie qui s'éteint, deux minuscules étincelles qui faiblissent, se contractent, diminuent jusqu'à ce qu'il n'y ait plus rien qu'un ultime aiguillon de vie. Puis le feu s'en va enfin, et c'est incroyable. Incroyable. John baisse les yeux vers les mains de l'homme, et elles se ferment, se replient vers l'intérieur comme les pétales d'une jolie fleur au crépuscule, la peau passant du rose au blanc, puis à un gris terreux.

John regarde une vie prendre fin, une vie qu'il a volée, et le pire, le plus ignoble, c'est qu'il n'éprouve aucun remords...

— Non... !

Penché au-dessus du lavabo de la caravane, John murmurait : « Non, non, non, non... Non, non, ce n'est pas vrai... », et les larmes, de grosses larmes, lourdes et salées, tombaient une à une dans la cuvette rouillée où il avait laissé tomber la page de journal, et elles tintaient comme des gouttes de pluie sur un toit d'aluminium.

Les yeux fermés, John pleura en silence.

Sa mémoire frissonnait comme en réaction à une injection glacée, au dernier déclic d'un casse-tête chinois : celui qui permet de reconstituer l'image dans son ensemble. John restait là dans l'obscurité âcre de cette caravane, à ravaler ses larmes en réfléchissant à la manière dont le secret de la mort de Stanley Brunner avait modifié le déroulement de sa vie tout entière. Depuis cette nuit fatidique, John McNally avait été un

356

homme hanté, obsédé par une idée fixe. Sa passion pour le théâtre, pour le jeu d'acteur, sa fascination pour la Méthode, tout cela avait tourné à l'aigre, s'était figé dans ses veines, s'était transformé en une obsession malsaine pour la mort. Pendant des mois, après l'incident, John avait vécu reclus. Déprimé, s'il fallait en croire les médecins. Égaré. Les cauchemars lui volaient son sommeil, et son noir secret suppurait en lui.

Mais il avait toujours son don, fort heureusement.

Le don l'avait sauvé, son don pour la comédie, sa capacité à transformer un sentiment en expression. Il se mit à lire tout ce qu'il trouvait sur les meurtriers, sur les serial killers, et il se retrouva bientôt en train de les intégrer dans des projets, d'en faire des personnages, d'entrer en communion avec eux. Pas de *sympathiser*, loin de là ! John haïssait cette partie de lui-même. Mais d'une certaine manière, il était désormais capable de s'identifier au malaise de l'assassin, de comprendre son besoin, sa faim, et tout cela grâce à la catastrophe qui avait eu lieu dans un petit théâtre délabré...

Un bruit, à l'autre bout de la caravane, lui fit tourner la tête vers la porte d'entrée.

Des pas, un crissement sur le gravier.

John pivota vers la table de cuisine où il avait posé le Beretta. Il saisit le revolver, l'arma machinalement. Mais c'était trop tard. La porte s'ouvrait déjà. Le temps s'était enlisé dans son esprit, il n'était pas prêt pour cela, il n'était pas préparé à combattre la Bête. Une silhouette se glissait dans la caravane. Elle portait un capuchon sombre et tenait un long objet métallique... John essaya de pointer le revolver...

— Jette ça à terre... Espèce de petit salopard !

Le canon d'un fusil de chasse de calibre douze se matérialisa devant le visage de John.

Il s'immobilisa, le revolver bien en main, levé vers l'intrus. Celui-ci était toujours dans l'ombre, le visage masqué par la capuche d'un anorak aux couleurs des

357

Lions de Detroit. John n'avait pas l'intention de tirer, en aucun cas, parce que ce serait synonyme de mort. Mais il était incapable de bouger. L'intrus pressa doucement son arme contre le nez de John et reprit, d'une voix râpeuse :

— Je crois t'avoir demandé de lâcher cet engin.

— J'essaie, dit John d'un air penaud, en se demandant pourquoi son bras ne lui obéissait pas.

Il finit par baisser le revolver.

L'intrus avança d'un pas et baissa le fusil à hauteur de sa taille.

— C'est mieux, dit-il en ôtant sa capuche d'un coup sec.

C'était une femme. Des petits yeux marron espiègles, des cheveux gris noués en une maigre queue de cheval. Son visage usé avait la couleur de la brique. Elle pouvait avoir entre soixante et cent douze ans.

— Tante Jo... ?

John eut l'impression que le temps avait fait un bond de trente ans en arrière.

La femme le contempla un moment, puis un éclair au fond de ses yeux montra qu'elle l'avait reconnu. Elle eut un sourire, et les rides donnèrent à son visage l'apparence de la vieille écorce...

— Je ne suis pas Julia Roberts, c'est sûr...

52

Les péchés originels

— Ne me dis pas que tu dois partir, Johnny, parce que je sais reconnaître quelqu'un qui est dans la mouise, et qui a besoin de moi. D'accord ?

Joanne Prescott était assise sur une chaise de jardin métallique, à l'extérieur de la caravane. Elle fumait une Winston 100, le fusil sur les genoux, le hargneux petit pitbull couché en rond à ses pieds. Le chien s'appelait Weiner, et il était plutôt inoffensif, selon elle. En l'occurrence, il ronflait comme un vieux clochard du Bowery.

— Au risque de passer pour un cinglé, il faut vraiment que j'y aille, dit John, en faisant les cent pas devant elle.

Il apercevait la faible lueur orange de Lansing à l'horizon. Sa poitrine, comme prise dans un étau, le faisait de nouveau souffrir. Il était presque quatre heures du matin, et John n'avait aucun moyen de savoir ce que Glass préparait. La pensée que ce malade mental pouvait torturer Jessie lui donnait des frissons. D'autant que John avait complètement intégré sa tournure d'esprit à présent, et qu'il savait quel trophée représentait Jessie. Quelle prise ! Mais John était incapable de deviner où se trouvait Glass. Où pouvait-il emmener une telle prise ? Où pouvait-il aller pour être seul et tranquille ? John devait filer sans tarder, et décider de l'action à mener. Mais s'il y avait une chose qu'il n'avait pas envie de faire, c'était d'accabler sa tante avec les détails les plus horribles. En outre, il s'inquiétait de la mettre en danger par le simple fait de lui parler.

Et si Glass était en planque dans les parages ?

La vieille femme tira sur sa cigarette et souffla la fumée par le nez.

— Tu te pointes au milieu de la nuit comme une espèce de foutu fantôme...

— Désolé de m'être introduit ici en douce.

— ... et tu ne peux même pas me dire ce qui cloche, ce qui se passe dans ta vie ?

— C'est compliqué.

La vieille dame haussa les épaules en roulant des yeux.

— Oh ! Alors, je t'en prie, n'encombre pas ma pauvre cervelle avec tout un tas de bêtises... Une femme comme moi a vite fait de s'embrouiller...

John continuait à faire les cent pas. Il secoua la tête.

— Très bien. Je te dirai seulement que je suis un peu dans le pétrin.

— Tu as les flics aux fesses ?

— Comment le sais-tu ? demanda-t-il en lui jetant un regard surpris.

Joanne avança fièrement le menton.

— Une femme sait certaines choses.

— Et qu'est-ce qu'elle sait d'autre ?

Joanne Prescott regarda son chien et le gratta derrière les oreilles.

— Je t'ai toujours aimé plus que les autres, Johnny. Tu étais mon préféré.

John sourit. Il se rappelait que sa tante avait toujours été gentille avec lui.

— C'était réciproque, souffla-t-il.

— Tu te rappelles, le jour où nous sommes allés pêcher au lac du Canard ?

— Sûr... Comment pourrais-je l'oublier ?

— Tu t'étais coupé la main sur ce vieux clou rouillé.

— J'avais fichu du sang dans tout le canot.

— Tu avais détesté cette journée.

— Jusqu'au retour à la maison.

La vieille femme gloussa.

— Tu voulais remonter en voiture et y retourner.

— Oui, c'est exactement ça.

Un silence.

— Qu'est-ce qui se passe, Johnny ?

John inspira à fond, cessa de faire les cent pas.

— Je suis censé rencontrer quelqu'un.

— OK Corral ?

— Quelque chose comme ça.

Joanne secoua lentement la tête, comme si elle s'apitoyait au souvenir d'une époque révolue. Dans le noir, on eût dit que ses yeux étaient liquides.

— Tu as toujours été un garçon si sérieux, la tête pleine de pensées graves...

— Ouais, eh bien...

— Même quand tu jouais dans ces spectacles, à la Petite Grange Rouge... eh bien mon petit vieux, je peux te dire que ton oncle et moi, nous étions fiers de toi... mais tu avais toujours l'air un peu, comment dire... *maussade*. Je ne sais pas... C'était peut-être simplement...

— Hé, attends un peu !

John s'immobilisa, le regard fixé sur l'horizon, la révélation le frappant comme un coup de poing à l'estomac.

— Quoi ?

— Attends une seconde...

— Qu'est-ce qui t'arrive ?

Il claqua des doigts, réfléchit, puis reprit :

— Qu'est-ce que tu as dit... juste avant ?

La tante haussa les épaules.

— Eh bien... j'ai dit que tu avais toujours l'air un peu maussade quand tu jouais dans ces pièces, à la...

— C'est ça !

— *Quoi ?*

361

— Rien, rien... Il faut que j'y aille, murmura-t-il en retournant à la caravane.

Son cuir chevelu le démangeait, sa peau le brûlait. Il savait où Glass l'attendait. *Il savait.* Comment avait-il pu laisser échapper cet indice ? Le poème. Les mots tracés en lettres de sang, sur le plancher de la faculté. Tout y était. *Pour partager le goût, Le péché originel, À « H » ta blonde amie t'attend.* « H » renvoyait bien à Haslett, mais pas à la caravane. C'était la bonne ville, mais pas le bon endroit. « H » renvoyait à un autre lieu dans Haslett, un lieu encore plus proche de l'âme torturée de John. Glass avait emmené Jessie au point zéro. Bien sûr. *Le péché originel.* Il devait avoir percé à jour son sale petit secret. Mais comment ? Comment Glass aurait-il pu découvrir quelque chose que les flics eux-mêmes ignoraient ?

— Attends... *Johnny...* Où diable crois-tu que tu vas partir comme ça ?

Joanne sauta sur ses pieds, le pitbull s'agitant à côté d'elle. Elle alla se placer devant la porte de la caravane, le fusil de chasse toujours calé au creux du bras. John fourrageait à l'intérieur. Il cherchait quelque chose.

— Johnny, réponds-moi !

Il sortit enfin, le Beretta à la main. Il tripotait maladroitement le cran de sûreté.

— Je dois y aller, Tante Jo, pardonne-moi. Je ne peux rien te dire de plus.

— Tu as l'intention de filer comme ça, sans un mot d'explication ?

Il l'embrassa sur la joue.

— Je serai de retour... demain, si tout va bien. Et alors, je te raconterai tout.

— Tu te fous de moi.

— Tu dois me faire confiance. Je t'en prie. Fais-moi confiance.

Il tourna les talons et se dirigea vers l'extrémité est de la propriété.

362

Il avait traversé la moitié de la cour malpropre lorsque sa tante le rappela, de sa voix râpeuse :

— Attends une minute, Johnny !

John s'arrêta. Il regarda par-dessus son épaule. Il la vit franchir un portail et courir au loin. Elle dépassa les carcasses de voitures et entra dans la petite cabane du gardien. Elle n'y resta qu'un instant, alluma des lampes, claqua des tiroirs métalliques. Puis elle revint vers John avec un objet enveloppé dans un chiffon graisseux.

— Prends ça, dit-elle. Ton joujou italien ne vaut rien pour le corps à corps. Tu as plutôt intérêt à te munir d'une arme robuste et puissante.

John déplia le chiffon. Il en sortit un gros revolver avec un canon de quatre pouces surmonté d'un petit viseur.

— Depuis la mort de ton oncle, reprit-elle, tous les ploucs du comté d'Ingham m'ont fait du gringue. Il y avait ce type de la Compagnie des Brasseries de Lansing... un certain Shorty Simms... Il avait une passion pour les flingues, et il me racontait tout le temps des salades. Il m'a donné ce truc au printemps dernier, sous prétexte que c'était ce qu'il y avait de mieux pour assurer ma sécurité. C'est un Colt 357 Trooper. Le modèle qu'utilisent les garde-frontières. Avec un viseur à rayon laser. Tu sais te servir de ces p'tites merveilles ?

John lui dit qu'il ne connaissait rien aux armes.

— Raison de plus pour te munir de quelque chose de puissant, et facile à utiliser. Comme un Colt. Regarde. Je vais te montrer.

Elle le débarrassa du Beretta, puis lui montra comment fonctionnait le viseur du Colt. Un rayon lumineux de l'épaisseur d'un cheveu balaya l'air poussiéreux de l'entrepôt. Elle lui expliqua qu'il suffisait de placer le petit point rouge sur le fils de pute en question et de presser la détente. Puis elle lui donna une boîte de Winchester 357 à bout d'argent et deux chargeurs de rechange, et lui montra comment charger le revolver rapidement. John l'écoutait à peine, tant il était surexcité.

Il savait où la Bête l'attendait, en ce moment même. Cette fois, il en était sûr.

— Je dois y aller, Tante Jo. Merci. Merci pour tout.

C'était presque comme s'il la remerciait d'avoir veillé sur lui durant sa vie entière, de s'être occupée de lui quand son père était trop malade pour ça, et quand sa mère perdait l'esprit.

— N'en parlons plus, mon petit, dit la vieille femme en l'embrassant sur le front.

Juste avant de s'enfoncer dans l'obscurité de Marsh Road, John entendit une dernière fois la voix de sa tante. Il s'arrêta, et se retourna.

Elle se tenait à la limite de chez elle, à cinquante mètres de là. Elle tenait toujours son fusil de chasse. Weiner, le pitbull, était à côté d'elle et remuait la queue.

— Quel que soit le jeu auquel tu joues, Johnny, cria-t-elle, *il faut que tu sois sûr de gagner* !

John lui fit un signe de tête, puis tourna les talons et partit vers l'est, vers la profonde, mortelle obscurité.

53

La Petite Grange Rouge

John constata avec surprise qu'il se souvenait parfaitement du labyrinthe des rues qui serpentaient dans Haslett.

La route du lac, Detweiller Drive, contournait Lansing Lake en décrivant des lacets étroits. Chaque tournant évoquait des souvenirs — courses de luge en hiver, balades en vélo l'été, promenades tardives et camping au printemps. À cette heure de la nuit, la route asphaltée se déroulait tel un ruban noir sans fin, isolé de la lumière et des sons extérieurs par l'épaisseur des chênes et des pins blancs. L'air sentait la pourriture humide, les émanations des marais et la pluie imminente. Tous les sens en éveil, John avançait d'un bon pas dans l'obscurité du bois. Il sentait le revolver s'enfoncer dans ses reins.

Tout en marchant, il se préparait mentalement, en se rappelant tous les carnets intimes imaginaires qu'il avait rédigés, les photos, les fantasmes. C'était devenu une seconde nature, dès lors qu'il avait totalement recouvré la mémoire, dès lors qu'on l'avait attiré dans ce coin affreux. *Contente-toi de fermer les yeux et de pénétrer le cerveau du meurtrier, puis reviens et utilise cette terrible mémoire sensorielle.* La sensation. Cette sensation délicieuse qui apparaît quand on laisse toute sa rage se déverser en une magnifique explosion, qu'on enroule ses doigts autour de la gorge de ce vilain petit homme, puis qu'on serre, qu'on serre, jusqu'à ce que la Bête ne soit plus. Un homme ne pouvait rien éprouver de plus fort. Une sensation fondamentale. John retournait à cet endroit, et absorbait le moindre rad d'énergie.

C'était la seule façon pour lui de détruire la Bête. *Devenir lui-même une bête.*

Un peu plus tard — dans l'état d'esprit où il se trouvait, il avait du mal à garder la notion du temps —, la route s'élargit légèrement et un panneau de bois se matérialisa devant lui, comme sorti de nulle part.

THÉÂTRE DE LA PETITE GRANGE ROUGE
PROCHAINE À GAUCHE

Quand il prit le tournant et pénétra sur le petit parking désert, John sentit que chaque cellule de son corps entrait en action. Les souvenirs grouillaient dans sa tête comme des abeilles en colère. Quelque part, sous le léger bourdonnement des grillons, il lui semblait entendre le fantôme de Stanley Brunner. « *Cessez de marmonner, McNally, et entrez dans la peau du personnage ! Vous devez vous l'approprier, nom de Dieu ! Ne vous contentez pas de lire les répliques !* » Fort heureusement, John McNally avait bien retenu la leçon. Il parasitait effectivement le monstre, à présent. Il se trouvait à l'intérieur du crâne de Glass, et...

C'était littéralement jouissif.

John s'arrêta pour regarder autour de lui. Les arbres et les broussailles avaient envahi le parking, des branches folles retombaient sur certains emplacements, et la mauvaise herbe poussait à travers les fentes du ciment. Mais l'endroit était tel que John se le rappelait. Il se souvint qu'il venait là avec Tony, pour fumer une cigarette dans l'air frais de la nuit, parler théâtre, discuter de la Méthode.

Le théâtre se trouvait juste devant lui, derrière un bouquet d'ormes longeant une clôture.

John sortit le 357 de sa ceinture et alluma le laser. Son cœur cognait si fort qu'il avait l'impression qu'il allait remonter son œsophage et lui sortir par la gorge, et il dut déglutir plusieurs fois pour se calmer. Son sang bouillonnait. Mais il ne savait plus si c'était sous l'effet de la peur ou d'une sorte d'exaltation homicide primitive. Il s'était tellement imprégné de la pensée de Glass qu'il avait fini par franchir les limites de son propre moi. Il n'avait plus de nom, plus de personnalité. Rien que deux objectifs urgents : tuer le tueur et sauver la gente demoiselle.

Il arma le revolver d'un geste du pouce, puis entreprit de contourner la lisière des arbres, toujours penché en avant. Il laissa le fil lumineux du laser découper l'obscurité devant lui. Le point rouge jouait dans les mauvaises herbes. John voulait être prêt, il voulait être mentalement préparé à voir le théâtre. Et il pensait qu'il était prêt. Il pensait qu'il était mentalement préparé.

Puis le théâtre se matérialisa. Il émergea du néant comme un vaisseau fantôme.

À la vue du bâtiment, John fit un bond en arrière, comme s'il venait de trébucher dans un champ magnétique. Il se dissimula un instant derrière un arbre et contempla la bâtisse, qui semblait lui lancer un cri de douleur. C'était un lieu blessé. Le revêtement de bardeaux usé par le temps s'affaissait, tandis que les tourelles lambrissées de pin toutes délabrées se dressaient encore avec arrogance dans le ciel nocturne. Mais l'agréable décor original de style Cape Cod avait depuis longtemps cédé la place au bois nu pourrissant. Les jolies treilles de rosiers, le chèvrefeuille et le lierre épais qui embellissaient autrefois l'entrée voûtée étaient tout racornis. Seuls quelques plants chétifs s'accrochaient encore aux murs, obstruant les fenêtres et bouchant les gouttières. À gauche de la grande entrée, il y avait une haute fenêtre à petits carreaux.

Une faible lueur jaune éclairait le hall, derrière cette fenêtre.

Les doigts de John se crispèrent sur la crosse de son revolver. Il inspira profondément, se détendit, rassembla ses esprits. Il ne s'était pas trompé, à propos de Glass. C'était le bon endroit, c'était là qu'aurait lieu le rendez-vous final. Si seulement il pouvait rester dans la tête de l'ennemi, rester concentré, ignorer la douleur et la peur qu'éveillait en lui cette rencontre, il aurait une chance. Il fallait rester dans la peau de son personnage. John inspira encore une fois, puis sortit de sa cachette à pas de loup.

Il se rappelait l'entrée latérale, près de la plate-forme de déchargement, juste derrière les coulisses. Penché en avant, couvert par l'obscurité, il traversa la pelouse de devant vers le portique nord (le seul éclairage extérieur venait du lampadaire, de l'autre côté du parking), puis contourna le théâtre et longea son assise de parpaings désagrégés. Le pignon était exactement comme dans le souvenir de John, revêtement lézardé et rangées de fenêtres en ogive lui donnant l'air d'une vieille église, vitres fêlées et protégées par des planches.

Il atteignit le quai de déchargement.

L'entrée des artistes était un panneau d'acier couvert de graffitis, toujours cadenassé. John examina le dallage jonché de détritus, en quête d'un objet dont il pourrait se servir pour forcer la porte. Il était accroupi sur le gravier et s'apprêtait à ramasser une vieille jante de pneu rouillé, lorsque le grincement d'une charnière lui fit dresser l'oreille. Il se redressa en un éclair, pivota vers la porte et pointa le faisceau laser de son Colt.

Puis il souffla, et se relâcha quelque peu.

La porte s'était ouverte toute seule, sous l'action du vent. Il approcha avec précaution. Le cadenas était encore fixé à son support, mais la porte avait depuis longtemps largué les amarres. Il déglutit, un goût métallique dans la bouche, puis braqua le revolver sur l'obscurité.

Le point rouge disparut.

Il entra.

La première chose qui le frappa — plus que le noir absolu —, ce fut la température. Il faisait aussi froid et humide que dans une vieille cave. Ça sentait le renfermé. Comme si les vieux costumes maculés de sueur et les rideaux avaient moisi, puis durci. Il resta un moment sur le pas de la porte. Il emplit ses poumons d'air froid, laissa ses yeux s'habituer à l'obscurité. Les muscles noués, des picotements dans les doigts, il tenait le revolver des deux mains (imitant quelque série policière ridicule qu'il avait dû voir un million d'années auparavant) en attendant que le croque-mitaine lui saute dessus.

Le silence se prolongea. Son cœur sonnait comme un tambourin.

Ses yeux s'habituèrent à l'obscurité, et il discerna peu à peu des images familières. Il se trouvait au fond du théâtre. Une sorte de caverne de béton peint, où se dessinaient sur les murs les ombres d'éléments de décors renversés et de garde-robes. Des souvenirs amers affluèrent à la conscience de John, tandis qu'il frôlait chaque forme du point rouge empoisonné de son arme. Il se rappelait les innombrables nuits d'angoisse où il venait se blottir derrière ces décors, fumant nerveusement, essayant d'entrer au cœur d'un personnage, essayant de s'inspirer de quelque expérience douloureuse longtemps refoulée. Il avait un goût bizarre dans la bouche. Un goût doucereux, un peu âcre. Sa vision se précisa. Il vit que l'endroit était beaucoup plus abîmé qu'il ne s'y attendait. Le sol était couvert de crottes et de plumes de pigeons, et des nids de feuilles et de brindilles obstruaient les coins. Des formes étranges tombaient du plafond, suspendues à des câbles usés : contrepoids brisés, poulies rouillées.

À l'autre extrémité de la pièce, une bande de lumière filtrait sous le pendillon qui menait aux coulisses.

John sentit un frisson remonter jusqu'à sa nuque. Son estomac se crispa. Ces mêmes sensations que doit éprouver un animal sauvage lorsque le vent lui apporte l'odeur d'un prédateur, et que l'instinct — combattre ou fuir — prend le dessus. Ce mince rayon lumineux sous le rideau lui faisait signe, semblait se moquer de lui. Glass était très certainement de l'autre côté, sans doute attendait-il John sur la scène, sans doute attendait-il le moment de déclencher quelque piège compliqué. L'espace d'un instant, John éprouva une envie irrésistible de faire une entrée spectaculaire. Brandir son revolver et faire irruption sur la scène, provoquer un cyclone, tirer sur tout ce qui bouge. Brunner aurait aimé cela. Mais John se contenta de se couler silencieusement vers le mur du fond. Il se heurta à une porte intérieure. Il l'ouvrit aussi silencieusement que possible et se glissa de l'autre côté, dans le noir.

Il trouva son chemin à tâtons, descendit trois marches de bois qui craquèrent bruyamment sous son poids — *Génial... c'est la meilleure façon d'annoncer ton arrivée à la Bête* —, puis tourna, se faufila dans une allée étroite et pénétra dans le théâtre.

Dès qu'il fut dans la salle, John se dissimula derrière les sièges. Il fouilla l'obscurité du regard, de tous côtés, pour tenter de localiser l'ennemi. Le théâtre était désert et silencieux. La plupart des sièges étaient cassés ou déchirés, quelques-uns avaient même été arrachés, comme des dents pourries dans la bouche d'un vieillard. John sentait les odeurs remonter du sol poisseux. Un mélange d'eau de Cologne et de sueur qui s'étaient mêlées tout au long des années, et qui imprégnaient le mobilier. Il jeta un regard par-dessus son épaule, essaya d'apercevoir ce qui se trouvait sur la scène. Il ne vit rien d'autre que les grands arbres factices encombrant la plus grande partie du plateau, leurs branches noueuses débordant vers les coulisses : sans doute des vestiges d'une production estivale de *Pierre et le Loup* ou du *Petit Chaperon rouge*. Ils se découpaient dans la timide lueur vacillante d'une ampoule nue qui pendait au-dessus des colonnes de projecteurs.

La même petite ampoule nue que la troupe de Stanley Brunner allumait les jours de répétition.

C'est alors que John entendit un bruit. Une sorte de miaulement assourdi, venant de la scène.

Il y eut un bruit sec, comme le claquement d'une ampoule de flash, quelque part non loin.

Dès lors, les choses se déroulèrent au rythme irréel des rêves. John avançait à l'instinct, oubliant qu'il était vulnérable, oubliant de maintenir en position le point rouge du laser. Il se glissa dans la rangée B-B, section centrale, et fonça vers les sièges du milieu pour essayer de voir Dieu sait ce qui se trouvait là-haut, sur la scène, parmi les faux arbres, sous la lumière tremblotante. Quand il fut au centre de la rangée, *cela* apparut, timidement, dans son champ de vision.

John leva machinalement le 357.

Mais il n'appuya pas sur la détente.

Il se contenta de regarder fixement le spectacle.

54

Dans la forêt factice

Le point rouge était posé sur le visage de Jessie, à un doigt de ses yeux. Elle essayait de parler, mais sa bouche gonflée, incrustée de sang séché, était un nœud de douleur. Elle essayait de bouger, mais le Demerol l'avait tellement affaiblie qu'elle pouvait à peine se pencher d'un côté ou de l'autre. Mais bon Dieu, quelle façon stupide de mourir... Comment disent-ils, dans l'armée... sous le feu allié ? La drogue devait avoir brouillé sa perception du temps, car elle avait l'impression d'être attachée sur cette scène de théâtre depuis des semaines ou des mois, cédant tour à tour aux larmes brûlantes et à la rage qui couvait en elle. Elle ne pouvait s'empêcher de penser à Kit. Quel sale coup pour la pauvre petite, perdre sa mère de façon aussi stupide ! Si seulement Jessie avait été plus maligne...

Elle essaya à nouveau de parler. D'appeler John. Au prix d'un gros effort, car ses lèvres étaient boursouflées aux commissures, là où Glass l'avait frappée à maintes reprises. Le sang formait une croûte sur son menton.

— N... non... ! parvint-elle enfin à articuler. John, ne ti... ne tire pas !

— Jessie ?

John descendait l'allée extérieure. Il venait vers elle en balançant son laser à gauche et à droite — où diable avait-il récupéré ce truc ? —, les yeux écarquillés.

— Va-t'en... !

— Du calme, Jessie, je suis là.

Il se dirigeait vers les marches menant à la scène, le rayon du viseur découpant l'obscurité. Ses yeux larmoyants le brûlaient. Elle ne l'avait jamais vu dans cet état. Il avait l'air d'un animal acculé.

— Ça va ? *Bon Dieu !* Qu'est-ce qu'il t'a fait ?

— Mer... de, John ! N'approche pas !

Jessie faisait de son mieux pour former des phrases, pour articuler les idées les plus simples — *N'approche pas, merde !* —, mais son corps était comme un sac de sable mouillé. Glass lui en avait fait voir de toutes les couleurs, ce fils de pute. Il l'avait battue comme plâtre, bourrée de sédatifs, puis traînée dans ce petit théâtre paumé, où il l'avait attachée sur cette table d'opération de fortune. Pour autant qu'elle puisse en juger, la table se composait de pièces de récupération, des éléments de vraies tables médicales fixés les uns aux autres, auxquels on avait ajouté des roulettes et des accoudoirs. Glass s'était servi de sangles de Nylon pour lui attacher les chevilles et les poignets aux froides surfaces laquées. Puis il avait fixé l'ensemble aux câbles tombant du plafond afin de la lever en position verticale comme si elle était en exposition — comme un quartier de bœuf dans la vitrine d'une boucherie. Il y avait même dans tout cela un écœurant parfum de crucifixion qui mettait Jessie très mal à l'aise. Depuis combien de temps était-elle attachée à ce truc ? Des heures ? Des jours ? Elle avait dû subir l'interminable délire de psychopathe de Glass — *La vie n'est rien d'autre qu'une scène de théâtre... Nous ne sommes tous que de simples figurants,* selon qui Jessie elle-même se trouvait au cœur d'on ne sait quelle grande expérience... Pourquoi diable n'avait-elle pas été fichue de se faire kidnapper par un dingue *ordinaire* ? Pourquoi diable devait-elle avoir été la victime de Sir Lawrence-connard-Olivier ?

— Je suis là, Jessie, je suis là, murmurait John en traversant la scène, le 357 en position de tir.

Puis il fut près d'elle, et il glissa un bras autour de ses épaules, et ce contact fit chavirer quelque chose tout au fond d'elle. Un barrage se fissura, menaçant de céder.

— Bon sang, John... Tu ne sais pas reconnaître un piège quand tu en vois un ? articula-t-elle du mieux qu'elle put, en le regardant dans les yeux.

— Tu peux me dire ce qui s'est passé ?

— Beau flingue... hé, où as-tu trouvé cela ? dit-elle en inclinant la tête vers le 357.

— Une amie me l'a donné. Où est Glass ? Où est-il ? Je vais te sortir de là.

Il commença à tirer sur les sangles de Nylon. Mais Jessie secoua la tête.

— Non... non... on n'a pas le temps...

— Je vais te sortir de là...

— Non, John, écoute-moi, il m'a droguée, il est trop tard...

— *Je ne t'abandonnerai pas... !*

— John, nom de Dieu, tu n'as pas entendu ce que j'ai dit ? C'est une saloperie de piège...

La sangle qui lui retenait les chevilles se détendit. Puis elle sentit les mains de John s'activer sur ses poignets.

— C'est moi qui t'ai mise dans ce pétrin. (Il s'interrompit, la regarda dans les yeux.) Je ne t'abandonne pas.

Le barrage céda. L'émotion submergea Jessie, tel un raz-de-marée, et la salle devint indistincte tandis que de grosses larmes lui emplissaient les yeux — *Bon Dieu, comme je déteste ça* — et roulaient sur ses joues. Elle le regarda.

— J'ai peur, John.

— Je sais, ma belle. Et nous sommes deux dans ce cas. Maintenant, dis-moi où est Glass.

— Je l'ignore. Je... je... je me souviens qu'il m'a abandonnée ici...

374

Elle essayait de se rappeler ce que Glass avait fait, ce qu'il avait dit avant de disparaître. Son esprit battait la campagne, les événements des dernières heures filaient devant elle comme le vent, et elle ne pouvait se raccrocher à rien. Elle se rappelait vaguement Glass divaguant sur le chef-d'œuvre de sa vie, lui injectant le Demerol dans l'épaule, puis reculant derrière la scène, comme s'il venait de déposer une bombe. Peut-être en effet avait-il mis en place un piège quelconque. Peut-être se préparait-il à l'instant même à appuyer sur le bouton.

— Jessie ! Reste avec moi, dit John. (Il luttait toujours avec les sangles des poignets. Il ne parvenait pas à les desserrer.) Réfléchis ! Où est-il allé après t'avoir quittée ? Concentre-toi !

— Je ne sais pas. Je... je ne me souviens pas.

— Est-ce qu'il était armé ?

— Armé ?

— Est-ce qu'il avait une arme ?

— Il... était...

Un léger bruit, au milieu des sièges vides.

John braqua le 357. Le rayon rouge taillada l'épaisseur de l'obscurité.

Jessie essaya de voir à travers ses larmes. Elle essaya de se concentrer sur la nuit qui régnait au-delà de la scène, mais elle était éblouie par le feu magenta de la lampe. Elle lutta contre son envie d'éclater en sanglots comme une enfant, et elle décida de *ne pas* donner cette satisfaction à ce salaud, à ce malade. Au lieu de quoi elle se concentra sur John, elle se concentra sur ses sentiments à son égard, et elle se concentra sur le *steak house* où elle l'inviterait à dîner s'ils survivaient à cette histoire. John tenait son revolver des deux mains, maintenant. Il sursautait au moindre craquement, à gauche, puis à droite. Il avait l'air raide, mécanique, tremblant comme un soldat de plomb brisé. Jessie aurait sans doute ri, si elle n'avait pas été aussi terrifiée. Elle allait dire quelque chose, lorsque la voix de John retentit subitement :

— Glass !

Dans l'obscurité, le nom résonna comme un mantra terrifiant. Il se répercuta dans la salle de théâtre obscure, descendit jusqu'au cœur de Jessie et lui tordit l'estomac. Elle n'avait pas réalisé combien elle haïssait ce salaud, combien elle avait envie de lui déchirer la gorge avec les dents. Il était déjà assez insupportable de penser qu'il l'avait battue, qu'il l'avait entraînée à mi-chemin de l'enfer et l'avait attachée à cette espèce de bout de bois rafistolé. Mais le pire, c'était qu'il l'avait terrorisée — terrorisée au point de la rendre folle — et cela, aucun homme ne l'avait jamais fait impunément.

— *Je suis ici... C'est ce que vous vouliez, n'est-ce pas ?*

La voix de John était tendue à l'extrême. Tout à coup, Jessie commença à se sentir mal, *très* mal en fait, parce que pour la première fois depuis qu'il avait surgi de la pénombre, John McNally avait l'air aussi terrorisé qu'elle. Et quelque part, tout au fond d'un compartiment secret de son cerveau, elle était persuadée que c'était exactement ce que voulait Glass.

— *Pourquoi moi, Glass ? Pourquoi cette obsession pour moi ?*

Un autre bruit, plus proche. Peut-être à l'arrière de la scène. Comme un craquement du plancher. John pivota dans la direction du bruit, le rayon rouge sectionna les lignes de poussière scintillantes.

— Ça n'a aucune importance, Glass, dit John.

Il parlait doucement, cette fois, s'adressant aux ténèbres. Il avait la voix presque rauque, caverneuse. La voix de quelqu'un qui vient de subir une grave opération chirurgicale. *Ou qui s'y prépare.*

— Vous croyez rouvrir une vieille blessure, en me déchirant de l'intérieur. Je m'en fous totalement, désormais.

C'est alors que Jessie vit l'ombre émerger de la forêt factice, derrière John. Son hurlement vint trop tard.

55

Le voleur d'âmes

John entendit Jessie hurler à l'instant précis où la silhouette noire jaillissait des éléments de décor qui se trouvaient derrière lui.

Il fit volte-face, le revolver pointé. Il tira à l'aveuglette. Beaucoup trop haut. L'arme sauta dans sa main — la secousse était si violente qu'elle le surprit — et la balle alla déchiqueter la cime d'un arbre en contre-plaqué qui explosa dans un nuage de sciure de bois. C'est alors que la silhouette lui tomba dessus. Avant de savoir ce qui lui arrivait, il fut projeté en arrière et perdit l'équilibre. Le revolver sur le plateau, et John par terre. Arthur Glass se jeta sur lui comme un bélier en furie, John sentit qu'un objet pointu lui pénétrait dans l'épaule. Une écharde de bois, ou un éclat de verre.

— *John !*

La voix de Jessie retentit à un milliard d'années-lumière de là, absorbée par un trou noir.

John luttait pour sa vie maintenant, car il avait vu le reflet de l'objet dans la main de Glass. Il lui saisit le poignet, et essaya d'éloigner la lame... Était-ce un scalpel ?

Il était incapable de voir nettement le visage de Glass, dont les mouvements violents ne révélaient que l'éclair de ses yeux bleus de fauve, ses dents parfaites, ses narines dilatées. Puis quelque chose se déplaça — comme un lourd mécanisme qui se rétracte soudain —, et Glass se détacha de John aussi brusquement qu'il avait surgi de la pénombre. Pourquoi battait-il si vite en retraite ? John vit là tout à coup une occasion unique. *Le revolver.* Il était sur la scène, à moins de trois mètres, la lumière se reflétant sur l'acier chromé.

Glass allait s'enfoncer dans l'obscurité, au fond de la scène. John avait une chance — une toute petite chance — de récupérer son arme.

Il plongea vers le revolver.

Son épaule encaissa l'essentiel de l'impact, lorsqu'il entra violemment en contact avec le sol après avoir dérapé sur le bois éraflé. Il parvint à saisir le 357 d'un grand geste maladroit, et il essaya de viser très vite, de tirer très vite, mais il n'y parvint pas, il n'y parvint pas !, son doigt était incapable d'atteindre la gâchette, et le revolver aussi inutile qu'un morceau de plomb froid. De l'autre côté de la scène, Glass allait se volatiliser derrière les décors. John se releva non sans mal, pointa le revolver des deux mains — le point rouge se posa sur une forme sombre — et tira.

Lorsque le 357 lâcha ses cinq déflagrations à la suite, John eut l'impression qu'une cocotte-minute venait d'exploser. Les balles pulvérisèrent le décor à dix mètres de là, projetèrent des éclats en tous sens — l'enfer et la damnation se déchaînèrent dans la lumière magenta, et le vacarme était dominé par le hurlement désespéré de Jessie. Puis une vague de silence balaya la scène. John demeura immobile un moment, le revolver vide toujours pointé entre ses mains moites. Ses oreilles tintaient. Glass avait disparu.

Des minutes d'angoisse folle.

— John... John, écoute-moi... John, c'est un piège, bafouilla Jessie en donnant des coups de pied dans la table inclinée. (Ses yeux flamboyaient. Une de ses plaies

s'était rouverte et le sang luisait, humide, sur sa joue.)
Est-ce que tu m'écoutes ? John !

— Je vais me le faire, dit John, en tripotant un des
chargeurs de rechange, qu'il essayait de mettre en place.

— John... attends... écoute-moi !

— Cette fois, il ne peut pas s'échapper, Jessie...

— John... je t'en prie... je t'en... va-t'en d'ici !

— Je vais me le faire, murmura-t-il à nouveau, intro-
duisant enfin dans le barillet les six balles à bout rond.

Ses mains tremblaient convulsivement. Il appuya sur le
cran de sécurité, remit le barillet en place d'un coup sec.
Peu lui importait que ses jambes soient enflammées par
la douleur, ses yeux enfiévrés, ou que son épaule l'élance,
là où Glass l'avait piqué. Tout cela ne servait qu'à alimenter le feu qui brûlait dans son crâne.

— John, je t'en supplie, qu'est-ce que tu... ?

— Ne t'en fais pas. Je vais simplement finir ce que j'ai
commencé.

— John ! Attends ! John... !

John s'était déjà glissé dans l'obscurité, derrière les
arbres factices.

Il franchit les rideaux moisis du fond de la scène
— l'étoffe noire et déchirée encore suspendue aux poulies, loin au-dessus de la plate-forme. Il s'enfonça dans
l'obscurité, dans l'atmosphère confinée, et scruta les
ténèbres, en quête de la Bête. Le revolver bien serré entre
ses deux mains moites, clignant des yeux pour en rejeter
les perles de sueur, John fit pivoter le canon à gauche,
puis à droite. Il entendit un bruit dans les cintres, et le
canon pivota vers le haut. Le point rouge se posa sur une
passerelle métallique.

Rien.

Le laser balayant l'obscurité devant lui, il continua à
avancer. Il avait vaguement conscience d'entendre la voix
de Jessie qui le conjurait de partir d'ici. La voix lui était
utile. Elle lui donnait un point de repère.

Quelque chose bougea sur sa droite.

John déplaça le point rouge vers une large silhouette et fit feu... Une fois ! Deux fois ! Trois fois ! Le revolver cracha des étincelles, une lumière stroboscopique effaça l'obscurité. Les balles mirent en pièce plusieurs mannequins, déchiquetèrent des bras, des jambes et des têtes de polystyrène. Et quand le calme revint, John s'immobilisa un instant, le cœur battant la chamade, les oreilles carillonnantes, des images de fragments de mannequins flamboyant encore dans son champ de vision.

Il reprit sa chasse, passa le dernier rideau, entra dans le sombre local derrière la scène.

Un autre bruit, sur sa gauche cette fois. Un craquement. Il pivota dans cette direction. Le point rouge se posa sur un visage humain. John pressa la détente. Le coup partit dans un hurlement, une flamme bleue déchira l'obscurité, et le visage vola en éclats. Se brisa en un million d'éclats.

Un miroir.

C'était un miroir de loge. John le fixa un instant, pris d'une sensation bizarre. Hébété. L'image déformée de son propre visage flottant dans le noir lui donna le vertige. Il s'avança, ivre, désorienté, le revolver toujours en position de tir. Peut-être était-ce le choc, l'épuisement inévitable. Il contempla son reflet brisé. L'image dansait, s'altérait. John tourna le dos au miroir. Ses jambes s'emmêlèrent.

Il s'effondra.

La pièce tout entière sembla tourner sur son axe. La force de gravité le clouait au sol. Il essaya de se lever, mais sa tête pesait une tonne. Il connaissait bien cette sensation, ce brouillard épais qu'apporte l'ivresse. Il s'était très souvent trouvé dans le même état, à l'issue d'une nuit à se noyer dans les profondeurs d'une bouteille. Mais cela n'avait pas de sens, ici. Son cœur haletait dans sa poitrine, la douleur à l'épaule était lancinante.

Pourquoi son épaule lui faisait-elle si mal ?

John lâcha le revolver et palpa sa peau à l'endroit où le

scalpel de Glass l'avait tailladée. C'était mou au toucher. Il regarda sa manche de chemise et vit une minuscule trace de piqûre au-dessus de son biceps, le tissu taché de sang. Une *piqûre*. Il comprit immédiatement le sens de cette affreuse vague de chaleur qui remontait de ses jambes, se répandait dans ses muscles et irradiait son épine dorsale. C'était comme si on passait *l'intérieur* de son corps au four à micro-ondes. Glass ne l'avait pas du tout poignardé avec un scalpel.

Glass l'avait frappé avec quelque chose d'infiniment plus dangereux.

— Jessie... !

Il parlait d'une voix faible, tout à coup. Il ramassa le revolver de ses doigts raides et commença à ramper vers Jessie. Il se déplaçait comme un nouveau-né maintenant, ses mouvements étaient lents et mal assurés. La sensation d'engourdissement gagnait son cerveau. Il avait l'impression de vivre un rêve éveillé. Un rêve terrifiant où le monde tourne au ralenti, où le croque-mitaine vous attaque par-derrière.

Presque comme à un signal, des bruits de pas lourds résonnèrent derrière lui.

— Jess...

Il essaya de crier. Il essaya de passer de l'autre côté des rideaux. Mais sa mâchoire était bloquée, son corps était pris dans une chape de ciment, ses articulations grippées comme les pistons d'un moteur rouillé. Les pas se rapprochaient. Il fit une dernière tentative pour crier :

— Jess...

Inutile. Quelque chose produisait son effet dans son système sanguin. Les pas n'étaient plus qu'à quelques centimètres, maintenant. John serra le 357 aussi fort que possible, puis se retourna.

Glass était là, qui le dominait de toute sa hauteur.

Il fallut plusieurs secondes à John pour reconnaître à travers ses yeux brouillés le costume dans lequel Glass avait sanglé sa silhouette corpulente. Il crut d'abord qu'il

381

s'agissait d'un déguisement de Halloween. Un habit déchiré, aux diverses nuances de brun, de gris et de noir crasseux. Mais à y bien regarder — les secondes s'étiraient, interminables —, il identifia enfin le costume : gilet marron décoloré et tunique usée jusqu'à la corde, hauts-de-chausses et bottes de cheval couvertes de poussière, foulard déchiré autour du cou. Un costume venu de l'Angleterre du dix-septième siècle. *L'Angleterre shakespearienne.* L'odeur alcaline de naphtaline parvint jusqu'au cerveau embrumé de John.

(Rosencrantz et Guildenstern)

— N... non...

John essayait de parler. Le poison qui coulait dans son sang se mêlait maintenant à l'adrénaline, la révélation agissait comme un coup de rasoir en travers de son sternum.

Glass était vêtu en Guildenstern, l'infortuné bandit de grand chemin de la pièce de Stoppard.

— Vous êtes...

— Oui, c'est bien moi, Johnny, dit Glass en soulevant son tricorne dévoré par les mites et en s'inclinant légèrement. Ton humble serviteur, Guildenstern... Ou bien suis-je Rosencrantz ? Je ne saurais le dire.

John cligna des yeux comme s'il venait d'être aspergé par de l'acide. La réponse de Glass était une réplique de la pièce, de la pièce de Stoppard... Mais comment aurait-il pu savoir ? Comment pouvait-il savoir que John et Tony répétaient précisément cette pièce, le soir de la mort de Brunner ? Comment ? *Comment ?*

À moins que...

— Après le drame, dit soudain Glass, le regard brûlant, tu m'as évité, Johnny. Tu m'as fui comme la peste.

— Vous n'êtes pas...

— Tu ne te rappelles toujours pas, hein ? Tu ne te rappelles pas cette chose merdique, ce ramassis de clichés que j'avais écrit quand nous étions en première année... Quel titre lui avais-je donné, déjà ? *Le Voleur d'âmes.* Tu

382

ne te rappelles pas ce petit roman à clés coquin que j'avais tapé sur ma petite Underwood ? Toutes les allusions à Arthur T. Glass, le jeune artiste affamé ? Voyons, Johnny, tu dois t'en souvenir...

John avait l'impression d'être épinglé sur le sol. Son visage était en feu.

En un instant, tous les petits carrés du puzzle se mirent en place dans son crâne et lancèrent des décharges de magnésium à travers son système nerveux. Les premiers mois de son amitié avec Tony Giddings, les innombrables heures passées dans les cafés à écouter sa complaisante poésie *beat* et les pièces en un acte qu'il ne finirait jamais. Les appels téléphoniques bizarres au petit matin. Et l'indice le plus évident... Les initiales A et G clignotant dans son cerveau comme de fantomatiques enseignes au néon... Arthur Glass, Anthony Giddings.

Quelque part dans le noir, derrière lui, Jessie l'appelait :

— *John !!!*

— Vous avez fait... quelque ch... (face au monstre, John bafouillait)... à v... votre visage...

Glass se caressa la mâchoire.

— Peu de temps après notre petite débâcle, j'ai décidé d'abandonner le théâtre, et je me suis inscrit en médecine. Mon truc, c'était la plastique, *évidemment*. La chirurgie plastique... J'aurais pu m'y faire un nom. Mais j'étais investi d'une mission beaucoup plus importante. (Il ramena ses cheveux blonds en arrière et fit un clin d'œil à John, tel un libertin sur le retour à son vieil amant.) Il est vrai que j'ai tiré profit de mes compétences professionnelles... Rien d'extraordinaire, remarque bien, quelques bricoles, une nouvelle couleur de cheveux... Très simple, mais très efficace.

— Je ne peux p... plus... bouger.

— C'est la succinylcholine, dit le Chirurgien d'un air enjoué, ses yeux d'un bleu polaire pétillant dans la faible lumière. Les vétérinaires spécialisés s'en servent pour calmer les chevaux sur la table d'opération. À certaines doses, elle provoque des effets intéressants. Tu ne dois pas être très loin de la paralysie totale, maintenant. Je me trompe ?

John leva son arme et voulut presser la détente. Mais il lui sembla qu'elle pesait trois tonnes. Il était incapable de l'actionner.

— Finissons-en avec ces histoires de chevaux, railla Glass en lui arrachant le revolver. Nous avons du pain sur la planche.

La main de John retomba sur le sol, lourde comme du plomb.

56

Un peu de chimie

John avait l'impression d'être recroquevillé à l'intérieur de son propre corps, comme un minuscule parasite terrifié se déplaçant dans une grande carcasse morte. Glass faisait ce qu'il avait à faire, en parfait bandit de grand chemin. Il jeta le revolver dans une malle et tira John derrière lui comme un sac de tourbe. John pouvait encore bouger les yeux, il voyait assez clair, il pouvait respirer, et il découvrit qu'il pouvait parler presque normalement s'il prenait son temps et formait des phrases simples.

— Pourquoi ? Pourquoi moi ?

Il essayait de gagner un peu de temps.

— Eh bien... voyons... Je pourrais te répondre que c'est parce que tu m'as ignoré après l'histoire Brunner. (Tout en parlant, Glass continuait de le traîner à travers les arbres délabrés et autres éléments de décor.) Ou bien te dire que c'est pour la délicieuse ironie de la situation... Tu devenais le chasseur, moi la proie... Tout cela à cause du même traumatisme originel.

— De quoi... par... parles-tu ?

— Les implications sociales, Johnny. Imagine un peu ! Deux garçons à peu près normaux, traumatisés par le même événement, et qui choisissent deux voies diamétralement opposées. L'un, le chemin du Mal, l'autre celui du Bien. C'est tout simplement mythique !

— C'est surtout absurde...

Glass haussa les épaules, tout en tirant Johnny vers la lumière magenta.

— Tu as raison, Johnny. Comme toujours. Ce n'était rien de tout cela. C'était quelque chose de plus... *élémentaire*.

Glass se tut un moment, luttant contre une vague d'émotion inattendue, les yeux brillants.

— Quelques années après que nous nous sommes perdus de vue, tu as commencé à me manquer, Johnny. Un sentiment très fort. J'avais perdu mon innocence, à l'époque, je commençais tout juste à me livrer à mes petites *opérations* interdites, lorsque je suis tombé sur un article du *Journal of the American Medical Association*. Il y était question de ce nouveau spécialiste des profils de tueurs, un type arrogant qui reprenait des affaires non résolues, qui cassait les pieds aux Feds, écrivait des journaux intimes imaginaires du point de vue du tueur, en canalisant les pensées du tueur. Fascinant, John. Tout simplement génial. Quand j'ai découvert que c'était toi, et que tu travaillais sur une de mes propres petites *imprudences*, j'ai eu une révélation...

— Tu as commencé à m'envoyer des cartes postales, dit John d'un ton aigre.

— Nous sommes frères, Johnny, dans tous les sens du mot.

— C'est fini, Tony.

— Je m'appelle Arthur Glass, je te prie de ne pas l'oublier, dit-il sèchement.

— Je te propose un marché, dit John. Écoute ce que j'ai à te dire.

— Laisse-moi deviner... Tu me laisses t'infliger toutes les horreurs que j'ai prévues pour *toi*, mais je libère la demoiselle. C'est ça, Johnny ?

— Quelque chose comme ça.

— Tu n'es pas exactement en position de force pour négocier, lâcha Glass avec un sourire triste.

Soudain, la voix de Jessie, une voix tremblante de droguée, parvint jusqu'à eux :

— John ! *John !* Ça va ?

— La demoiselle a du répondant, remarqua Glass alors qu'ils approchaient de la scène. Ça, je te l'accorde.

— Allez vous faire foutre ! bafouilla-t-elle. Que faites-vous à John ?

Glass l'ignora.

— Mais je dois dire, tout de même, que tu méritais quelqu'un d'un peu plus distingué.

— Je t'en supplie, répéta John.

Il avait conscience d'être traîné sur le plateau. C'était une impression bizarre que d'être ainsi déplacé, et de ne pas *sentir* le mouvement. Il voyait ses jambes inertes pendre sous lui comme des sacs de sable, ses bras engourdis ballotter sous la poigne de Glass. Celui-ci l'amena près d'une énorme caisse posée dans un coin, et l'y adossa comme une poupée de chiffon. John reconnut l'odeur crayeuse de la scène et le tungstène des projecteurs, au point de sentir la chaleur sur son visage.

Mais son corps n'était qu'un quartier de viande froide.

(figure avec viande)

John vit Glass s'éloigner dans la pénombre, en direction des coulisses. De l'autre côté, Jessie luttait contre les sangles qui lui liaient les poignets. Les yeux fermés, les veines du cou palpitantes, elle résistait à la montée d'un narcotique inconnu. John essaya de bouger — quelques centimètres, un seul centimètre, rien qu'une petite saccade —, mais autant essayer de déplacer un énorme monument de granit. Il sentait la sueur froide perler sur son front. Une goutte lui tomba dans l'œil, le fit cligner des paupières. C'était bon signe. Cela signifiait qu'une partie de son corps au moins n'était pas tout à fait insensible. Il entendit soudain un grattement à l'autre bout de la scène, suivi d'un bruit grinçant de crécelle, comme si Glass était en train d'assembler quelque jouet diabolique.

Un moment plus tard, il réapparut. D'une main, il poussait devant lui un chariot d'hôpital. De l'autre, il tenait un tabouret métallique.

Jessie s'apprêtait à dire quelque chose, mais elle s'immobilisa à la vue du chariot.

— Qui aurait pu croire, John, mon frère, que nous en arriverions là... méditait Glass en poussant son chariot (dont les roulettes minuscules grinçaient délicatement) jusqu'à la table où était attachée Jessie.

Il posa le tabouret à côté du chariot. Jessie se raidit en voyant ce qui s'y trouvait : un plateau métallique recouvert d'un linge blanc, d'où dépassaient les pointes étincelantes d'instruments chirurgicaux. Scalpels, forceps, clamps, rétracteurs. Cela la prit de court. Elle resta sans réaction.

— Comment m'as-tu... retrouvé ? demanda John, aussi calmement que possible.

Il essayait de gagner du temps. Ses yeux étaient rivés à cet horrible plateau de chirurgien. Il savait que leur seule chance de survie résidait dans sa capacité à faire durer la conversation avec Glass.

— C'était ridiculement facile, dit le Chirurgien.

Il replia soigneusement le linge, révélant les instruments étincelants. Jessie recommença à tirer sur ses liens, les yeux écarquillés, la poitrine se soulevant et s'abaissant à un rythme accéléré.

— J'ai tout de suite cherché à Haslett, expliquait Glass. Je savais que tu ne t'éloignerais pas trop du nid.

— Mais quand je t'ai retrouvé... Tu as essayé de me tuer.

Glass s'immobilisa, comme s'il attendait que John devine le reste. Puis il reprit :

— Je n'ai jamais eu l'intention de te tuer, Johnny. Tu as cru que je te poursuivais avec un coutcau. Ce n'était pas du tout cela.

Une autre pause.

— C'était une seringue, dit John.

— Exactement ! J'ai compris que tu avais pénétré mes pensées, décrypté mes méthodes, et ce fut une sensation merveilleuse. J'ai compris que nous étions inextricablement liés, toi et moi, et qu'il fallait que je fasse quelque chose. Je t'ai délibérément attiré jusqu'à ce sous-sol, Johnny. Mais la Providence s'en est mêlée.

— Tu parles de l'accident, et de mon amnésie, dit John en essayant d'imaginer une stratégie qui lui permettrait de sortir de ce cauchemar.

Il avait l'impression d'être immobilisé dans une camisole de force.

— Encore bravo, dit Glass.

Il mit de l'ordre dans ses instruments, puis choisit une seringue hypodermique neuve. Il entreprit de préparer une dose d'une drogue inconnue. Jessie écarquillait les yeux.

— Pendant que tu te la coulais douce dans cette clinique, reprit-il, j'étais occupé. Je préparais ma Grande Expérience. Je voulais que tu *vives* cette vie, que tu ne te contentes pas de l'imaginer. Stanislavski ne peut pas te conduire jusqu'au bout, Johnny. Tôt ou tard, tu dois plonger les mains dans le cambouis.

— J'ignore de quoi tu parles, mentit John.

Il avait toutes sortes d'idées. Mais dans l'immédiat, il ne pouvait pas quitter des yeux cette seringue hypodermique qui scintillait entre les mains de Glass.

— Je parle de nous rapprocher, dit celui-ci, en se tournant vers Jessie pour lui injecter le liquide dans le bras.

— Ououououh... ! hurla-t-elle avec une grimace de douleur.

— Fous-lui la paix, espèce d'ignoble monstre, ou je te tue, je le jure sur le Christ !

L'accès de rage de John était si soudain, si violent, si naturel, son hurlement si primitif, qu'un terrible spasme ébranla tout son corps. Il s'effondra sur le sol. John crut d'abord qu'il allait étouffer sous le poids de ses propres os — sa poitrine semblait peser un millier de tonnes. Il ne voyait rien d'autre que les colonnes de projecteurs brisées au-dessus de lui, et le torrent de lumière magenta que déversait la lampe parabolique.

Glass s'agenouilla au-dessus de lui, le saisit par sa chemise et le releva.

— Il ne faut pas manquer le spectacle, frérot, sifflat-il, les dents serrées, ses yeux comme deux opales étincelantes. Ça va être le plus grand moment de toute ton existence...

— Je ne suis pas ton frère, nom de Dieu !

— ... une expérience unique, Johnny.

John regarda la Bête au fond des yeux.

— Pourquoi ? C'est tout ce que je veux savoir.

Glass resserra sa prise sur la chemise de John.

— Pourquoi une cellule vivante se divise-t-elle ? Tu as une idée là-dessus ? Pourquoi tel brin d'ADN gagne-t-il à la loterie de la génétique ? Pourquoi Dieu foudroie-t-il un 747 plutôt qu'un autre, tuant tous ceux qui se trouvent à bord, hommes, femmes et enfants ? Tu as une théorie ? (Il marqua une pause, pour laisser à John le temps de proposer une réponse. Un moment s'écoula. Glass se pencha vers John, si près qu'il reconnut son haleine — la même odeur de nicotine sous les effluves mentholées.) C'est la faute des molécules, John, mon frère. Nous sommes faits de la même matière. Ce n'est que de la chimie.

John ferma les yeux.

— Fais ce que tu veux, mais épargne cette femme.

— Tu ne comprends pas, John, mon frère, dit Glass, un soupçon d'exaltation dans la voix. Il n'a jamais été dans mes intentions de faire du mal à ta blonde amie. Au contraire. Je veux la transformer, la demoiselle, je veux lui forger un nouvel esprit. Je veux utiliser son essence pour nous rapprocher, John, parce qu'au fond, c'est *toi* que j'ai toujours cherché. *Toi.* Tu es le meilleur, John. Tu as toujours été le meilleur.

Glass serra John dans ses bras, comme s'il l'accueillait après une longue absence.

John crut un instant que Glass allait l'embrasser. Mais le Chirurgien le souleva et commença à le tirer vers la table où se trouvait Jessie. John regarda ses jambes flasques pendre sous lui, ses talons morts qui grattaient le plancher usé. Il essaya de bouger, de se tortiller pour se libérer de la poigne de Glass, il essaya de toutes ses forces de s'arracher à lui, mais ses membres étaient comme des sacs de glace pilée. Glass le porta jusqu'au tabouret et l'y installa comme s'il était sa poupée préférée. John regarda la pauvre Jessie : elle avait les yeux fermés et de la salive coulait sur son menton. Elle était à demi inconsciente, tout juste capable de maintenir sa tête droite.

— J'ai étudié ta carrière, John, mon frère, lui murmurait Glass à l'oreille. Tu as du talent. Bien plus que moi. Tu as ça dans le sang. Ça a commencé avec Brunner, mais tu as beaucoup progressé depuis.

John avait l'impression que son cerveau se dissolvait, que tout son être perdait de sa substance. Glass enserrait son torse de ses bras puissants pour le maintenir sur son siège. Puis il fit bouger les mains de John comme il l'aurait fait d'une marionnette.

— Tout le jeu d'acteur selon la Méthode — penser comme un tueur, flirter avec la folie —, c'est profondément ancré en toi, John, je le sens. Je suis acteur, moi aussi, tu te souviens ? Je connais le métier. Je sais ce que c'est, d'être mû par un désir ardent. J'ai attendu ce moment toute ma vie. Tu es le meilleur, Johnny.

— Je ne s... Je ne sais pas... de quoi...

John regarda le plateau d'instruments luisant sous la lumière de la scène, et il comprit soudain. Cela le traversa comme un coup de machette, il sentit que son âme se déchirait. Il avait enfin compris ce que Glass avait en tête.

— Non... Attends... Attends, bredouilla-t-il.

Glass allongea un bras et arracha le corsage de Jessie, révélant son soutien-gorge. Cinq ou six boutons voltigèrent dans le noir et rebondirent sur le sol avec un léger tintement. Glass prit une autre seringue hypodermique. Celle en métal, avec un piston plus gros et une aiguille plus solide. Il injecta un anesthésiant local dans le ventre de Jessie, juste au-dessous de sa cage thoracique.

Puis il ramena son attention vers John.

— La drogue qui coule dans tes veines ne provoque pas seulement une paralysie temporaire, lui murmura-t-il à l'oreille, en déplaçant la main gauche de John vers le plateau métallique, comme un enfant jouant avec un animal empaillé. Elle peut aussi provoquer des spasmes. Dans ce cas, tes doigts s'ankyloseront.

John vit avec horreur Glass serrer ses doigts *à lui* sur un scalpel.

Jessie ouvrit les yeux, les écarquilla, puis regarda John.

Une larme coula sur la joue de John, puis une autre, mais il les sentait à peine.

Alors la communion commença.

57

Né du cauchemar

— Je... je t'en supplie...

John l'implorait d'une voix étranglée, tremblante, les yeux à nouveau pleins de larmes. Elles lui brouillaient la vue, mais pas assez pour l'empêcher de voir les horreurs qui se déroulaient sous ses yeux. Les courbes du ventre de Jessie exposées à la lumière éblouissante des spots. Le scintillement de la lame. Et sa propre main effectuant la première incision.

Le bord du scalpel toucha la peau douce, juste sous les seins de Jessie.

Du sang artériel noir jaillit de l'incision.

— Joli, John, bravo, l'encouragea le marionnettiste, après qu'il eut découpé six centimètres d'épiderme.

Jessie avait les yeux vitreux, dilatés et fixes, brillants de terreur. Le Demerol lui donnait des bourdonnements, mais elle n'avait pas perdu connaissance.

— Maintenant, dit Glass, stoppons cette hémorragie avant de faire la prochaine incision.

John regardait le cauchemar suivre son cours. Il vit son bras sans vie se soulever au-dessus du plateau chirurgical. Le scalpel sanglant tomba dans un récipient en inox, puis ses doigts morts, telle une pince de chair, saisirent un nouvel instrument. C'était un clamp minuscule, à peine plus gros que des ciseaux de manucure.

— Les clamps servent à fermer les vaisseaux, expliqua Glass en plaçant la main inerte de John au-dessus de l'incision, d'où le sang ruisselait. Cela évite au patient de se vider de son sang.

Le clamp fut mis en place le long de l'incision. Le spectacle rendait John malade, lui tordait l'estomac, et faisait vibrer son cerveau d'une nouvelle émotion : *la rage*. Elle couvait en lui maintenant — une rage pure, en fusion —, à cause d'une vie passée à nourrir des pensées monstrueuses. La rage d'avoir vécu dans le noir, la rage pour toutes les journées solitaires passées à imaginer ce que c'était que de tuer, de chasser, de semer la terreur, de dévorer... La rage, la rage, la rage et la honte. La honte d'une vie dévolue à son obsession pour la Bête. La honte d'avoir permis qu'une femme comme Jessie se retrouve piégée dans un panier plein de serpents. Les larmes dans les yeux de John n'étaient plus des larmes de douleur et d'horreur, mais des larmes de colère pure, comme si sa douleur avait fini par se transmuer, par se cautériser, par se transformer en son élément primordial. Et c'était bon, c'était très bon, car cela permit à John de penser, cela lui permit de s'éclaircir les idées et de réfléchir, et de se souvenir, de se souvenir de quelque chose qu'il avait oublié. Un petit détail de rien du tout qui s'était perdu dans tout ce battage.

Sans bouger la tête, il jeta un coup d'œil vers le bas de la table inclinée.

Les sangles qui avaient retenu les chevilles de Jessie traînaient sur le sol. John avait oublié ces sangles, ces foutues sangles qu'il avait lui-même défaites. Et d'après ce qu'il voyait, Jessie les avait oubliées, elle aussi. Il leva les yeux vers elle, vers son corps dénudé sur le chevalet d'acier, et enregistra simultanément plusieurs choses. La position de ses propres jambes, molles et paralysées, inclinées vers la droite. La position des jambes de Glass, sur la gauche. Et la position de Jessie, qui portait encore ses bottes de cuir noires, un modèle de luxe avec des boucles à l'italienne sur le côté. Son pied droit pendait à droite, à quelques centimètres du sol, près de ceux de Glass. L'idée le frappa, comme un coup de massue sur le lobe frontal. Glass ramena le bras de John au-dessus du plateau et pressa ses doigts gourds autour d'un autre scalpel.

— Jessie... *Pardonne-moi !* (John parlait fort, d'une voix aiguë, afin de la sortir de sa torpeur narcotique.) J'ai essayé de le convaincre, Jessie, j'ai essayé...

Glass s'immobilisa, puis jeta un regard à son complice.

— C'est inutile, dit-il, un soupçon de dégoût dans la voix.

— Je veux simplement qu'elle sache que je suis désolé, que j'ai essayé de te convaincre, répliqua John d'une voix rauque.

Il appliquait la Méthode une dernière fois, transformant la rage qui bouillonnait en lui en une grande douleur, en un immense chagrin. Les larmes lui montèrent aux yeux, coulèrent sur ses joues. Il accédait à une autre mémoire sensorielle. *Il est assis au chevet de son père à l'hôpital général de Lansing, vingt-cinq ans plus tôt, il regarde mourir le vieil homme et regrette de ne pas lui avoir dit combien il l'aime depuis toujours.* Et il éclate en sanglots.

— J'ai essayé, Jessie, il faut me croire. Je veux que tu saches combien j'ai essayé de *le convaincre...*

Il lâcha cette dernière phrase dans un cri, avec l'énergie du désespoir, en appuyant sur le mot *convaincre*.

Les paupières de Jessie battirent soudain, comme si elles étaient soumises à un courant électrique. Elle cilla, en signe de reconnaissance. Par-dessus le bord de la table, elle regarda ses chevilles comme si elle avait oublié de lacer ses souliers. Ses yeux s'élargirent. Tout cela n'avait duré qu'un instant, et Glass n'avait rien remarqué. Mais John avait tout vu, rien ne lui échappait. Il fixa Jessie, et elle leva les yeux vers lui, puis elle regarda son ventre, luisant de sang, les chairs tendues par le clamp de métal, et John vit dans ses yeux le reflet belliqueux qu'il avait déjà remarqué au salon de tatouage et dans le train. La lueur dans l'œil du loup qui doit protéger ses petits. Il répéta une dernière fois...

— *Le convaincre*...

... et le pied de Jessie se leva soudain, frappant Glass violemment à l'aine. Il se plia en deux, ses poumons se vidèrent sous le choc...

... Jessie lui donna un autre coup de pied, puis un troisième, de toutes ses forces...

... Glass bascula en arrière. Le plateau se renversa, des dizaines d'instruments stériles furent projetés en l'air, tandis que Glass titubait toujours, battait l'air, cherchait sa respiration, les yeux écarquillés et fous, stupéfait, s'écroulait par terre. John quant à lui sentit qu'il glissait de son tabouret. Il atterrit au pied de la table d'opération, les jambes le picotant légèrement, un bras replié sous lui. Les effets de la drogue se dissipaient (il le savait d'autant mieux qu'au milieu de ce tumulte la douleur venait de réapparaître entre ses omoplates), mais il avait encore du mal à bouger. Il vit un scalpel scintiller sur le sol, à un ou deux mètres.

Mais il lui parut aussi éloigné que s'il se trouvait dans le comté voisin.

— ÇA SUFFIT !

Glass hurlait, maintenant. Il se remit sur pied, la voix complètement transformée — c'était un rugissement furieux, assourdissant, sans réplique —, et se rua vers Jessie en trébuchant, les bras tendus. John ordonna à ses bras et à ses jambes de bouger, mais il ne parvint qu'à s'effondrer à plat ventre. Il se mit à ramper vers la table d'opération. Entre-temps, Glass attaquait Jessie qui essaya de le repousser à coups de pieds, mais il était trop fort pour elle, et en lui attrapant le pied, il fit basculer la table.

Elle se fracassa par le côté, et son cadre en tube métallique se brisa dans un claquement sec, comme du petit bois.

La main gauche de Jessie s'était libérée de sa sangle.

John regardait, impuissant. Jessie se trouvait à trois mètres, par terre, toujours attachée à la table. Elle essayait d'agripper un scalpel tombé à quelques centimètres d'elle. Le clamp pendait toujours au-dessous de l'incision. Elle avait le haut du corps noir et luisant de sang. Glass apparut au-dessus d'elle, le souffle court, en se frottant l'aine. Jessie s'empara enfin du scalpel, et pivota vers Glass. Il fit un bond en arrière et se mit à rire. C'était un cri mi-hystérique, mi-torturé, qui ne ressemblait à rien de ce que John avait entendu jusqu'alors. En fait, cela ne ressemblait à rien de ce que John avait jamais imaginé dans ses cauchemars les plus sombres. On eût dit le rire d'un homme assis sur la chaise électrique, et qui se gausse de sa propre mort.

Jessie parvint à trancher la dernière sangle, celle qui retenait encore son poignet droit.

Elle se laissa rouler loin de la table, loin de Glass — avec une agilité étonnante pour quelqu'un qui a cinquante milligrammes de Demerol dans le sang —, et vint heurter un élément de décor. Son épaule claqua sèchement contre le panneau de bois déchiqueté, qu'elle éclaboussa de son sang. Le choc sembla la sortir encore un peu plus de sa torpeur. Elle se mit sur pied non sans mal, en vacillant comme une ivrogne. Elle pointait devant elle le délicat petit scalpel, sa main libre posée sur sa plaie, et clignait des yeux pour tenter d'accommoder son regard en dépit de son vertige.

Glass cessa de rire.

Il revint à l'endroit où étaient tombés la plupart des instruments, ramassa un autre scalpel puis fit face à Jessie. Son souffle était encore très rapide, une expression indéchiffrable sur le visage. John fut secoué d'un frisson.

C'était l'expression d'un dresseur de fauves qui s'apprête à corriger un animal récalcitrant.

— Qu'est-ce que tu at... attends, esp... espèce de salaud ? bredouilla Jessie.

Glass hocha soudain la tête et avança de biais, le scalpel pointé en avant.

Jessie visa juste : elle entailla le bras de Glass. Mais celui-ci était beaucoup trop rapide, beaucoup trop agile. Son scalpel fouetta l'air en direction de l'abdomen de Jessie, au moment où elle pivotait pour l'éviter. La lame entailla le tendon de ses muscles obliques — d'un trait si net qu'on eût dit que Glass l'avait zébrée avec un stylo à bille. Jessie poussa un gémissement et fit un bond en arrière en se tenant le flanc. Le sang luisait entre ses doigts. À trois mètres de là, John poussa un hurlement sinistre, assez aigu pour entamer de l'acier. De nouveau, le scalpel de Glass fouetta l'air. Cette fois, Jessie esquiva la lame, trébucha et bascula en arrière, sur le sol.

John essayait de se traîner vers eux. Il sentait des fourmillements dans ses membres, la tête lui tournait.

Glass se dressait au-dessus de Jessie. Il respirait difficilement, et ses épaules se soulevaient à chaque souffle. Elle tenta de s'éloigner de lui. Il lui saisit la jambe. Elle essaya de se libérer en se tortillant, mais elle se vidait de son sang, maintenant. Le clamp s'était décroché, l'incision sur son ventre s'était rouverte, et l'hémorragie se combinait à celle de la blessure de l'oblique. Elle était couverte de sang noir comme du pétrole. Glass s'agenouilla au-dessus d'elle, les yeux jetant des éclairs de folie, le corps tremblant de rage. Il leva son scalpel, prêt à en finir. John vit le coup final arriver — la terrible scène se déroulait au ralenti —, la pointe scintillante du scalpel en avant.

En cette seconde de lucidité cauchemardesque, telle une figurine de verre prise dans un bloc de glace, John comprit que son univers tout entier allait se cristalliser dans un geste ultime. Un bip d'énergie électrique, au plus profond de son cerveau, sauta d'une synapse à l'autre et généra une pensée. Une réaction dictée par ses rêves et par son habitude de jouer, devant un miroir, des rôles que personne n'avait jamais vus, de *vivre* la Méthode...

... John cria les mots à pleins poumons, dans la dernière fraction de seconde.

58

Une jouissance reptilienne

— Laisse-moi le faire !

Au bord de la scène, à demi enfouie dans la pénombre, à demi baignant dans la lumière pourpre, la Bête frémit, penchée au-dessus de la femme. La pointe du scalpel vibrait dans l'air comme une branche d'arbre agitée par le vent. Le cri de John avait atteint son oreille un millième de seconde avant que la lame ne s'abaisse. Sa brûlante sincérité avait déclenché un signal au plus profond de son cerveau assassin, et l'avait fait interrompre son geste... Peut-être était-ce simplement la surprise de l'entendre formuler une telle requête. Ou peut-être était-ce cette pulsion que John avait toujours soupçonnée chez Glass. La solitude, le désir de partager quelque chose, n'importe quoi, avec un être humain qui lui ressemblerait. Peut-être était-ce simplement un réflexe nerveux involontaire. Ou la curiosité.

— Je t'en supplie, laisse-moi le faire, répéta douce- ment John, avec un accent de sincérité indéniable. Laisse-moi abréger ses souffrances, Tony, *s'il te plaît*...

Glass semblait paralysé par l'indécision. Il avait tou- jours le bras tendu au-dessus de Jessie, telle une statue de Lucifer de la Renaissance. Sous la lumière de la scène, le scalpel prenait une sinistre lueur rose. La position de Glass évoquait un joueur de base-ball qui hésiterait à lancer la balle ou à faire une passe. Le scalpel resta donc en suspens pendant une seconde interminable — qui sembla sans doute encore plus longue à John, car Jessie était en train de se vider de son sang, à quelques centimètres seulement.

— *S'il te plaît, Tony, laisse-moi le faire.*

Pendant un instant de tension extrême, John revit l'ardent jeune homme de vingt ans qu'il avait été, il pensa aux grands — Brando, Kazan, Strasberg, Steiger, Cassavetes — et il revit la scène de la Petite Grange Rouge telle qu'elle était vingt-cinq ans plus tôt, fraîchement repeinte, décorée de ses belles façades couleur de terre et des murs de papier mâché de *Rosencrantz et Guildenstern* mis en scène par Brunner. La pluie faisait un bruit de mitraillette sur les lucarnes au-dessus de leurs têtes, Brunner venait de frapper Tony Giddings pour la dernière fois. John portait son ample costume de bandit de grand chemin, le visage couvert du maquillage gras qui le démangeait, il avançait vers Brunner, la rage lui donnait des fourmillements dans le bout des doigts, il était animé par une haine pure... Et aujourd'hui, plus que toute autre chose au monde, John voulait tuer un autre homme, il le sentait, il sentait la haine qui imprégnait sa moelle, la haine profondément ancrée dans la partie reptilienne de son cerveau... Mais il n'y avait qu'une façon de duper la Bête...

— Aide-moi, Tony, murmura-t-il. Aide-moi à abréger les souffrances de mon amie.

Insensiblement, Glass baissa son scalpel. John sentait de nouveau ses jambes. Assez pour commencer à se traîner vers Jessie. Les larmes coulaient sur son visage, maintenant, de vraies larmes, une vraie douleur — la marque d'un acteur travaillant selon la Méthode —, mais ses doigts grattaient le sol comme les doigts mous d'un grand singe. Jusqu'à quel point pouvait-il compter sur leur souplesse ? Jusqu'à quel point avait-il retrouvé sa sensibilité ? Serait-ce suffisant pour faire ce qu'il avait à faire ? Et si oui, pourrait-il dissimuler sa force retrouvée ? Ce serait le rôle le plus important de sa vie. Glass se tourna lentement pour lui faire face. John sut qu'il allait devoir être plus convaincant qu'il ne l'avait jamais été, sur scène ou ailleurs. Il devait être capable de vendre un barbecue au diable en personne.

Glass le regardait.

— Laisse-moi faire, Tony, s'il te plaît. Il faut que ce soit moi qui le fasse.

Glass considéra John, puis baissa les yeux vers la femme allongée sur le sol. Jessie s'était évanouie. Les hémorragies et l'épuisement avaient eu raison d'elle. Mais elle respirait encore légèrement. Elle était livide, couverte de sang, ses doigts étaient agités de spasmes. Elle n'en avait certainement plus pour longtemps. Les yeux de Glass revinrent vers John, et quelque chose se modifia dans son regard. Quelque chose apparut au fond de ses yeux. La lueur d'une émotion. Une étincelle de joie : il avait enfin trouvé l'âme sœur qu'il recherchait depuis si longtemps. De longues secondes s'écoulèrent.

Glass eut un sourire.

Il s'agenouilla, se pencha et pressa le scalpel entre les doigts froids et engourdis de John.

John respira à fond, se souleva...

... et plongea la lame dans la poitrine de Glass.

La Bête rugit. Elle se redressa comme si elle était traversée par un courant venu de l'enfer, et fit basculer John sur elle. John dut peser de tout son poids pour l'empêcher de rejeter le scalpel. La lame s'insinua en souplesse dans les organes de l'homme qui ruait sous lui comme un étalon sauvage. Une chaleur humide se répandit entre leurs deux corps : le sang de Glass les baptisait tous les deux. Et Glass hurlait, d'une voix devenue soudain aiguë, perçante, il se tortillait, se cabrait, essayant de se libérer, mais John s'accrochait à la Bête et mettait toutes ses forces à enfoncer la lame aussi profondément que possible.

Enfin, Glass roula au sol. Le scalpel lui avait tranché l'aorte, plusieurs artères pulmonaires et une partie du poumon gauche.

John lâcha prise.

Glass se trouvait maintenant à plusieurs mètres de lui, dans une semi-obscurité. Son costume imbibé de sang lui collait à la peau, il avait le torse zébré d'une entaille oblique, bien nette, d'où suintait un liquide noir. Il tenta de se remettre sur pied, tomba à genoux, puis à plat ventre. Il commença à se traîner vers les ténèbres au-delà de la scène. John le contemplait, fasciné et stupéfait, frappé d'horreur, les yeux mouillés de larmes. Il avait l'impression d'observer un prédateur blessé au combat, et qui s'éloignait en rampant pour aller mourir seul au fond de cette jungle factice. Il sentit monter en lui un sentiment familier, qui lui fit comme une vague glacée — le picotement au creux des reins, le bourdonnement dans les oreilles, la chaleur au ventre —, tandis qu'il regardait la Bête s'évanouir dans la pénombre. Tout cela était trop familier... Cela le ramenait à cette nuit pluvieuse, vingt-cinq ans plus tôt, où il avait regardé mourir une autre Bête, et il sentait monter en lui une jouissance reptilienne, le frisson originel du désir satisfait — si sublime, si puissant —, et des forces fondamentales se heurtaient dans son corps, à nouveau, le primitif prit le dessus, des flots d'adrénaline se déversèrent dans ses veines, il frémit en retrouvant cette mémoire musculaire inexplicable et si euphorisante...

... Glass s'écroula enfin en un tas sanguinolent, puis ce fut le silence.

Et le silence était insupportable.

59

Planté dans la banquise

John avala sa salive au goût âcre et métallique, reprit peu à peu son souffle et jeta un regard circulaire sur la scène. Ses membres étaient encore faibles, il était incapable de se tenir debout, mais il avait presque recouvré sa sensibilité, et ses mains lui obéissaient. Il se traîna vers Jessie, aussi vite que possible. Quand il la vit de près, il eut un choc.

Elle gisait à plat ventre sur le plancher, le visage pâle et lisse comme de l'ivoire. Ses lèvres bougeaient à peine. John parvint à soulever sa tête et à la prendre entre ses bras. Il sentit presque aussitôt ses genoux se mouiller : Jessie perdait son sang à grosses gouttes. Il s'apprêtait à lui parler lorsqu'il entendit un bruit étouffé à l'extérieur du théâtre, un animal, ou des bruits de pas, il n'en savait rien, mais il s'en fichait. Jessie était en train de mourir. Il opéra aussi vite que son corps léthargique le lui permettait. Il ramassa un paquet de gaze qui avait roulé sur le sol non loin de là et entreprit de bander la plaie. Si l'entaille n'était pas trop profonde, elle avait peut-être encore une chance de s'en sortir. Peut-être le clamp avait-il permis qu'elle ne perde trop de sang. Peut-être John serait-il capable de l'emmener à l'hôpital avant qu'il ne soit trop tard. Peut-être, peut-être, peut-être...

Le sang formait une mare sous Jessie — comme une auréole d'un rouge profond que la lumière magenta faisait paraître noire comme du café.

— Tu ne vas pas mourir dans mes bras !

La voix de John était brouillée par les larmes, par la douleur et la terreur, parce qu'il était trempé du sang de Jessie et que les bruits, dehors, se rapprochaient toujours — des craquements de brindilles, un cliquetis rappelant le son d'une grosse horloge. Il essaya de prendre Jessie dans ses bras, pour la transporter vers la sortie.

John avait traversé la moitié de la scène quand il se mit à brailler :

— Au secours ! À L'AIDE, QUELQU'UN... S'IL VOUS PLAÎT... HÉ, QUELQU'UN ! AU SECOURS ! AU SECOURS !

Arrivé au bord de la scène, il essaya de se tenir debout, mais ses jambes étaient encore faibles et caoutchouteuses. Il s'écroula par deux fois avant de renoncer. Il décida alors de traîner Jessie jusqu'à la rampe qu'on avait édifiée jadis pour permettre à un professeur handicapé d'être sur scène pendant les répétitions. Ils l'avaient descendue à moitié lorsque des craquements se répercutèrent le long des rangées de sièges. John leva les yeux, ses jambes le trahirent soudain, et Jessie lui échappa.

Elle s'écroula sur le plancher oblique tandis que John passait par-dessus la rambarde.

Il atterrit sur le devant de l'orchestre. Sa tête heurta le coin d'un fauteuil. Le monde vacilla autour de lui, sa vue se brouilla. Il voulut se redresser mais ne parvint qu'à s'agenouiller. Il s'arc-bouta en prenant appui sur un siège et essaya de percer l'obscurité qui régnait dans le théâtre. Quelqu'un venait d'entrer. Trois formes sombres avançant avec précaution... John les distinguait à peine, les yeux brouillés par les larmes et l'épuisement. Une des silhouettes, celle qui marchait devant, tenait un objet qui ressemblait vaguement à un fusil de chasse.

405

— Bon Dieu, Johnny, quelle foutue pièce de théâtre es-tu en train de nous jouer, cette fois ?

Ce fut comme une gifle. Cette voix bourrue et familière le fit sortir de son hébétude. Il agita les mains en signe de reddition. La vieille dame maigre dans son anorak aux couleurs des Lions de Detroit descendait l'allée centrale, le fusil pointé devant elle comme une baguette de sourcier. Deux hommes en tenue de travail la suivaient, un Noir dégingandé et un Blanc au crâne dégarni. Sans doute des employés de son entrepôt de ferraille.

— Tante Jo !

John essaya de se lever.

— Johnny... pour l'amour du ciel ! Que diable... ?

La vieille femme s'approcha de lui et baissa son fusil. Ses deux compagnons avançaient prudemment derrière elle. Elle s'agenouilla.

— Quand j'ai fini par comprendre où tu étais parti, j'ai décidé de tirer les gars du lit et de te courir après.

— Je vais bien, Tante Jo, écoute... (John désigna la rampe, où se trouvait Jessie.) Il faut emmener mon amie à l'hôpital, de toute urgence !

— Mais...

— *Je t'en supplie... !*

La vieille dame se dirigea vers Jessie et lui prit le pouls.

— Je ne sens rien... Je peux pas dire s'il bat toujours. *Emit, Teddy !* Donnez-moi un coup de main !

Elle fit un geste vers ses gars, qui soulevèrent Jessie. Ils la portèrent vers la sortie. Joanne revint vers John et s'agenouilla à côté de lui.

— Ça va, Tante Jo, ça va. (Il la repoussa d'un geste.) Emmène Jessie aux urgences... vite... elle a perdu beaucoup de sang... *s'il te plaît !*

— Je ne suis pas sûre qu'elle soit encore en vie, Johnny...

— Elle est en vie, bon Dieu ! Et elle s'en sortira !

— Et toi... ?

— Ça va très bien, merde...

Joanne jeta un coup d'œil vers la scène et pinça les lèvres.

— Il y a quelqu'un, là-bas ?

— *Tante Jo, s'il te plaît, occupe-toi de mon amie !*

La vieille femme lui tendit le fusil.

— Je reviens tout de suite. Ne bouge pas.

— Ne t'inquiète pas, murmura John en prenant le froid canon d'acier.

La douleur dans ses articulations le fit grimacer.

Joanne rattrapa ses compagnons, et ils sortirent tous ensemble dans la nuit.

John s'écroula sur le sol poisseux, son corps se déchargea de toute sa tension, l'odeur de transpiration se mêlant à celle de la drogue. Dehors, un moteur vrombit, des pneus firent crisser le gravier. John s'efforçait de respirer à fond pour se calmer, pour s'éclaircir les idées. Mais il ne pouvait détourner ses pensées de Jessie et une question le torturait : est-ce qu'elle s'en sortirait ? Ses yeux s'emplirent à nouveau de larmes. Il se mit à sangloter doucement, en se demandant si tout cela avait servi à quelque chose.

Le théâtre était très calme.

Et soudain, un bruit retentit dans l'obscurité, derrière la scène.

John se redressa brusquement, envahi par une nouvelle vague d'angoisse. Puis il se détendit, lâcha un soupir. C'était sûrement le bois qui travaillait. Il était impossible que Glass fût encore capable de bouger — pas avec la moitié du thorax tailladé. La Bête malfaisante était morte. John allait pouvoir apprendre à vivre au grand jour, maintenant.

Le cauchemar était terminé.

Cette certitude le calma un peu. Il expira lentement, ferma les yeux et essaya de rassembler ses esprits. Son corps avait presque retrouvé son état normal. Encore trop faible pour marcher, mais assez costaud pour se tenir debout. Il se releva lentement, douloureusement, et se tourna vers la scène.

Arthur Glass était là, debout, qui le regardait.

John frémit d'horreur. Il se crispa contre les fauteuils, en hoquetant, leva les mains d'un geste machinal pour se protéger le visage. Glass ne bougeait pas, il ne parlait pas, il restait là, sur le bord de la scène, comme le fantôme de Marley, son costume de Guildenstern trempé de sang, le teint gris comme du ciment frais. La souffrance donnait à ses yeux bleus une teinte laiteuse, et la lumière de la scène se reflétait sur sa coupe de cheveux si raffinée. Ses lèvres découvraient ses dents parfaites : on eût dit qu'il s'apprêtait à réciter un monologue. Mais les mots restaient bloqués dans sa gorge. John, lui, était paralysé par une autre drogue : la terreur pure. Il eut l'impression que Glass essayait de sourire.

Puis les genoux du Chirurgien le lâchèrent. Il bascula par-dessus le bord de la scène.

Glass atterrit sur un des sièges brisés dans une position bizarre, mi-assise, mi-fœtale, comme s'il avait conçu et répété sa chute à la façon d'un cascadeur professionnel. Ses bras gisaient inertes sur les accoudoirs. Ses poumons déchirés laissèrent échapper un râle d'agonie. Puis il s'affaissa au fond du siège, la mâchoire tombante, la tête de côté. John voulut reculer, mais il était aussi incapable de bouger que de détourner son regard. Quelque chose dans la façon dont le visage de Glass s'était figé, les yeux toujours ouverts et fixés sur lui, l'en empêchait.

Glass émit un vague chuintement. Une bouffée d'air, à peine un mot.

John ne voulait pas entendre les dernières paroles du monstre agonisant. Il ne voulait pas savoir ce qui se cachait derrière ce regard glacial. Mais il y avait le petit problème de ses jambes, aussi raides que des troncs d'arbres plantés dans la banquise. Il n'avait absolument aucun moyen d'aller où que ce soit. Il ne pouvait que fixer le visage du mourant... Sa chair qui virait du rose

408

au blanc, puis au gris terreux, les minuscules têtes d'épingle de lumière dans ses yeux qui disparaissaient comme les points sur un écran de télévision que l'on éteint pour la nuit...

... et le faible murmure oppressé de Glass :

— Quel effet ça t'a fait ?

— FERME-LA !

John claqua ses mains sur ses oreilles et ferma les yeux.

— Quel effet ça t'a fait, Johnny ?

John regarda le mourant, son visage de cendre, ses yeux opaques.

— Rosencrantz et Guildenstern sont morts... lâcha Glass, à bout de souffle.

Puis il s'en alla. Le sourire se figea sur ses lèvres mortes.

Et c'est ainsi qu'il demeurerait dans la mémoire de John, jusqu'à la fin de ses jours.

60

Le mur de parpaings vert-jaune

A l'extérieur du bureau de la prison du comté d'Ingham, il y avait un poste téléphonique tout cabossé contre le mur de parpaings vert-jaune. John dut tenir le combiné des deux mains, car il avait les poignets (et les chevilles) entravés par de solides chaînes d'acier. Il écouta le bourdonnement monotone à l'autre bout de la ligne en attendant que quelqu'un du service des soins intensifs décroche. Derrière lui, un gardien costaud lui soufflait dans le cou.

Après plus d'une heure d'interrogatoire — mené d'abord par un flic des Homicides, puis par un agent du FBI de Chicago —, John avait été autorisé à donner l'unique et précieux coup de téléphone auquel il avait droit. Sans hésiter une seconde, il avait composé le numéro de l'hôpital général de Lansing. Sans doute aurait-il dû appeler un avocat. Ou un responsable de l'unité des Sciences du comportement à Quantico, qui aurait pu répondre de lui. Ou même Kit Bales. Mais pour le moment, il était incapable de s'inquiéter de quelqu'un d'autre que de Jessie.

Il y eut un déclic puis, aussitôt après, la voix d'une infirmière :

410

— Soins intensifs, Janice, j'écoute.

— Bonjour, Janice. Je m'appelle John McNally. Je voudrais prendre des nouvelles d'une de vos patientes. On vous l'a amenée dans le courant de la nuit...

— Vous êtes un proche parent ?

— En fait, non, mais...

— Je suis désolée, monsieur, mais nous ne pouvons transmettre des informations qu'aux parents proches...

— Je comprends parfaitement. Elle s'appelle Jessica Bales, et on vous l'a amenée dans le courant de la nuit. Je veux simplement savoir si elle est sortie de la salle d'opération, et si elle va bien.

— Monsieur... Je suis désolée... Je vous l'ai dit, je n'ai pas le droit de vous donner ces informations.

John se mordit l'intérieur de la joue, jusqu'au sang.

— Est-elle sortie de la salle d'opération ? C'est tout ce que je veux savoir...

— Monsieur, je suis vraiment désolée. Si je peux vous aider pour autre chose, je...

John s'efforça de garder son calme. D'après sa tante, Jessie était tout juste en vie, et son cas avait été considéré comme « sérieux » à son arrivée à l'hôpital. Mais tandis qu'on la conduisait d'urgence en chirurgie, son état s'était encore aggravé et avait été redéfini comme « grave ». John n'en savait pas plus. Maintenant, il était pris de panique.

— Très bien. Je suis son frère... son beau-frère, de Philadelphie. *Je vous en supplie, dites-moi quelque chose.*

Il y eut un long silence embarrassé. John entendit le craquement étouffé d'un interphone, puis des éclats de voix. Finalement, l'infirmière reprit d'un ton neutre :

— Monsieur, il faudra que vous parliez au docteur, mais je peux vous dire que l'opération a pris fin depuis un certain temps.

John vacilla.

— L'opération a... quoi ? Vous dites que l'opération a

pris fin ? Qu'est-ce que ça signifie ? Elle va bien ? Est-ce que Jessie va bien ?

D'autres bruits de voix étouffés.

— Monsieur, je suis désolée, mais j'ai une autre urgence...

— Attendez, attendez, attendez une minute ! Est-ce qu'elle va bien ? Je vous en prie, dites-moi seulement...

Un déclic. La communication était interrompue...

John vacilla, comme s'il avait reçu un violent coup de poing dans l'estomac.

L'opération a pris fin depuis un certain temps.

Complètement sonné, il demeura adossé au mur, la main serrant toujours le combiné. Cela ne voulait peut-être rien dire. Cela signifiait peut-être que Jessie était sortie de l'auberge, que tout irait bien. Cela signifiait peut-être que les toubibs l'avaient déjà opérée, recousue, qu'on lui avait transfusé du sang, que ce n'était pas aussi grave qu'on le pensait, et qu'elle se reposait tranquillement en post-opératoire. Cela pouvait signifier un million de choses différentes...

John raccrocha.

— Allons-y, lui dit le gardien d'un ton égal.

— Euh... oui... un moment, s'il vous plaît, dit John, en le repoussant d'un geste. J'ai simplement besoin de m'asseoir une minute pour me remettre, d'accord ? Ce n'est pas la mer à boire, tout de même... juste quelques secondes.

Il s'assit sur le banc, au pied du mur de parpaings vert-jaune, et éclata en sanglots.

Il fallut deux gardiens pour l'aider à rejoindre la salle d'interrogatoire.

Clôture

*Le temps passe au-dessus de nous, mais
son ombre demeure.*

Nathaniel Hawthorne,
Le Faune de marbre

Le bourdonnement doux et mélancolique de l'orgue
sortait du fond de l'église Saint-Mary, planait au-dessus
du parking pour aller se noyer dans la brume qui descendait en nappes, poussée par les vents froids du lac Michigan. La pluie s'était mise à tomber vers midi, et une
morne couverture de grisaille se déployait au-dessus de
la coquette petite banlieue d'Evanston, Illinois. Aucune
éclaircie en vue. Ce qui était précisément l'état d'esprit
de John. Debout sous la longue galerie extérieure de
l'église, il se rongeait les ongles en se demandant
comment il aurait le courage d'entrer là-dedans et d'affronter la petite Kit. Sans parler des autres parents de
Jessie. Ces gens avaient partagé avec elle une intimité
qu'il ne connaîtrait jamais.

Son regard se porta au-delà du parking, au-delà des arbres, par-dessus les toits des maisons victoriennes peintes. Evanston était une vieille banlieue pleine de vieilles maisons, de vieilles fortunes, de vieux arbres, et la ligne du vieux métro aérien serpentait en son centre comme une colonne vertébrale d'acier fossilisée par les hivers rigoureux et l'usure. La mère de Jessie y habitait encore. Elle avait jeté l'ancre à la maison de retraite d'Oakwood Terrace, sur Oak Street. Harriet Bales avait voulu choisir l'église, et John n'avait pas eu le cœur d'en débattre avec elle. Après tout, il ne connaissait pas la famille Bales depuis très longtemps. Le fait qu'il soit là, ce jour-là, tenait du miracle.

Dieu sait que ces dernières semaines n'avaient pas été de tout repos. Il avait l'impression que des années avaient passé depuis cette nuit fatidique au théâtre de la Petite Grange Rouge. Toutes les nuits sans sommeil, les témoignages interminables lors d'audiences interminables, les entretiens avec d'innombrables enquêteurs, les réunions sans fin avec ses confrères psychologues, les montagnes russes de ses émotions, le combat contre lui-même pour assister aux réunions des Alcooliques anonymes... John avait broyé du noir pendant des semaines, avant de découvrir qu'il couvait une dépression de tous les diables. Tout d'abord, son médecin lui avait prescrit un anxiolytique, l'Impramine, qui avait fait de l'effet pendant quelque temps, et lui avait au moins permis de dormir la nuit. Mais ses rêves étaient plus désespérés que jamais, hantés de chairs sanguinolentes, de sourires étincelants plaqués sur le visage livide et grimaçant d'un mort. Puis il avait essayé un nouvel antidépresseur, l'Elavil, qui s'était très vite révélé être un cheval de Troie, qui permettait à ses émotions les plus primitives de s'exprimer. La seule mention du nom d'Arthur Glass le transformait en un crétin bredouillant. Finalement, on lui administra quatre-vingts milligrammes par jour de ce bon vieux Prozac. Plutôt efficace.

Le Prozac lui avait au moins permis de commencer à penser à l'avenir.

— John !

Une petite voix aiguë, derrière lui, qui dominait le chuintement de la pluie.

John se retourna. Un petit lutin, vêtu d'une robe de dentelle rose pâle, trottinait vers lui. Ses boucles blondes dansaient dans le vent, et son visage constellé de taches de rousseur resplendissait. Kit Bales s'accrocha à la jambe de John.

— Tout le monde dit que tu te caches ! s'écria-t-elle, essoufflée. Je leur ai dit que tu ne te cacherais jamais pour une chose aussi importante.

John prit la fillette dans ses bras et la serra très fort contre lui.

— Qui se cache ?

— Ils disent que tu es nerveux, dit-elle en haussant les épaules.

— Qui ça, « ils » ?

— Tu sais bien... Grand-mère, Tante Treva.

— Je ne suis pas nerveux, dit John dans un sourire. Je savoure simplement mes derniers instants de liberté.

Kit le regarda en fronçant le nez.

Une autre silhouette apparut au même instant, hésitante, à la porte du presbytère. Le père Michael — un ours à la mâchoire épaisse portant l'aube blanche et l'étole pourpre — était si tendu qu'il avait l'air à la limite de l'apoplexie. C'était un grand nerveux. Même maintenant, alors qu'il scrutait le ciel menaçant, le visage un peu contracté, il tortillait le haut de sa dalmatique de soie.

— L'heure est venue, mon père ? demanda John.

Le prêtre hocha la tête.

— Oui, John. Tout le monde est prêt.

John se tourna vers Kit et l'embrassa sur la joue.

— Allons-y, Boodle. Allons faire le grand plongeon.

Il la reposa à terre, et ils entrèrent dans l'église à la suite du prêtre.

415

La lumière pastel dispensée par les innombrables vitraux inondait le sanctuaire. Tous les visages amicaux des fidèles rassemblés dans l'église exprimaient leurs encouragements. Tout à coup, John se sentit guéri. Peut-être pour la première fois de sa vie. Il sentait la main de Kit serrer la sienne. Il s'agenouilla à côté d'elle.

— Prête pour la représentation ? lui chuchota-t-il.

La petite acquiesça.

John se leva, fit un signe de tête au père Michael, et la cérémonie commença pour de bon.

Le son de l'orgue enfla, toutes les têtes se tournèrent du même côté, et le prêtre fit avancer lentement John et Kit. Ils dépassèrent les premiers rangs occupés par tantes et oncles émus aux larmes, traversèrent le chœur, puis franchirent les larges marches recouvertes d'un chemin blanc, jusqu'au maître-autel. John prit sa place à côté d'un vieux camarade d'université qu'il avait retrouvé récemment — un criminologiste de Detroit nommé Dave Johnson — et fit face à l'assemblée. Kit se trouvait de l'autre côté, essayant d'avoir l'air aussi adulte que possible. La plus petite demoiselle d'honneur du monde.

Quelques instants plus tard, l'organiste joua la marche nuptiale.

Jessie Bales se matérialisa au bout de l'allée, dans un nuage de lumière blanche.

Encadrée de son vieil oncle Calvin et de sa mère, Harriet Bales, elle remonta l'allée en boitillant légèrement. Elle avait dû subir plusieurs opérations — le dernier coup de scalpel de Glass lui ayant perforé l'intestin —, mais ces derniers temps, elle allait plutôt bien. Elle chantait de nouveau en écoutant les albums de Reba McEntire, et elle commençait à réfléchir à un nouveau cabinet d'enquêtes, avec John comme associé. C'était encourageant. Très encourageant. Mais le combat avait été difficile.

Son thérapeute avait fini par admettre que Jessie était victime de stress post-traumatique. À l'instar de John, elle était hantée, jour après jour, par les images des horreurs du théâtre de la Petite Grange Rouge. Aucune psychothérapie fondée sur la parole, aucun programme en douze étapes, aucun médicament n'avait été efficace. Heureusement, Jessie était une dure à cuire. Non pas une dure comme les machos, ni comme certains de ces mômes que l'on voit dans les rues. Jessie disposait d'une étrange réserve intérieure. Une foi inépuisable en elle-même. En Kit. En John. En leur avenir commun à tous les trois.

Quand ils furent devant l'autel, Harriet et l'oncle Calvin hochèrent la tête, sourirent à John et firent un clin d'œil à Kit, avant de regagner leurs sièges respectifs.

Jessie sourit à sa fille, en roulant comiquement des yeux, puis se tourna vers John.

— Bon Dieu, Johnny, murmura-t-elle, tout en gardant son sourire de jeune mariée intact pour ceux du poulailler. Qu'est-ce que tu ruminais, là, dehors ?

— Désolé, Jess.

John souriait, en dépit de sa nervosité.

— Je pensais que tu avais changé d'avis, pour l'amour du Ciel !

— Changer d'avis... Qu'est-ce que tu racontes ? C'était mon idée, non ?

— *Ton idée ?*

— Ouais. Mon idée. Au fait, comment diable savais-tu que j'étais dehors ? Tu m'espionnais, c'est ça ?

— Bien sûr, que je t'espionnais ! Je suis une fouineuse, non ? C'est mon boulot.

Le prêtre s'éclaircit la gorge et leur jeta un regard inquiet.

Jessie se tut, sourit tendrement au prêtre, à John, puis à Kit. Très doucement, du coin des lèvres, elle ajouta :

— Je ne peux croire que tu oses t'attribuer le mérite de tout cela.

John lui prit la main comme il était supposé le faire, se tourna vers le prêtre et chuchota :

— C'est vrai, peut-être que j'essaie de m'attribuer le mérite d'une bonne idée.

— Car *c'est* une bonne idée, n'est-ce pas ?

— Ouais, Jess, une très bonne idée.

— Merci.

— Pas de quoi, murmura John.

Puis le prêtre entama le long rituel compliqué que constitue une cérémonie de mariage catholique. John et Kit échangèrent un sourire complice. Il regarda ensuite la main de Jessie, nichée dans la sienne. Elle était grande et musclée, pour une main de femme, avec des ongles teints pour l'occasion en fuchsia vif. Il remarqua une fine cicatrice à l'extérieur du pouce de Jessie, puis réalisa qu'il avait la même le long de son propre pouce. Deux estafilades, parfaitement semblables, probablement dues l'une et l'autre à un coup de scalpel. John fixa sa cicatrice, puis celle de Jessie, puis la sienne à nouveau... Il réalisa soudain qu'elles ne disparaîtraient jamais tout à fait, ni l'une ni l'autre.

Aucune ne disparaîtrait jamais.

C'était peut-être très bien.

Peut-être devait-il en être ainsi.

Il ramena son regard sur le prêtre, et se mit à écouter plus attentivement les mots qu'il prononçait.

Cet ouvrage a été composé
par Nord Compo (Villeneuve-d'Ascq)
et imprimé par **Bussière Camedan Imprimeries**
à Saint-Amand-Montrond (Cher)
en février 1999

N° d'édition : 6719. N° d'impression : 990455/1.
Dépôt légal : février 1999.
Imprimé en France